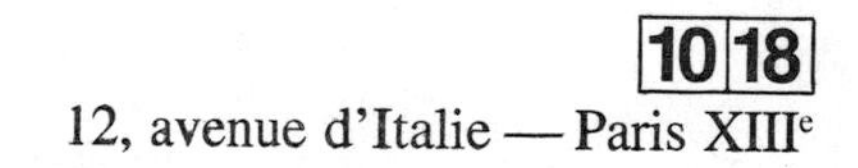

12, avenue d'Italie — Paris XIIIᵉ

Sur l'auteur

Anne Perry, née en 1938, à Londres, est aujourd'hui célébrée dans de nombreux pays comme une « reine » du polar victorien. C'est en 1979 qu'elle publie la première enquête du couple de détectives Charlotte et Thomas Pitt, *L'Étrangleur de Cater Street*, une série qui compte aujourd'hui vingt romans. Forte de ses premiers succès, elle publie en 1990 *Un étranger dans le miroir*, qui inaugure une seconde série victorienne, menée par l'inspecteur William Monk. *Funeral in Blue*, la douzième enquête de William Monk, va paraître prochainement en Angleterre. Anne Perry a par ailleurs écrit plusieurs romans fantastiques — *Tathea, Shadow Mountain*. Elle vient de publier aux États-Unis *The One Thing More*, un roman qui a pour cadre, cette fois, le Paris de la Révolution française. Elle vit au nord d'Inverness, en Écosse.

L'INCENDIAIRE DE HIGHGATE

PAR

ANNE PERRY

Traduit de l'anglais
par Anne-Marie CARRIÈRE

INÉDIT

« Grands Détectives »
dirigé par Jean-Claude Zylberstein

Du même auteur
aux Éditions 10/18

SÉRIE « Charlotte et Thomas Pitt »

L'ÉTRANGLEUR DE CATER STREET, n° 2852
LE MYSTÈRE DE CALLANDER SQUARE, n° 2853
LE CRIME DE PARAGON WALK, n° 2877
RESURRECTION ROW, n° 2943
RUTLAND PLACE, n° 2979
LE CADAVRE DE BLUEGATE FIELDS, n° 3041
MORT À DEVIL'S ACRE, n° 3092
MEURTRES À CARDINGTON CRESCENT, n° 3196
SILENCE À HANOVER CLOSE, n° 3255
L'ÉGORGEUR DE WESTMINSTER BRIDGE, n° 3326
► L'INCENDIAIRE DE HIGHGATE, n° 3370

SÉRIE « William Monk »

UN ÉTRANGER DANS LE MIROIR, n° 2978
UN DEUIL DANGEREUX, n° 3063
DÉFENSE ET TRAHISON, n° 3100
VOCATION FATALE, n° 3155
DES ÂMES NOIRES, n° 3224
LA MARQUE DE CAÏN, n° 3300
SCANDALE ET CALOMNIE, n° 3346

Titre original ·
Highgate Rise

ISBN 2-264-03263-4

À mon amie Meg MacDonald,
pour sa fidélité indéfectible,
et à Meg Davis,
qui m'a servi de guide
tout au long de ce travail.

1

L'inspecteur Thomas Pitt observait les ruines fumantes de la maison, indifférent à la pluie glaciale qui plaquait ses cheveux sur son front et s'insinuait entre son col relevé et son écharpe en laine. La chaleur émanant des monceaux de briques noircies par le feu rayonnait encore. L'eau dégouttait des linteaux brisés, et, en tombant sur les braises crépitantes, faisait monter de fines volutes de vapeur.

Il avait devant lui les décombres d'une belle demeure, élégamment proportionnée. Il n'en restait que l'aile réservée aux domestiques.

À ses côtés, l'agent James Murdo, du commissariat de Highgate, se dandinait d'un pied sur l'autre. Il regrettait que ses supérieurs aient fait appel si vite à un inspecteur venu de la capitale, même précédé, comme Pitt, d'une excellente réputation, alors qu'eux-mêmes ne disposaient encore d'aucun élément sur cette affaire. On n'avait pas tenu compte de ses protestations ; il se retrouvait là auprès de cet individu débraillé, aux gants miteux, aux poches gonflées d'objets hétéroclites. Seules ses bottes étaient de bonne qualité. Ses traits, maculés de noir de fumée, reflétaient une grande tristesse.

— L'incendie aurait démarré vers minuit, monsieur, expliqua Murdo, pour bien montrer que les policiers de Highgate travaillaient efficacement et avaient fait tout ce que l'on attendait d'eux. Une certaine Miss Dalton, une demoiselle âgée qui habite St. Alban's Road, dit avoir vu le feu lorsqu'elle s'est réveillée, vers une heure et quart. Les flammes étaient déjà hautes ; elle a donné l'alarme, en envoyant sa bonne chez son voisin, le colonel Anstruther, qui possède un appareil téléphonique. La maison étant assurée, les pompiers sont arrivés rapidement, au bout d'une vingtaine de minutes, mais ils n'ont pas pu sauver grand-chose. Presque tout le bâtiment était en feu. Ils sont allés pomper l'eau dans les étangs de Highgate, là-bas, de l'autre côté des champs.

Il agita la main dans leur direction.

Pitt hocha la tête, imaginant l'horreur de la scène : les hommes reculant devant la fournaise, les chevaux effrayés, les seaux de toile passant de main en main, bien inutilement, le rideau de flammes s'élançant vers le ciel, l'explosion des poutres et des solives projetant des gerbes d'étincelles dans les ténèbres, la fumée âcre et opaque piquant les yeux et la gorge.

D'un geste machinal, il essuya une tache sur sa joue et se retrouva tout barbouillé.

— Et le corps ? demanda-t-il.

Murdo, oubliant son animosité, se souvint des pompiers hagards qui sortaient des décombres, portant un brancard contenant les restes carbonisés d'un être humain. Il répondit avec un tremblement dans la voix :

— Nous pensons qu'il s'agit de Mrs. Shaw, monsieur, l'épouse du médecin du quartier, le propriétaire de la maison. Il est également médecin légiste, aussi avons-nous fait appel à l'un de ses confrères de Hampstead pour les premières constatations. Étant donné l'état du corps, il n'a pas pu nous dire grand-chose. En ce moment, le Dr Shaw se trouve chez un voisin, un certain Mr. Amos Lindsay.

Il leva le menton vers le haut de la rue, en direction de West Hill.

— Cette maison, là-bas.

— Est-il blessé ? s'enquit Pitt, qui continuait à scruter les décombres.

— Non, monsieur. Il était parti visiter une patiente

sur le point d'accoucher et il est resté chez elle presquc toute la nuit. Il n'a entendu parler de l'incendie que sur le chemin du retour.

Pitt se tourna enfin vers Murdo.

— Et le personnel ? À première vue, les quartiers des domestiques sont les moins touchés.

— Ils ont tous pu s'échapper, mais le majordome est sérieusement brûlé. On l'a transporté à l'hôpital St. Pancras, de l'autre côté du cimetière de Highgate. La cuisinière, très choquée, a été emmenée par une personne de sa famille qui habite Seven Sisters Road. La cameriste est effondrée, elle répète qu'elle n'aurait jamais dû quitter le Dorset et qu'elle veut y retourner. La fille de cuisine n'était pas là, elle ne prend son service que le matin.

— S'cst-on bien assuré qu'il ne reste personne sous les décombres ? Le majordomc est bien le seul blessé ? insista Pitt.

— Oui, monsieur. Le feu a pris dans le bâtiment principal et s'est ensuite propagé dans l'aile des domestiques. Les pompiers ont pu tous les évacuer, sains et saufs.

Murdo frissonna, en dépit de la chaleur qui se dégageait des décombres trempés par la bruine d'automne. Un pâle soleil éclairait les arbres de Bishop's Wood, de l'autre côté des champs. Un léger vent du sud venait du cœur tout proche de la capitale ; là-bas, des gouvernantes en tabliers amidonnés promenaient les enfants dans les allées fleuries des jardins de Kensington, où des orchestres jouaient des airs entraînants. Dans les attelages filant sur le Mall, des élégantes coiffées de grandes capelincs se saluaient d'un signe de la main ; de belles amazones, à la réputation douteuse, trottaient dans Rotten Row, la principale allée cavalière de Hyde Park, en faisant les yeux doux aux promeneurs.

En ce mois de septembre 1888, la reine Victoria, toujours en deuil, vingt-sept ans après la mort de son époux, le prince Albcrt, vivait en recluse au château de Windsor. Et dans les ruelles de Whitechapel, un sinistre individu égorgeait, éventrait, mutilait des femmes qu'il laissait, baignant dans leur sang, sur le trottoir. Un criminel sadique que la presse populaire n'allait pas tarder à affubler du surnom de Jack l'Éventreur.

Murdo rentra la tête dans les épaules et rectifia la position de son casque.

— Mrs. Shaw est la seule victime, inspecteur. D'après les premiers indices, le feu a pris en même temps dans quatre endroits distincts et s'est propagé aussitôt dans toute la maison. Les rideaux semblent avoir été imbibés de pétrole lampant.

Les traits juvéniles de son visage se crispèrent.

— On peut renverser du pétrole sur un rideau par accident, mais pas sur quatre. Le geste doit avoir été prémédité.

Pitt ne répondit pas. C'était précisément parce qu'il y avait homicide qu'il se trouvait là, aux côtés de ce jeune blondinet impatient et plein de rancœur, dont le regard reflétait l'horreur de ce qu'il avait vu.

— La question est de savoir, poursuivit Murdo, si la victime désignée était Mrs. Shaw, ou bien son mari.

— Nous avons beaucoup de choses à élucider, soupira Pitt. Commençons par le témoignage du capitaine des pompiers.

— Nous avons sa déposition au poste, monsieur, remarqua Murdo avec une certaine raideur. Le commissariat se trouve un peu plus haut, à environ cinq cents mètres d'ici.

Ils remontèrent Highgate West en silence. Quelques feuilles d'automne jaunies voletaient sur la chaussée. Un cab les dépassa dans un grincement de roues. Dans ce quartier cossu vivaient des gens respectables et fortunés. La rue menait au centre de Highgate où voisinaient pubs, études d'avocats et commerces divers ; on y trouvait une station de pompage hydraulique et un vaste cimetière descendant vers le sud-est. Au-delà des maisons, à perte de vue, s'étendaient des prairies silencieuses.

Au poste de police, on accueillit Pitt avec une amabilité toute relative. Il comprit, à la manière dont les agents évitaient son regard, qu'ils n'acceptaient pas qu'on leur imposât la présence d'un inspecteur venu de l'extérieur. Les commissariats de quartier avaient vu leurs effectifs diminuer ; les congés avaient été supprimés, car toutes les forces de police de Londres étaient mobilisées sur le secteur de Whitechapel pour tenter d'enrayer la vague de meurtres monstrueux qui faisaient la une des journaux de l'Europe entière.

Le rapport du capitaine des pompiers l'attendait sur le bureau du commissaire, un homme aux cheveux gris, aux traits tirés par la fatigue. Sa voix douce et ses manières affables ne faisaient qu'accentuer son ressentiment à l'égard de Pitt. Il avait eu le temps de changer d'uniforme, mais ses mains portaient des traces de brûlures qu'il n'avait pas encore soignées.

Pitt le remercia discrètement, de façon à ne pas souligner ce soudain renversement des rôles, puis feuilleta le rapport, rédigé par une main appliquée. Les faits étaient simples et ne faisaient que confirmer dans les détails le récit de Murdo : le feu avait pris simultanément en quatre endroits, le bureau, la bibliothèque, la salle à manger et le petit salon. Les rideaux s'étaient enflammés avec une rapidité stupéfiante, comme s'ils avaient été imbibés de pétrole. À l'instar de toutes les maisons du quartier, celle-ci était éclairée au gaz ; les conduites avaient explosé après avoir été léchées par les flammes. Les occupants de l'aile principale auraient eu peu de chance de salut, sauf à se réveiller au début de l'incendie et à fuir par l'aile des domestiques.

Mrs. Clemency Shaw avait probablement été asphyxiée par la fumée. Son époux, le Dr Stephen Shaw, appelé pour une urgence à plus d'un kilomètre de là, était absent. Les domestiques s'étaient réveillés au bruit des cloches des voitures de pompiers. Des échelles de secours dressées devant les fenêtres de leurs chambres leur avaient permis d'échapper au brasier.

La pluie avait cessé. Il était trois heures de l'après-midi lorsque Pitt et Murdo se présentèrent à la porte de la maison voisine de celle des Shaw, située sur sa droite. Elle s'ouvrit moins d'une minute plus tard sur le propriétaire en personne, un petit homme au visage auréolé d'une crinière de cheveux blancs rejetés en arrière. Un pli inquiet barrait son front, entre ses sourcils, et sa bouche arborait une expression sévère.

— Bonjour, messieurs, dit-il précipitamment. Vous êtes de la police ? Oui, bien sûr.

L'uniforme de Murdo rendait l'observation inutile, mais l'homme regardait Pitt d'un œil soupçonneux. Il ne comprenait pas pourquoi celui-ci n'était pas en tenue : on ne prête pas attention au visage d'un policier, pas plus qu'à celui d'un conducteur d'omnibus ou d'un égoutier.

Finalement, il s'effaça pour les laisser passer.

— Entrez. J'imagine que vous voulez savoir si j'ai vu quelque chose ? Je me demande comment un tel drame a pu se produire. Mrs. Shaw était une femme si méticuleuse ! C'est terrible ! Le gaz, je suppose. À mon avis, nous n'aurions jamais dû abandonner l'usage des bougies. Leur lumière est beaucoup plus plaisante.

Il se retourna, les précéda dans un sombre vestibule puis dans un petit salon qui, de toute évidence, lui servait de bureau.

Pitt regarda autour de lui avec intérêt. Le salon reflétait les goûts du maître de maison. On y voyait des rayonnages garnis de livres en désordre accumulés là pour des raisons pratiques et non pour servir de décoration. Ils n'étaient pas classés pour le plaisir des yeux, mais par ordre d'utilisation. Des in-folio étaient glissés entre des volumes reliés, de gros ouvrages voisinaient au côté de plus petits. Un tableau romantique au cadre doré représentant Galaad à genoux était accroché au-dessus de la cheminée. Sur le mur opposé, un autre tableau représentait la dame d'Escalot, le front ceint d'une couronne de fleurs, assise dans sa barque dérivant au fil de l'eau. Sur un guéridon proche d'un gros fauteuil en cuir, un bronze figurant un croisé sur son destrier attirait le regard. Des lettres jonchaient le bureau. Des journaux étaient empilés sur le bras du canapé et des coupures de presse s'éparpillaient sur les coussins.

L'homme se présenta.

— Quinton Pascoe. Mais vous le savez. Tenez, messieurs, asseyez-vous.

Il ramassa les coupures de journaux et les fourra en hâte dans le tiroir d'un bonheur-du-jour.

— Asseyez-vous, répéta-t-il. Quel malheur épouvantable ! Mrs. Shaw était une femme très bien. Quelle perte pour nous tous ! Quelle tragédie !

Murdo préféra rester debout. En s'asseyant sur le canapé, Pitt entendit un froissement de papier journal sous son séant.

— Je suis l'inspecteur Pitt, et voici l'agent Murdo, dit-il. À quelle heure vous êtes-vous couché hier soir, Mr. Pascoe ?

Celui-ci haussa les sourcils, interloqué, puis comprit le but de la question.

— Un peu avant minuit. Désolé, je n'ai rien vu ni entendu avant l'arrivée des pompiers. C'est alors seulement que le bruit de la fournaise m'est parvenu. Affreux !

Il secoua la tête.

— Je suis un gros dormeur, ajouta-t-il en adressant à Pitt un regard d'excuse. Je me sens très coupable. Mon Dieu...

Il renifla, cligna des yeux et tourna la tête vers la fenêtre qui donnait sur un luxuriant jardin où dominaient les teintes fauves et dorées des frondaisons d'automne.

— Si j'étais monté dans ma chambre un quart d'heure plus tard, j'aurais vu les flammes ! J'aurais pu donner l'alarme !

Son visage se crispa douloureusement.

— Je suis navré. Mais il ne sert à rien de se lamenter, n'est-ce pas ?

— Avez-vous par hasard jeté un coup d'œil par la fenêtre dans la demi-heure qui a précédé votre coucher ? insista Pitt.

— Je n'ai pas vu le départ du feu, inspecteur, répéta Pascoe. Je ne vois pas pourquoi vous me reposez la question. Je pleure la mort de cette pauvre Mrs. Shaw. Une femme exceptionnelle. Mais que pouvons-nous faire pour elle, à présent ?

Il renifla à nouveau et pinça les lèvres.

— C'est Shaw qu'il faut aider, j'imagine.

Murdo se tortilla imperceptiblement ; son regard se porta sur Pitt, puis s'en détourna. Bientôt tout le monde saurait que l'incendie était volontaire ; Pitt ne voyait pas l'intérêt de garder le secret. Il se pencha en avant, faisant à nouveau crisser le journal sous son coussin.

— L'incendie n'était pas accidentel, Mr. Pascoe. L'explosion des conduites de gaz n'a rien arrangé, mais elle n'est pas à l'origine du sinistre. Le feu a pris en même temps en plusieurs endroits de la maison. Au niveau des fenêtres.

— Des fenêtres ? Que me chantez-vous là ? Les fenêtres ne brûlent pas, mon vieux ! D'abord, qui êtes-vous ?

— Inspecteur Thomas Pitt, du commissariat de Bow Street, monsieur.

Pascoe haussa un sourcil stupéfait.

— Bow Street ? À Londres ? À des kilomètres d'ici ? La police locale ne fait donc pas son travail ?

— Si, monsieur, affirma Pitt, réprimant son agacement.

Il lui serait difficile d'entretenir des relations amicales avec les collègues de Murdo si ce genre de commentaire continuait à tomber dans l'oreille de celui-ci.

— Étant donné la gravité de l'affaire, le commissaire tient à ce qu'elle soit éclaircie au plus vite. Selon le rapport du capitaine des pompiers, le feu a pris aux rideaux. De lourdes tentures s'enflamment facilement surtout si elles sont imbibées d'huile, de pétrole ou de paraffine.

Pascoe blêmit.

— Mon Dieu ! Êtes-vous en train d'insinuer que quelqu'un a mis le feu dans l'intention de... tuer ?

Il secoua vivement la tête.

— Stupidités ! Bêtises ! Qui aurait souhaité la mort de Clemency Shaw ? On devait en vouloir à son mari ! Où était-il, d'abord ? Pourquoi n'était-il pas chez lui ? Je pourrais comprendre si...

Il s'interrompit et fixa le plancher d'un air malheureux.

— Avez-vous vu quelque chose ou quelqu'un, Mr. Pascoe ? répéta Pitt, observant la silhouette voûtée de son interlocuteur. Un passant, un fiacre, un attelage, une lumière ? Vous souvenez-vous d'un détail susceptible de nous aider ?

Pascoe soupira.

— Je suis allé faire un tour dans le jardin avant de monter dans ma chambre. Je travaillais sur un article qui me donnait du souci...

Il s'éclaircit la gorge, hésita, puis reprit, se laissant emporter par la passion :

— Vous comprenez, je tiens à réfuter les affirmations grotesques de Dalgetty sur Richard Cœur de Lion...

Il prononça le nom du célèbre roi avec tendresse.

— Vous ne connaissez pas John Dalgetty ? Non, évidemment. Un être irresponsable et impulsif, qui se moque des convenances, poursuivit Pascoe avec une expression dégoûtée. Nous autres critiques littéraires avons des devoirs, vous savez. Nous façonnons l'opinion des lecteurs, en louant ou condamnant une œuvre. Mais Dalgetty, lui, préfère se moquer des valeurs chevaleresques, au nom d'une prétendue liberté d'expression, qui pour moi n'est que dérèglement de l'esprit.

Il écarta mollement les bras pour souligner ce laisser-aller qu'il condamnait.

— Dalgetty a fait l'éloge de cette odieuse monographie écrite par Amos Lindsay sur la nouvelle doctrine prônée par la Société Fabienne[1] dont les membres se disent socialistes. À mon avis, les écrits de Lindsay prônent l'anarchie et le chaos. Déposséder les gens de leur patrimoine, moi, j'appelle cela du vol pur et simple. Ceux-ci ne le toléreront pas. Il y aura des émeutes sanglantes dans les rues, si ces irresponsables gagnent des partisans.

Il serra les mâchoires pour contrôler le frémissement de sa voix.

— Nous verrons des luttes fratricides sur notre propre sol ! Selon Lindsay, il serait juste de confisquer les propriétés privées pour les redistribuer, sans tenir compte de l'honnêteté des acquéreurs ou de leur capacité à mettre en valeur ces biens.

Il lança un regard aigu en direction de Pitt.

— Pensez à ce gâchis, à cette monstrueuse injustice ! Tout ce pour quoi nous avons travaillé avec amour...

Il se tenait très raide, les poings crispés, la voix vibrante de colère.

— ... tout ce dont nous avons hérité au fil des générations, toute cette beauté, ces trésors du passé... Et bien sûr, cet idiot de Shaw partage leurs idées !

Soudain, il réalisa qu'il avait en face de lui un policier qui ne possédait sans doute aucun bien de valeur. La raison de sa venue lui revint à l'esprit. Ses épaules s'affaissèrent.

— Je suis désolé. Je ne devrais pas critiquer un homme en deuil. J'ai honte...

— Vous êtes donc allé vous promener... reprit Pitt.

— Ah, oui. J'avais mal aux yeux et je voulais prendre l'air et réfléchir à tête reposée. Je suis allé faire un tour dans le jardin...

1. Association fondée à Londres en 1884, par un groupe d'intellectuels, dont George Bernard Shaw, l'écrivain irlandais. Elle se proposait d'atteindre le socialisme par une série de réformes successives. (*N.d.T.*)

Il sourit à ce souvenir.

— Il faisait bon, il y avait un beau quartier de lune, quelques petits nuages dans le ciel et une légère brise venue du sud. J'ai même entendu un rossignol chanter. Une pure merveille ! À vous arracher des larmes. Ravissant, vraiment ravissant. Je suis allé me coucher en paix avec moi-même.

Il cligna des yeux et ajouta d'un air coupable :

— Quand je pense qu'alors que je dormais du sommeil du juste, à vingt mètres de là, une femme luttait pour sa vie !

— Même si vous étiez resté éveillé toute la nuit, vous n'auriez peut-être rien vu ni entendu avant l'arrivée des pompiers. Un feu se propage très vite lorsqu'il a été allumé intentionnellement. Il se peut que Mrs. Shaw soit morte asphyxiée dans son sommeil.

Pascoe ouvrit de grands yeux

— Vous croyez ? Je l'espère pour elle, pauvre créature. C'était une femme très bien, vous savez. Trop bien pour Shaw. Un homme insensible, sans grandes aspirations. Je ne prétends pas qu'il n'est pas bon médecin, ajouta-t-il précipitamment. Mais il manque de subtilité. Il juge spirituel et progressiste de se moquer des valeurs traditionnelles. Mon Dieu, je ne devrais pas dire du mal d'un homme en deuil, mais la vérité finira bien par se savoir. Je suis désolé de ne pouvoir vous aider, inspecteur.

— Pouvons-nous interroger vos domestiques, Mr. Pascoe ? demanda Pitt, par pure politesse, car il avait bien l'intention de le faire, avec ou sans son autorisation.

— Bien entendu. Mais essayez de ne pas les inquiéter. Une bonne cuisinière est très difficile à trouver, surtout pour un vieux célibataire comme moi. En général, les cordons-bleus aiment préparer de grands dîners, ce qui est rarement le cas ici. J'invite seulement parfois quelques collègues à souper...

Pitt se leva et Murdo se redressa, presque au garde-à-vous.

Il s avera que la cuisinière et le valet de Pascoe n'avaient eux non plus rien vu ni entendu. La fille de cuisine et la petite bonne, respectivement âgées de douze et quatorze ans, étaient bien trop effrayées pour parler ; elles se contentèrent de tripoter leur tablier en répétant qu'à minuit elles dormaient toutes les deux. Sachant que l'on exigeait d'elles d'être debout à cinq heures du matin, Pitt n'eut aucun mal à les croire.

Les deux policiers se dirigèrent ensuite vers le sud de Highgate Rise. Sur le côté droit de la route s'étendaient des champs séparés par un chemin appelé Bromwich Walk, qui partait du presbytère de l'église St. Anne pour déboucher dans Highgate proprement dit.

— Un chemin de traverse très pratique, expliqua Murdo. À cette heure de la nuit, des centaines de personnes, les poches bourrées d'allumettes, auraient pu l'emprunter et passer complètement inaperçues.

Il commençait à penser que leurs démarches étaient inutiles et ne faisait rien pour dissimuler son opinion.

— En pleine nuit, toutes ces personnes se seraient cognées les unes contre les autres, ironisa Pitt.

Murdo, qui avait voulu se montrer sarcastique, ne saisit pas la raillerie. Cet inspecteur venu de Bow Street était-il donc stupide à ce point ? Dévisageant avec plus d'attention ce personnage au long nez et aux cheveux en bataille, il remarqua que l'une de ses dents de devant était abîmée. Puis voyant le sourire amusé qui éclairait ses yeux, il se dit qu'au fond celui-ci n'était peut-être pas complètement idiot.

— N'oubliez pas qu'il faisait noir, reprit Pitt. Pascoe a beau dire qu'il y avait un joli quartier de lune, le ciel était couvert de nuages. À minuit, tous les rideaux sont tirés et les lumières éteintes.

Murdo finit par comprendre où Pitt voulait en venir.

— Il aurait donc fallu que notre homme soit muni

d'une lanterne. Or, dans le noir, la simple flamme d'une allumette se remarque à des lieues à la ronde.

— Exactement, acquiesça Pitt, qui haussa les épaules avant d'ajouter : La lumière d'une lanterne ne nous aidera pas beaucoup, sauf si quelqu'un a vu de quelle direction elle venait. Allons interroger Mr. Alfred Lutterworth.

La demeure de ce dernier était la dernière au bout de la route : une superbe maison, deux fois plus imposante que ses voisines. Pitt, comme à son habitude, frappa à la porte principale. Il se refusait par principe à entrer par la porte de service où se présentaient les livreurs, les policiers et toutes sortes d'individus jugés indésirables. Au bout d'un moment, une ravissante soubrette, vêtue d'une robe grise et portant tablier et bonnet de dentelle amidonnée, vint ouvrir ; son expression trahit aussitôt le fond de sa pensée.

— Les livreurs passent par-derrière, dit-elle en relevant légèrement le menton.

— Je suis venu voir Mr. Lutterworth, pas son majordome, fit Pitt d'un ton cassant. J'imagine que les visiteurs entrent par la porte principale ?

— Il ne reçoit pas la police, riposta-t-elle, lui renvoyant la balle.

— Eh bien, aujourd'hui, il fera une exception !

Pitt fit un pas en avant et la soubrette fut bien obligée de reculer pour ne pas se retrouver le nez au milieu des boutons de sa redingote. Murdo, stupéfait, admira l'audace de son supérieur.

— Je suis certain qu'il voudra aider la police à démasquer l'assassin de Mrs. Shaw, ajouta Pitt en ôtant son chapeau.

La soubrette devint si pâle qu'ils crurent qu'elle allait défaillir. À voir sa taille de guêpe, Pitt se dit qu'elle devait être si étroitement corsetée qu'une personne moins sûre d'elle aurait eu la respiration coupée en entendant la nouvelle.

— Mon Dieu ! s'exclama-t-elle, se ressaisissant avec effort. Je croyais qu'il s'agissait d'un accident.

— Hélas, non.

Pitt tenta de rattraper cette entrée en matière assez brutale. Depuis le temps qu'il exerçait son métier, les réflexions d'une soubrette auraient dû le laisser de marbre.

— Auriez-vous par hasard regardé par la fenêtre, vers minuit, vu ou entendu quelque chose d'anormal, une lumière, un bruit ?

Elle hésita.

— Moi, non. Mais Alice, la petite bonne, n'était pas encore couchée. Elle m'a dit ce matin avoir aperçu un fantôme dehors. Mais elle est un peu simplette. Elle a sans doute rêvé.

— Je lui parlerai, répondit Pitt en souriant. C'est peut-être important. Merci.

Elle lui rendit son sourire.

— Si vous voulez bien patienter dans le grand salon, je vais prévenir Mr. Lutterworth de votre arrivée... monsieur.

Le grand salon était une pièce élégante, luxueusement meublée, avec beaucoup de goût. Pitt eut juste le temps d'apprécier quelques aquarelles, dont la vente aurait assuré le vivre et le couvert d'une famille ordinaire pendant dix ans, et qui constituaient aussi de véritables œuvres d'art, superbement mises en valeur : un plaisir et un repos pour les yeux.

Alfred Lutterworth était un homme d'une soixantaine d'années, au teint frais, dont les joues paraissaient enflammées par la colère ; une couronne de cheveux blancs entourait son crâne chauve. Grand, solidement bâti, il avait des traits puissants et l'assurance d'un homme qui ne doit sa réussite qu'à lui-même. Chez un gentleman, cela aurait contribué à sa séduction, mais il y avait chez lui quelque chose d'agressif et d'incertain qui traduisait son sentiment de ne pas appartenir à la classe supérieure, malgré sa fortune.

— La bonne dit que vous êtes là parce que Mrs. Shaw a péri dans un incendie volontaire, déclara-t-il avec la lenteur caractéristique de l'accent du Lancashire. C'est vrai ? Avec ces filles, on ne sait jamais : à force de lire des romans à sensation dans le réduit sous l'escalier, elles ont une imagination aussi fertile que ceux qui les ont écrits !

— Oui, c'est la vérité, répondit Pitt, avant de se présenter, ainsi que Murdo, et de lui donner la raison de leur visite.

— Triste histoire, commenta Lutterworth. Une excellente femme, Clemency. Trop bien pour les gens de ce quartier. Excepté Maude Dalgetty, une femme très simple elle aussi, pas prétentieuse pour deux sous, aimable avec tout le monde.

Il secoua la tête.

— Mais je n'ai rien vu. J'ai attendu le retour de Flora, qui est rentrée vers minuit moins vingt, puis j'ai éteint les lumières et je suis monté me coucher. Je ne me suis réveillé qu'au bruit des cloches des pompiers. Une troupe armée aurait pu passer en bas dans la rue, je ne l'aurais pas entendue.

— Flora ? Vous parlez de votre fille, Miss Lutterworth ? s'enquit Pitt.

— Oui, c'est son prénom. Elle était sortie pour assister à une conférence avec des amis dans St. Alban's Road, tout près d'ici, à côté de l'église.

Sentant Murdo se raidir à ses côtés, Pitt demanda :

— Est-elle rentrée à pied, monsieur ?

Lutterworth examina le policier, les yeux plissés, pensant déceler une critique dans sa voix.

— La salle n'est qu'à quelques dizaines de mètres d'ici. La petite est en très bonne santé.

— J'aimerais lui demander si elle a vu quelque chose d'anormal. Les femmes sont parfois de fines observatrices.

— Des curieuses, vous voulez dire ! Ma défunte femme — Dieu ait son âme — remarquait toujours chez les gens des détails que je ne voyais jamais. Et neuf fois sur dix, elle avait raison.

Le souvenir de son épouse lui revint avec une telle intensité qu'il oublia la présence des policiers. Bien que les fenêtres fussent fermées, on sentait encore l'odeur âcre de l'eau sur les briques éclatées et les poutres carbonisées de la maison voisine. Pendant quelques instants, les yeux, les lèvres de Lutterworth n'exprimèrent plus qu'une grande tendresse, puis il revint à la réalité.

— Bon, si vous y tenez...

Il tendit la main vers la sonnette de porcelaine fleurie fixée dans le mur. La soubrette apparut aussitôt à la porte.

— Polly, dites à Miss Flora que je veux la voir. La police aimerait lui poser quelques questions.

— Bien, monsieur.

Elle s'éloigna en faisant virevolter ses jupes.

— Effrontée, cette gamine, marmonna Lutterworth entre ses dents. Et elle sait ce qu'elle veut. Mais je ne l'en blâme pas. Elle est jolie comme un cœur. Après tout, c'est la principale qualité requise chez une soubrette, non ?

Flora Lutterworth devait être poussée par la curiosité car elle ne se fit pas attendre. Toutefois, son menton relevé, son refus de regarder son père dans les yeux et ses joues en feu laissaient supposer qu'elle venait de se disputer avec lui.

C'était une ravissante personne, élancée, aux grands yeux et aux cheveux noirs, d'une beauté fort peu traditionnelle, avec des traits anguleux et deux dents de devant qui se chevauchaient légèrement. Son visage reflétait une forte personnalité : Pitt n'était pas surpris qu'elle ait pu se quereller avec son père. Il pouvait imaginer des dizaines de sujets sur lesquels Lutterworth et sa fille avaient des opinions radicalement divergentes. Par exemple, l'interdiction de lire certaines pages des journaux, le prix d'achat d'un chapeau, l'heure de la nuit à laquelle elle devait rentrer, la qualité des gens qu'elle fréquentait...

— Bonjour, Miss Lutterworth, dit-il, aimable. Vous êtes sans doute au courant de la tragédie de cette nuit. Auriez-vous par hasard croisé des personnes inconnues ou des connaissances, en rentrant hier soir ?

Elle parut surprise.

— Des connaissances ?

— Nous aimerions parler à ces personnes. On ne sait jamais, elles ont peut-être vu ou entendu quelque chose d'intéressant.

C'était en partie vrai. Il ne fallait pas qu'elle s'imagine qu'il lui demandait d'accuser quelqu'un.

Le visage de la jeune fille s'éclaira.

— Oui, j'ai vu passer le cabriolet du Dr Shaw au moment où nous quittions les Howard.

— Comment savez-vous qu'il s'agissait du Dr Shaw ?

— Il est le seul à posséder ce genre d'attelage, dans le quartier.

Son accent était totalement dénué des lourdes intonations du Lancashire. Son père avait dû lui offrir des leçons de diction, afin qu'elle puisse passer pour une vraie lady. Malgré sa mauvaise humeur, Lutterworth la couvait des yeux avec tendresse, profitant de ce que son attention se portait sur Pitt.

— Je l'ai aperçu de façon très nette, à la lumière de la lanterne du cabriolet, conclut-elle.

— Et hormis le Dr Shaw, avez-vous vu quelqu'un d'autre ?

— Se dirigeant vers ici ? Voyons... Mr. Lindsay est arrivé quelques instants après nous. Je marchais en compagnie de Mr. Arroway et des demoiselles Barking. Ils ont poursuivi leur chemin jusqu'à Highgate. Mr. et Mrs. Dalgetty se trouvaient devant nous. Voilà, c'est tout ce dont je me souviens. Je suis désolée.

Pitt lui posa ensuite quelques questions relatives à sa soirée et aux gens qui avaient assisté à la conférence, mais il n'apprit rien d'intéressant. La conférence s'était achevée trop tôt pour que l'incendiaire en soit sorti pour aller directement mettre le feu chez les Shaw. De toute façon, il aurait attendu que les rues soient désertes avant de s'aventurer au-dehors.

Pitt remercia Flora puis demanda à son père l'autorisation d'interroger le personnel. On les fit entrer dans le salon de la gouvernante, où ils écoutèrent le récit de la petite bonne qui leur expliqua qu'elle avait vu un fantôme aux yeux jaunes et brillants se faufiler entre les buissons du jardin voisin. Elle ne se souvenait plus de l'heure exacte. Le milieu de la nuit, sans doute. Elle avait entendu l'horloge du vestibule sonner de nombreuses fois... Tous les autres domestiques étant couchés, et les lampes du palier du premier étage en veilleuse, elle n'avait osé appeler au secours, tant elle était terrifiée. Elle s'était glissée dans son lit, en tirant les couvertures au-dessus de sa tête. Elle jura que c'était tout ce qu'elle savait.

Pitt la remercia avec gentillesse — cette gamine n'avait que quelques années de plus que sa propre fille, Jemima — en lui disant qu'elle lui avait été d'un grand secours. Elle esquissa une petite révérence qui lui fit perdre un peu l'équilibre, puis partit précipitamment, rouge de confusion. C'était la première fois qu'un adulte lui prêtait une oreille attentive.

— Croyez-vous que ce fantôme soit notre criminel, inspecteur ? demanda Murdo lorsqu'ils sortirent de la maison.

— Une lumière qui se déplace dans le jardin des Shaw ? Probablement. Il nous faudra interroger tous les passants que Flora Lutterworth a croisés à la sortie de la conférence. L'un d'entre eux a peut-être aperçu quelqu'un.

— Miss Flora est une jeune personne très observatrice et pleine de bon sens, remarqua Murdo, qui rosit et ajouta : Je veux dire qu'elle a raconté sa soirée de façon très claire, sans dramatiser

— En effet, acquiesça Pitt avec un petit sourire. Une jeune femme à l'esprit vif. Elle nous en aurait sans doute appris davantage si son père n'avait pas été présent. J'imagine qu'ils ne doivent pas toujours avoir le même point de vue.

Murdo ouvrit la bouche pour répondre, puis, ne sachant trop comment s'exprimer, ravala sa réplique et se tut. Pitt, qui avançait à grandes enjambées, accéléra l'allure. Ils marchaient en direction du domicile d'Amos Lindsay chez qui le Dr Shaw, ayant perdu à la fois son épouse et son foyer, avait trouvé refuge.

La maison était beaucoup plus petite que celle des Lutterworth ; dès qu'ils en franchirent le seuil, ils comprirent qu'ils entraient là chez un personnage quelque peu excentrique, qui paraissait tout à la fois explorateur et anthropologue : des sculptures d'origine et de nature diverses ornaient les murs, envahissaient les étagères et les guéridons, encombrant même le plancher. Pitt, n'étant pas expert en la matière, supposa qu'elles provenaient d'Afrique ou d'Asie centrale. Il ne vit aucune trace d'artisanat oriental, moyen-oriental ou originaire des Amériques ; rien non plus qui eût le subtil mais familier classicisme hérité des cultures européennes. Ces objets curieux présentaient un caractère primitif et barbare qui tranchait avec l'architecture intérieure conventionnelle de cette demeure de style victorien.

Ils furent reçus par un valet aux manières impeccables. Il avait une peau claire, mais s'exprimait avec des intonations étrangement douces et mélodieuses dont Pitt ne put définir l'origine. Ses cheveux raides, noirs et luisants, paraissaient avoir été teintés à l'encre de Chine.

Amos Lindsay était un homme de petite taille, râblé, aux cheveux blancs, à l'allure typiquement britannique. À l'inverse de son voisin Pascoe, idéaliste obsédé par un passé médiéval et chevaleresque, Lindsay, dévoré d'une insatiable curiosité, possédait un esprit totalement irrévérencieux ; la décoration de sa maison en apportait la preuve. Il se passionnait pour les mystères de l'inconnu et de la vie sauvage. Son visage était creusé de rides dues à un tempérament dominateur et à la dureté du soleil tropical. Il avait les petits yeux rusés d'un homme réaliste, plein d'humour et conscient de l'absurdité de la vie.

Il reçut Pitt et Murdo dans son bureau.

— Bonsoir, messieurs, dit-il d'un ton grave et poli. Le Dr Shaw est dans le petit salon. J'espère que vous ne l'importunerez pas avec des questions banales, auxquelles n'importe qui pourrait répondre.

— Non, monsieur, le rassura Pitt. À ce propos, puis-je vous interroger quelques instants, avant de rencontrer Mr. Shaw ?

— Bien entendu. Mais je me demande ce que je pourrais vous apprendre. Votre présence ici laisse supposer que l'incendie était d'origine criminelle. À première vue, cela paraît invraisemblable !

Il regarda Pitt avec acuité.

— Je suis allé me coucher à neuf heures — je suis un homme matinal. Je n'ai rien vu, rien entendu et mes domestiques, auxquels j'ai déjà posé la question, non plus. Ils se sont réveillés, affolés, en entendant les cloches des pompiers. Franchement, je ne conçois pas que l'on ait pu préméditer un tel acte. Mais peut-on savoir de quoi l'esprit humain est capable ?

— Étiez-vous très lié au Dr et à Mrs. Shaw ?

Lindsay ne parut pas surpris par la question.

— Je connais bien Shaw. C'est l'une des rares personnes du voisinage avec lesquelles il me soit agréable de converser. Un esprit libre et ouvert, contrairement aux autres, conservateurs et confits en dévotion. Un homme intelligent et plein d'esprit. Des qualités rares, pas toujours appréciées.

— Et Mrs. Shaw ?

— Nous n'étions pas intimes. On ne peut discuter avec une femme de la même façon qu'avec un homme. Mais elle était raffinée, humaine et modeste, sans mièvrerie, sans chichis, et elle ne parlait pas à tort et à travers. Toutes les qualités que l'on peut souhaiter trouver chez une épouse.

— Pourriez-vous me la décrire ?

— Pardon ? fit Lindsay d'un air étonné, avant d'ébaucher un sourire indécis. Ah, question de goût, naturellement... Brune, des traits agréables, un peu trop...

Son sens des convenances l'empêcha de terminer sa phrase. Il rougit et dessina dans l'air une silhouette aux hanches rebondies.

— De beaux yeux, intelligents et doux. Excusez-moi, je ne sais pas parler des femmes. On dirait que je parle d'une jument. Enfin, à mon avis, c'était une belle femme. Elle avait beaucoup d'allure. Vous vous ferez une meilleure idée en allant voir ses tantes, les sœurs Worlingham ; Clemency ressemblait un peu à Celeste et pas du tout à Angeline.

— Merci. Pouvons-nous rencontrer le Dr Shaw ?

— Bien entendu. Si vous voulez me suivre...

Sans attendre, Lindsay sortit de la pièce, traversa le vestibule et alla frapper à la porte du petit salon.

Pitt ne s'attarda pas à examiner les objets extraordinaires ornant les murs. Son regard se posa immédiatement sur l'homme qui se tenait debout près de la cheminée : son visage aux traits puissants paraissait vide d'émotion, mais son corps trahissait une tension, une impatience ne demandant qu'à trouver une échappatoire dans l'action. Il se retourna en entendant la porte s'ouvrir, mais ses yeux ne révélaient aucun intérêt particulier à l'égard des visiteurs, seulement la pénible nécessité de recevoir du monde. Il était très pâle, encore sous le choc, la bouche marquée par des rides de souffrance, les yeux cernés. Malgré l'épreuve terrible qu'il traversait, on voyait qu'il s'agissait là d'un homme intelligent et spirituel.

— Bonsoir, docteur Shaw. Inspecteur Pitt, du commissariat de Bow Street, et l'agent Murdo, du poste de police de Highgate. Je regrette d'avoir à vous poser quelques questions...

— C'est tout à fait normal, l'interrompit Shaw. Je connais la procédure, étant moi-même médecin légiste. Posez-moi toutes les questions que vous voudrez. Mais d'abord, dites-moi ce que vous savez. Êtes-vous certain qu'il s'agit d'un incendie volontaire ?

— Oui, monsieur, car le feu a pris simultanément dans quatre endroits différents, tous accessibles de l'extérieur ; il n'y a pas eu projections d'étincelles hors d'une cheminée, ni bougie renversée dans une chambre ou dans un escalier.

— D'où est-il parti ? demanda Shaw.

Incapable de tenir en place, il se mit à arpenter la pièce, faisant le tour des différents guéridons et redressant ici un bibelot, là une fleur dans un vase.

Pitt, debout à côté du sofa, ne bougea pas.

— Selon le capitaine des pompiers, le feu a pris aux rideaux, à chaque fois.

Le visage de Shaw montra un certain scepticisme, teinté d'une ombre d'humour qui devait être caractéristique de son personnage.

— Et comment sait-il tout cela ? Il ne reste... pas grand-chose de ma maison.

— Par déduction, il a reconstitué le trajet de l'incendie, répondit Pitt. Certaines parties du bâtiment sont détruites, d'autres, très abîmées, restent encore debout ; les décombres et les bris de verre indiquent les endroits où la chaleur était le plus intense.

Shaw hocha la tête avec impatience.

— Oui, oui, bien sûr. Question stupide de ma part. Je vous prie de m'excuser.

Il passa sa main sur son front, repoussant en arrière une mèche de cheveux blonds et raides.

— Que désirez-vous savoir, au juste ?

— À quelle heure avez-vous été appelé, et par qui ?

Murdo, debout près de la porte, prenait des notes sur son calepin.

— Je n'ai pas regardé la pendule, répondit Shaw. Vers onze heures et quart, je crois. Mrs. Wolcott était sur le point d'accoucher. Son mari m'a fait prévenir par un voisin possédant le téléphone.

— Où habitent les Wolcott ?

— Au sud de Highgate Road, dans Kentish Town.

Shaw possédait une diction remarquable, claire et précise, aux intonations agréables.

— J'ai pris mon cabriolet et je suis parti là-bas. J'y suis resté jusqu'à la naissance du bébé. C'est sur le chemin du retour, vers cinq heures du matin, qu'un policier m'a appris ce qui s'était passé... et la mort de Clemency.

Il incombait en général à Pitt de prévenir les familles dans les heures qui suivaient le décès d'un proche ; ces moments lui étaient toujours très pénibles.

— Triste ironie du sort, poursuivit Shaw. Clemency avait prévu de sortir avec Maude Dalgetty et de passer la soirée chez des amis, à Kensington. Le dîner a été annulé à la dernière minute. Comme Mrs. Wolcott ne devait accoucher que la semaine prochaine, c'est moi qui aurais dû être à la maison.

Il ne formula pas l'évidente conclusion qui s'imposait. Elle emplissait la pièce silencieuse. Amos Lindsay demeurait immobile, l'air sombre. Murdo consulta Pitt du regard ; ses pensées se lisaient à livre ouvert.

— Qui savait que les projets de Mrs. Shaw avaient été contrariés, monsieur ?

— Personne, excepté Maude Dalgetty et moi-même. Et aussi John Dalgetty, je présume. J'ignore qui d'autre pouvait être au courant. Quant à Mrs. Wolcott, on ne pouvait prévoir qu'elle accoucherait cette nuit-là.

Lindsay s'approcha du médecin et posa une main amicale sur son épaule.

— Votre cabriolet est aisément reconnaissable, Stephen. Le criminel a pu vous voir partir et donc supposer que la maison était vide.

— Alors pourquoi y mettre le feu ? remarqua celui-ci.

Lindsay resserra son étreinte sur son épaule.

— Dieu seul sait ce qui pousse un pyromane à agir ! Haine contre les nantis ? Pouvoir que confère la destruction purificatrice par le feu ? Je l'ignore.

Pitt ne demanda pas à Shaw pour quel montant il était assuré. Il serait facile, et moins offensant, de se renseigner directement auprès des compagnies d'assurances.

On frappa à la porte et le valet apparut.

— Oui ? fit Lindsay d'un ton irrité.

— Le pasteur et son épouse aimeraient présenter leurs condoléances au Dr Shaw, monsieur. Dois-je leur dire de patienter ?

Lindsay se tourna vers Pitt, non, bien entendu, pour solliciter sa permission, mais pour s'assurer que l'interrogatoire était terminé et qu'il se préparait à partir.

— Inspecteur ?

Pitt hésita, se demandant s'il pouvait encore apprendre quelque chose d'intéressant de la bouche de Shaw, ou si, par souci d'humanité, il devait s'effacer pour laisser la place à un homme d'Église et remettre à plus tard son interrogatoire. Toutefois, se disait-il, il en découvrirait peut-être davantage sur la personnalité du médecin en le voyant en compagnie de gens qui les connaissaient, lui et son épouse.

— Eh bien, inspecteur ? le pressa Lindsay.

— Faites-les entrer, concéda Pitt, bien qu'à voir l'expression méfiante et inquiète de Shaw, il doutât que le réconfort d'un pasteur fût exactement ce dont celui-ci avait besoin à cette minute.

Lindsay hocha la tête et le valet se retira, pour revenir en compagnie d'un homme au visage doux et sérieux vêtu d'un habit clérical. Plus jeune, il avait dû être solidement bâti, mais l'âge venant, son maintien s'était relâché, ses épaules affaissées. Il paraissait manquer de confiance en lui, ses traits réguliers et sa bouche aux contours indécis ne laissaient voir aucune méchanceté, aucune arrogance, et une grande nervosité se cachait derrière son calme apparent. La situation semblait le mettre particulièrement mal à l'aise.

Son épouse avait des traits intelligents dépourvus de grâce, des sourcils épais, un nez proéminent, mais sa bouche était souriante et, contrairement à son mari, elle paraissait déborder d'énergie. Elle fit à peine cas de Lindsay et de Pitt, et ignora Murdo. Toute son attention était fixée sur Shaw.

Le pasteur, dérouté par la présence des policiers, se racla la gorge. Il avait dû préparer un petit discours, mais celui-ci s'avérait inadapté aux circonstances et aucune autre phrase ne lui venait à l'esprit.

— Révérend Hector Clitheridge, se présenta-t-il avec gaucherie, puis, désignant sa femme d'un geste vague de son poignet épais orné de manchettes trop larges, il ajouta : Mon épouse, Eulalia.

Lorsqu'il se tourna vers Shaw, son expression s'altéra. Il était partagé entre une aversion naturelle pour ce genre de situation embarrassante, une certaine inquiétude et l'obligation de prendre la parole.

— Mon cher Shaw, comment exprimer ce que je ressens face à cette tragédie ?

Il fit un pas en avant.

— C'est terrible d'être emporté ainsi dans la force de l'âge ! Comme l'existence est fragile dans cette vallée de larmes ! La douleur nous terrasse sans prévenir. Comment pouvons-nous vous réconforter ?

— Pas avec des platitudes, en tout cas ! répliqua sèchement Shaw.

Clitheridge devint cramoisi.

— Voyons, je suis sûr que...

— Les paroles banales sont souvent les plus sincères, intervint Mrs. Clitheridge avec un sourire engageant, sans quitter Shaw des yeux. Comment, sans elles, exprimer nos sentiments à votre égard et notre désir d'alléger votre peine ?

— Oui, oui, c'est cela, s'empressa d'acquiescer Clitheridge. Je me tiens à votre entière disposition pour régler les formalités de... Mais bien sûr il est trop tôt...

Il laissa sa phrase en suspens, les yeux rivés au tapis.

— Merci, le coupa Shaw. Je vous le ferai savoir en temps voulu.

Mrs. Clitheridge fit un pas en avant, les yeux brillants, très droite dans sa robe de laine noire, comme si elle tentait d'approcher un cheval rétif.

— En attendant, cher docteur Shaw, veuillez accepter nos sincères condoléances. Sachez que vous pouvez venir nous voir à tout moment ; nous serons là pour accomplir à votre place les tâches qui vous paraîtraient trop lourdes en ce moment. Mon temps vous appartient.

Shaw la regarda, un léger sourire aux lèvres.

— Merci, Eulalia. Je connais votre bon cœur.

Elle rougit violemment et ne dit rien. L'usage de son prénom, en présence de tiers et surtout de gens socialement inférieurs comme des policiers, relevait d'une familiarité frisant la grossièreté. En voyant le léger haussement de sourcils de Shaw, Pitt comprit qu'il avait prononcé ces paroles à dessein ; il cherchait d'instinct à balayer toute hypocrisie.

Pendant un moment, il considéra sous un angle différent ces quatre personnes, toutes touchées par la mort violente d'une femme qui leur était proche. Elles essayaient de se réconforter mutuellement, tout en respectant les usages. Parler de détails pratiques permettait de masquer les émotions. Chacun réagissait selon ses habitudes et son tempérament : le révérend Clitheridge citait les Écritures, et Eulalia intervenait à sa place. De toute évidence, elle s'animait en présence de Shaw, dont la forte personnalité la troublait. Mais son sens des convenances l'emportait malgré tout.

L'attitude tendue et agitée du médecin montrait que tous ces détails ne faisaient que l'effleurer. Il garderait sa douleur pour lui, sauf si Lindsay parvenait à trouver les mots qui combleraient le fossé qui le séparait des autres.

Pitt quitta le centre de la pièce, se posta près d'une porte-fenêtre encadrée de tentures, et attendit. Il jeta un coup d'œil à Murdo pour s'assurer que celui-ci avait fait le même.

— Docteur Shaw, comptez-vous rester ici, chez Mr. Lindsay ? s'enquit Eulalia avec sollicitude. Vous serez le bienvenu au presbytère, si vous le désirez. Vous pourriez y rester autant qu'il vous conviendrait, jusqu'à ce que... vous retrouviez une autre maison...

— Il est trop tôt, ma chère, la coupa Clitheridge d'une voix sourde. Tout d'abord nous devons... nous occuper du côté... spirituel...

— Ne dites pas de bêtises ! siffla-t-elle. Il faut bien que cet homme dorme quelque part. Sans un minimum de confort, on ne peut s'abandonner à son chagrin.

— Mais non, c'est l'inverse, justement, Lally ! se fâcha Clitheridge. Permettez-moi de...

— Je vous remercie, les interrompit Shaw, se détournant du guéridon où il jouait avec un bibelot. Je resterai chez Amos. Mais je suis très sensible à l'attention. Eulalia, vous avez tout à fait raison, comme d'habitude. Il est plus facile de pleurer la mort d'un être cher si l'on jouit d'un certain confort. Ne pas savoir où l'on va dormir et ce que l'on va manger n'a jamais soulagé personne.

Clitheridge tressaillit, furieux, mais ne trouva pas l'objection qu'il cherchait. Le retour impromptu du valet lui permit d'éviter une nouvelle prise de bec avec son épouse.

— Mr. et Mrs. Hatch, monsieur.

À son ton, il paraissait évident que ces personnes étaient attendues. Pitt était curieux de savoir de qui il s'agissait.

Lindsay hocha la tête.

— Bien sûr. Faites-les entrer.

Les deux visiteurs étaient sobrement, voire sévèrement, vêtus, elle, d'une robe noire, lui, d'un costume sombre boutonné haut, avec cravate et col cassé. Un visage grave et pâle, aux lèvres serrées, les yeux brillant d'émotion contenue. Cette expression attira l'attention de Pitt par son intensité, aussi passionnée que celle de Shaw, mais de nature tout à fait opposée : celle d'un homme replié sur lui-même, méfiant, mélancolique, alors que le médecin était un être spontané, cynique et plein d'énergie.

Ignorant toutes les personnes présentes, Mrs. Hatch s'avança la première et se dirigea vers Shaw, qui semblait l'attendre. Il l'entoura de ses bras et la serra contre lui.

— Chère, chère Prudence...

Elle accepta son étreinte sans hésitation.

— Oh, Stephen, quelle tragédie ! Comment est-ce arrivé ? Je croyais Clemency à Londres, chez les Bossiney. Enfin, Dieu merci, vous n'étiez pas chez vous !

Pour une fois, Shaw ne répondit pas. Il y eut un silence gêné, comme si les personnes les moins proches de la victime, embarrassées, eussent préféré ne pas avoir assisté à la scène.

— La sœur de Mrs. Shaw, chuchota Murdo, en se rapprochant de Pitt. Toutes deux sont les filles de feu Theophilus Worlingham.

Pitt n'avait jamais entendu parler de ce personnage, apparemment célèbre, d'après le ton respectueux de Murdo.

Mr. Hatch s'éclaircit la gorge, mettant ainsi un terme au silence pesant qui régnait dans le salon. Les convenances devaient être respectées ; il venait d'apercevoir, dans un coin sombre de la pièce, les silhouettes des deux policiers qui, s'ils ne participaient pas à la scène, n'en étaient pas moins présents.

— Nous trouverons le réconfort dans la foi, dit-il en jetant un regard oblique en direction de Clitheridge. Le révérend aura certainement su trouver les mots qui conviennent.

Ses paroles sonnaient presque comme une accusation, comme s'il doutait de son affirmation.

— Voici venu le temps de faire appel à nos ressources intérieures et de nous souvenir que Dieu est avec nous, même dans la vallée de l'ombre, et que Sa volonté sera faite.

C'était une phrase à la fois banale et incontestable, mais prononcée avec une sincérité que Shaw parut apprécier. Il s'écarta doucement de sa belle-sœur et répondit :

— Merci, Josiah. C'est un soulagement pour moi de vous savoir aux côtés de Prudence.

Hatch hocha la tête.

— Dieu a ordonné à l'homme de soutenir la femme dans l'épreuve du deuil et de l'affliction. La femme est par nature plus faible et plus sensible. Créature de douceur et de pureté, elle est destinée à enfanter et s'occuper des enfants. Remercions le Seigneur de l'avoir faite ainsi. C'est ce que disait en substance l'évêque Worlingham. Je lui serai toujours reconnaissant, poursuivit-il, plongé dans ses souvenirs, des heures passées auprès de lui quand j'étais jeune.

Un rictus douloureux se peignit sur son visage.

— Le refus de mon père de satisfaire mon souhait de devenir pasteur a été en partie compensé par le temps que j'ai passé sous la tutelle de ce grand homme, qui m'a ouvert les voies d'accès à la foi chrétienne.

Il regarda son épouse.

— Votre grand-père, ma chère, était un saint parmi les hommes. Il nous manque infiniment. En ces moments tragiques, lui seul aurait trouvé les mots pour que chacun de nous retrouve la paix intérieure...

— Exact, exact, admit Clitheridge.

Hatch s'adressa alors à Lindsay.

— Vous ne l'avez pas connu, monsieur, et c'est dommage pour vous. Monseigneur Augustus Worlingham était un grand chrétien, bienfaiteur de beaucoup d'hommes et de femmes, sur le plan matériel et spirituel. Son influence a été considérable.

Il se pencha légèrement en avant, plein de ferveur.

— Savez-vous combien de personnes suivent désormais un chemin vertueux grâce à son passage sur cette terre ? J'en connais des dizaines. Par exemple, les trois sœurs Wycombe, suivant ses conseils, se sont entièrement consacrées au soin des malades. Mr. Bartford a pris l'habit puis est parti ouvrir une mission en Afrique. Personne ne peut mesurer les bonheurs domestiques engendrés par ses conseils avisés sur la place et les devoirs des femmes dans leur foyer. Son influence bénéfique s'est étendue bien au-delà des limites de Highgate...

Lindsay parut déconcerté, mais ne l'interrompit pas. Peut-être ne trouvait-il aucune repartie convenable. Shaw serra les dents et leva les yeux vers le plafond. Mrs. Hatch se mordilla la lèvre et lui jeta un coup d'œil inquiet.

Hatch poursuivit d'un ton fiévreux, les yeux brillants :

— Vous avez sans doute tous entendu parler du vitrail que nous lui dédions dans l'église St. Anne ? Il ne nous manque qu'un peu d'argent pour terminer sa réalisation. Monseigneur Worlingham sera représenté sous les traits du prophète Jérémie enseignant l'Ancien Testament, entouré d'anges.

Shaw serra à nouveau les mâchoires, se retenant de répondre avec difficulté.

— Oui, j'en ai entendu parler, répondit Lindsay, embarrassé, lorgnant vers Shaw qui dansait d'un pied sur l'autre comme s'il avait de la peine à contenir son énergie. Je suis sûr que l'on admirera ce beau vitrail.

— Il n'est pas question de beauté, cher monsieur, rétorqua sèchement Hatch, mais d'élévation spirituelle. Il s'agit de sauver nos âmes du péché et de l'ignorance, et de rappeler aux croyants le chemin de la destinée humaine.

Il secoua la tête, comme pour rejeter cette matérialité qui l'entourait.

— Monseigneur Worlingham était un homme juste et vertueux, qui comprenait l'ordre du monde, la place de l'homme dans le dessein de Dieu. Si nous perdons le souvenir de son influence bienfaitrice, nous nous trouverons en grand péril. Ce vitrail sera un monument à sa gloire. Chaque dimanche, les fidèles lèveront les yeux vers lui et recevront la lumière divine.

— Pour l'amour du ciel, s'exclama Shaw, exaspéré, la lumière passerait par n'importe quelle fenêtre percée dans un mur ! D'ailleurs, vous y verriez encore plus clair si vous restiez dans le cimetière, à l'extérieur de l'église.

— Je parlais au sens figuré, rétorqua Hatch, les yeux étincelants. Mon Dieu, faut-il toujours que vous considériez les choses sous un angle aussi mesquin ? En ce jour d'affliction, ne pouvez-vous élever votre âme ?

Il cligna des yeux à plusieurs reprises et poursuivit d'une voix vibrante, lèvres exsangues :

— Ce que nous vivons n'est-il pas déjà assez terrible ?

À ces mots, la querelle s'éteignit ; le chagrin remplaça la colère. Pour la première fois depuis l'arrivée de Pitt, Shaw demeura immobile. Toutefois, il n'alla pas jusqu'à s'excuser.

— Terrible, en effet, murmura-t-il, puisqu'il s'agit d'un incendie volontaire. Ce qui explique la présence de la police ici.

— Comment ? s'exclama Hatch, saisi d'horreur.

Le sang reflua de son visage et il vacilla sur ses jambes. Lindsay fit un pas vers lui, craignant qu'il ne tombe. Prudence se retourna et tendit les bras vers son mari, puis, comprenant soudain le sens des paroles de son beau-frère, s'immobilisa, horrifiée.

— Que dites-vous, Stephen ? Quelqu'un aurait volontairement mis le feu à votre maison ?

— En effet.

Elle déglutit et se ressaisit avec difficulté

— Il s'agit donc... d'un crime ?

— Oui.

Shaw posa la main sur son épaule.

— Je suis navré, Prudence. Voilà pourquoi ces messieurs sont là.

Hatch et son épouse tournèrent vers les deux policiers un regard inquiet, mêlé d'un vague sentiment d'aversion. Puis Hatch releva le menton et s'adressa à Pitt, ignorant Murdo.

— Monsieur, nous n'avons rien à vous dire. Si le feu a été mis de façon délibérée, il doit s'agir de l'œuvre d'un vagabond. Recherchez-le et laissez-nous pleurer la défunte, sans ajouter à notre chagrin.

Pitt réfléchit : il était tard, la faim et la fatigue le tenaillaient. L'odeur tenace de la fumée imprégnait son manteau et les cendres qui s'étaient insinuées sous ses vêtements le démangeaient. Après tout, il n'avait plus de questions à poser. Il connaissait les premières conclusions, bien maigres, de l'expertise. Le responsable n'était certainement pas un vagabond. Mais qui avait incendié cette maison dans l'intention de la détruire et de tuer ses habitants ? La réponse se trouvait dans l'entourage de Stephen et Clemency Shaw ; peut-être même s'agissait-il de quelqu'un que Pitt avait déjà rencontré ou dont il avait entendu parler.

— Oui, monsieur, acquiesça-t-il avec un certain soulagement. Merci de m'avoir reçu, ajouta-t-il à l'adresse de Shaw et de Lindsay. Je vous tiendrai informé quand j'aurai du nouveau.

Shaw fronça les sourcils.

— Vous disiez ? Oh, pardon, oui, bien sûr. Bonsoir, inspecteur.

Pitt et Murdo se retirèrent. Quelques minutes plus tard, ils remontaient la rue paisible, à la lueur de la lanterne de Murdo, en direction du commissariat de Highgate. Pitt prendrait ensuite un cab pour rentrer chez lui.

— Croyez-vous que l'assassin souhaitait se débarrasser du Dr Shaw ou de son épouse ? demanda Murdo après qu'ils eurent parcouru une centaine de mètres dans le vent glacial.

— L'un ou l'autre, répondit Pitt. Mais si la victime désignée était Mrs. Shaw, il n'y avait que son mari et les Dalgetty à savoir qu'elle se trouvait chez elle.

— J'imagine que beaucoup de gens peuvent désirer la mort d'un médecin, dit Murdo, pensif. Ils sont amenés à connaître tellement de secrets.

Pitt frissonna et accéléra le pas.

— En effet. Dans ce cas, il se peut que Shaw connaisse l'assassin. Celui-ci pourrait alors décider de passer à nouveau à l'action.

2

Charlotte avait repassé la moitié du contenu de son panier de linge et le poids du fer lui donnait des crampes dans les bras. Elle avait aussi cousu trois taies d'oreiller et repris la plus jolie robe de Jemima. Il était déjà neuf heures du soir et elle guettait depuis longtemps les bruits annonciateurs du retour de Pitt. Pour tromper son attente, elle s'assit par terre en tailleur et se mit à lire *Jane Eyre*. Tout à sa lecture, elle ne l'entendit pas arriver et ne se rendit compte de sa présence que lorsqu'elle vit sa silhouette se découper dans l'encadrement de la porte du salon.

— Thomas !

Elle posa son livre, se remit sur ses pieds et lissa les plis de sa robe.

— Où étiez-vous passé ? Oh, comme vos vêtements sentent mauvais !

— Un incendie, répondit-il, en déposant un léger baiser sur sa joue, sans la serrer contre lui, de crainte de la salir.

À la lassitude de sa voix, elle comprit qu'il s'était passé quelque chose de grave.

— Des victimes ?

— Une femme.

— Incendie criminel ?

— Oui.

— Allez-vous tout me raconter maintenant ou préférez-vous d'abord faire un brin de toilette ? demanda-t-elle, voyant ses habits sales et humides.

La spontanéité de ses propos le fit sourire. Cette franchise tranchait tellement avec les manières policées des Clitheridge et des Hatch !

— Savez-vous de quoi j'ai envie ? D'ôter mes bottes, boire une tasse de thé et me laver à l'eau bien chaude.

Comprenant qu'il ne souhaitait pas parler de son travail, elle courut à la cuisine, sans prendre le temps d'enfiler ses chaussons, mit la bouilloire sur la plaque encore chaude de la cuisinière, sortit deux tasses, coupa et beurra une tranche de pain sur laquelle elle étala de la confiture. Elle savait qu'il en aurait envie.

— Où a eu lieu l'incendie ? demanda-t-elle dès qu'il entra dans la pièce.

— À Highgate.

— Highgate ? Ce n'est pas votre secteur.

— Non, mais comme il s'agit d'un incendie volontaire, le commissariat de Highgate a fait appel à nous. La maison appartenait à un médecin. Celui-ci était parti s'occuper d'une femme en couches, mais son épouse, qui avait annulé à la dernière minute une sortie à Londres, se trouvait là. Elle est morte.

Pitt s'assit et ôta ses bottes avec un soupir de satisfaction. Charlotte ébouillanta la théière, mit le thé à infuser, puis prit place en face de lui.

— Était-elle jeune ?

— Une quarantaine d'années.

— Comment s'appelait-elle ?

— Clemency Shaw.

— Ne peut-il s'agir d'un accident ? Il suffit parfois de peu de choses pour déclencher un incendie : une bougie renversée, un cigare mal éteint ou des braises tombées d'une cheminée non protégée par un pare-étincelles.

Elle servit le thé et poussa l'une des deux tasses vers Pitt. Celui-ci but une gorgée, se brûla la langue, reposa sa tasse et mordit à belles dents dans la tartine de confiture.

— Non. Le feu a pris à minuit, en même temps, dans quatre pièces différentes.

Charlotte s'imagina la scène : se réveiller en pleine nuit au milieu d'une fournaise et se sentir piégée. Pis encore, penser que quelqu'un a délibérément mis le feu à votre maison, sachant que vous vous y trouvez... La nausée l'envahit.

— Nous ne savons pas encore qui, de Mrs. Shaw ou de son mari, était visé, ajouta Pitt, en trempant ses lèvres, prudemment cette fois, dans sa tasse de thé.

Charlotte comprit que tout ce qu'elle venait d'imaginer, Pitt avait dû le ressentir avec plus d'intensité encore, puisqu'il avait vu les décombres de la maison, respiré l'odeur âcre et piquante de la fumée.

— Vous ne pouvez rien faire de plus ce soir, Thomas, dit-elle avec douceur. Elle ne souffre plus à présent, et vous ne soulagerez pas la douleur de ses proches. Partout dans le monde, à cette minute, des gens sont malheureux. Souffrir pour eux ne leur est d'aucun secours.

Elle se leva et caressa gentiment sa main en passant à côté de lui.

— Je vais préparer une bassine d'eau chaude. Vous ferez votre toilette et ensuite vous monterez vous coucher. Demain sera un autre jour.

Pitt partit travailler dès qu'il eut fini son petit déjeuner. Charlotte envoya les enfants à l'école, située un peu plus loin dans la rue, et Gracie, la jeune bonne, commença à balayer et à dépoussiérer le rez-de-chaussée. Mrs. Hoare, la nouvelle femme de ménage, venait trois fois par semaine gratter les parquets, battre les tapis et charrier les lourds seaux de charbon et de coke.

Charlotte reprit son repassage et, lorsqu'elle eut terminé, fit un gâteau, le mit au four et pétrit la pâte à pain. Elle s'apprêtait à ébouillanter des pots à confiture quand elle entendit un attelage s'arrêter devant la maison.

Gracie lâcha son balai, courut à la porte et revint quelques instants plus tard, hors d'haleine, les yeux brillants d'excitation.

— Madame ! C'est Lady Ashworth — je veux dire Mrs. Radley — qui rentre de son voyage de noces ! Elle est superbe ! Elle a l'air si heureuse !

Emily entra à sa suite, dans un grand frou-frou de taffetas, les bras chargés de paquets enrubannés. Elle portait une ravissante toilette vert amande qui mettait en valeur les jolies boucles blondes que Charlotte lui avait toujours enviées. Les joues rosies de bonheur, elle laissa tomber ses cadeaux au beau milieu des pots à confiture et se jeta au cou de sa sœur avec une ardeur qui faillit lui faire perdre l'équilibre.

— Charlotte ! Si tu savais comme tu m'as manqué ! s'écria-t-elle. Quelle joie de rentrer chez soi ! J'ai tant de choses à te dire ! Heureusement, tu es là ! Je n'ai pas eu de tes nouvelles depuis des siècles ! D'ailleurs, je n'ai reçu aucun courrier depuis mon départ de Rome. Comme les voyages en bateau sont ennuyeux ! Sauf si un drame ou un scandale éclate parmi les passagers... Mais il ne s'est rien passé de tel. Comment peut-on jouer aux cartes et échanger des histoires stupides pendant des journées entières, en se demandant qui, parmi les voyageuses, possède la tournure la plus en vogue ou la coiffure la plus à la mode ? J'ai cru devenir folle !

Elle lâcha Charlotte et s'assit sur une chaise. Gracie, figée sur place comme si elle avait pris racine dans le parquet, s'imaginait un paquebot rempli d'élégants messieurs jouant aux cartes. Elle avait abandonné le balai dans le couloir et glissé son chiffon à poussière dans la ceinture de son tablier.

Emily choisit le plus petit des paquets et le lui tendit.

— Tenez, Gracie, c'est pour vous. Un châle de Naples.

La petite bonne n'en croyait pas ses yeux. Stupéfaite, elle regardait Emily comme une apparition féerique. Trop bouleversée pour parler, elle serrait le paquet de toute la force de ses petites mains. Heureusement qu'il ne s'agissait pas d'une porcelaine, elle n'aurait pas résisté !

— Ouvrez-le, voyons !

Gracie retrouva enfin la parole.

— Pour moi, madame ? Vraiment pour moi ?

— Évidemment ! Quand vous sortirez, mettez-le sur vos épaules et si quelqu'un vous en fait compliment, dites-lui qu'il vient de Naples et qu'une amie vous l'a offert.

Gracie défit le papier d'une main tremblante et poussa un soupir d'extase en sentant couler entre ses doigts un tissu fluide et chatoyant, dans des tons bleus, or et rouges. Puis soudain elle se souvint de son travail et, serrant son précieux trésor contre son cœur, fila comme une flèche dans le couloir à la recherche de son balai.

Charlotte sourit. Aucun des cadeaux d'Emily ne pourrait apporter autant de joie que celui qu'elle venait de faire à Gracie.

— C'est vraiment très gentil d'avoir pensé à elle.

— Pfft ! C'est bien normal, fit Emily, un peu embarrassée.

Elle avait hérité de son premier mari une fortune non négligeable ; le châle n'avait coûté qu'une bagatelle, peu de chose vraiment, comparé au plaisir qu'il procurait à Gracie. Elle fouilla ensuite parmi les paquets et trouva celui qui portait le nom de sa sœur.

— Tiens, voilà pour toi. Tu peux l'ouvrir ! Les autres sont pour Thomas et les enfants. Ensuite, tu me raconteras ce qui s'est passé ici en mon absence. Qu'as-tu fait, depuis ta dernière lettre ? As-tu vécu des aventures passionnantes, rencontré des gens intéressants ? Y aurait-il eu un beau scandale dans la bonne société ? À propos, ne serais-tu pas en train de jouer les détectives ?

Charlotte sourit, l'air de rien, et, ignorant le flot de questions, ouvrit le présent, en prenant son temps, un peu pour faire enrager sa sœur et surtout pour ne pas déchirer un si beau papier, qui pourrait resservir à Noël.

À l'intérieur, elle trouva trois bouquets de roses de soie faites à la main, si magnifiquement imitées qu'elle en resta bouche bée. Le premier était composé de fleurs rose pâle, le deuxième, rouge incarnat et le troisième allait du rose vif au carmin. En caressant leur texture soyeuse, Charlotte songeait à tout ce qu'elle pourrait faire avec ces fleurs susceptibles de transformer le couvre-chef le plus ordinaire en chapeau digne d'une duchesse, une simple robe de taffetas en une toilette de bal.

— Oh, Emily ! Quelle merveilleuse idée ! Merci ! Elles sont adorables !

Sa sœur rayonnait.

— Je t'apporterai les tableaux de Florence la prochaine fois. Tiens, j'ai choisi une douzaine de mouchoirs en soie pour Thomas et j'y ai fait broder ses initiales.

— Merci pour lui. Il va les adorer, l'assura Charlotte. À présent, raconte-moi ton voyage ! Je veux tout savoir, sauf les détails trop intimes, bien entendu !

Elle ne demanda pas à sa sœur si elle était heureuse. Un an après le décès tragique de son époux, George Ashworth, un aristocrate fortuné, Emily avait pris la folle décision de se remarier avec un garçon impécunieux et sans perspectives d'avenir. C'était pour elle un changement social des plus radicaux. Elle avait beaucoup aimé George et cruellement souffert à sa mort. Jack Radley, pourtant précédé d'une réputation douteuse, s'était révélé un compagnon charmant et bien moins superficiel qu'on pouvait le supposer : ami loyal, courageux, plein d'humour et d'imagination, prêt à prendre des risques pour défendre une cause qu'il croyait juste.

— Je boirais volontiers du thé, déclara Emily. Hmm... Quelle bonne odeur ! On dirait qu'il y a un gâteau dans le four...

— Il sera bientôt prêt, dit Charlotte en posant la bouilloire sur la plaque. Bon, je t'écoute...

Emily lui avait écrit régulièrement, sauf au cours des dernières semaines, lors de son long périple en mer entre

Naples et Londres. Les jeunes mariés avaient fait escale dans de nombreux ports, mais Emily n'avait plus envoyé de courrier, pensant, à juste titre, arriver en Angleterre avant lui. Charlotte eut donc droit à une description détaillée de la Sardaigne, des îles Baléares, des côtes d'Afrique du Nord, de Gibraltar, du Portugal, du nord de l'Espagne et de la côte atlantique de la France. Pour elle, des endroits magiques, situés à des années-lumière de Bloomsbury, des rues animées de la capitale, et surtout de ses tâches domestiques, des enfants, des enquêtes criminelles que Pitt lui racontait en rentrant le soir. Jamais elle ne visiterait ces contrées, et une partie d'elle-même le regrettait. Comme elle aurait aimé voir des murs éclaboussés de soleil, humer les odeurs d'épices et de fruits dans les marchés, flâner le long de ruelles chaudes et poussiéreuses, écouter les riches intonations des accents étrangers ! Pareil voyage aurait comblé son imagination et enrichi sa mémoire de souvenirs inoubliables. Mais n'en avait-elle pas la quintessence en écoutant sa sœur lui raconter son périple, sans avoir à souffrir du mal de mer, ni à supporter la fatigue causée par des trajets interminables dans des voitures bondées, ni à se satisfaire d'installations sanitaires douteuses, sans parler de tous ces insectes qu'Emily lui décrivait avec aversion ?

De ce récit ressortait aussi une description de Jack Radley, à la fois plus précise et moins romantique, qui permit à Charlotte d'être rassurée quant à la personnalité de son nouveau beau-frère.

Elle remarqua que sa sœur avait les yeux un peu cernés, malgré sa bonne mine et son teint hâlé par le soleil italien.

— Comptes-tu rester à Londres ou partir t'installer à la campagne ? demanda-t-elle.

Emily avait en effet hérité, en fidéicommis, d'un petit manoir entouré d'une grande propriété.

— À la campagne ? Oh non ! répondit celle-ci, très vite. Du moins...

Elle esquissa une petite grimace.

— À dire vrai, je n'en sais rien. À présent que nous sommes rentrés de voyage, finies les journées chargées avec une étape nouvelle chaque soir dans une ville différente. Notre vraie vie de couple va commencer.

Elle baissa les yeux vers ses mains lisses et potelées.

— J'ai un peu peur que nous n'ayons pas grand-chose à nous dire ou que nous ne sachions que faire de nos journées. Tout va être tellement différent...

Elle eut un petit reniflement.

— Avant notre mariage, il y a eu tellement d'événements dramatiques : la mort de George, les meurtres de Hanover Close...

Elle s'interrompit, leva un sourcil plein d'espoir et ouvrit grands les yeux. Inutile de jouer les innocentes avec sa sœur, elles se connaissaient trop bien.

— Thomas ne serait-il pas... sur une affaire qui pourrait nous intéresser, par hasard ?

Charlotte éclata de rire, bien que sachant Emily on ne peut plus sérieuse ; toutes les enquêtes passionnantes auxquelles elles avaient pris part leur avaient fait courir de grands dangers et s'étaient toutes terminées par un dénouement tragique.

— Non. En ton absence, il a eu à résoudre une affaire épouvantable.

Emily la regarda, incrédule.

— Ah ? Pourquoi ne m'en avoir rien dit dans tes lettres ? lança-t-elle d'un ton accusateur.

— Pour ne pas gâcher ton voyage de noces ! Tu te serais fait un sang d'encre. Je voulais que tu profites pleinement de ton séjour à Paris et en Italie, sans penser aux gens qui se faisaient égorger dans le brouillard londonien, répondit Charlotte en toute franchise. Mais si tu y tiens, je peux tout te raconter...

— Bien sûr que j'y tiens ! Mais, d'abord, sers-moi une autre tasse de thé.

— Si nous déjeunions ? suggéra Charlotte. J'ai de la viande froide et des pickles, si cela te convient.

— Parfait, parfait ! Je t'écoute, pendant que tu mets la table.

Emily ne proposa pas son aide ; les deux sœurs avaient été élevées avec la perspective d'épouser des gentlemen d'un niveau social égal au leur, et qui leur fourniraient maison et domesticité ; or Charlotte s'était mariée bien au-dessous de son rang — à un policier, pensez donc ! — et avait donc dû apprendre à tenir un intérieur. À l'opposé, Emily avait épousé un aristocrate fortuné et jamais elle n'était entrée dans une cuisine, excepté celle de sa sœur. Bien qu'elle sût exactement se prononcer sur le choix d'un menu destiné à un gentilhomme de province ou à la reine en personne, elle était incapable de faire frire un œuf et n'avait jamais exprimé le désir d'apprendre à cuisiner.

— Es-tu allée voir tante Vespasia ? demanda Charlotte en découpant la viande.

Lady Vespasia Cumming-Gould était la tante de George et n'avait donc aucun lien familial direct avec les deux sœurs, mais celles-ci lui vouaient une affection et une admiration sans bornes. Elle avait été l'une des beautés du siècle. Son grand âge, son titre et sa fortune lui permettaient de se conduire en société comme bon lui semblait et de défendre des causes qu'elle jugeait justes, en son âme et conscience. Toujours habillée à la dernière mode, elle était capable de séduire un Premier ministre aussi bien qu'un éboueur — ou de les pétrifier sur place d'un seul regard.

— Non, pas encore, répondit Emily. Je pensais aller la voir cet après-midi. L'as-tu mise au courant de cette dernière affaire ?

— Bien entendu. Elle y a même participé, en me prêtant son attelage et son valet le soir de la confrontation finale...

Elle laissa sa phrase en suspens.

Emily lui lança un regard noir. Charlotte remplit à nouveau la bouilloire et, sans se presser, alla chercher les pickles dans le placard. Elle faillit même se mettre à chantonner, histoire de faire bisquer sa sœur, puis y renonça. Elle chantait faux et Emily avait une très jolie voix.

Celle-ci pianota impatiemment sur la table.

— Un député a été retrouvé mort, attaché à un réverbère, sur le pont de Westminster... commença Charlotte.

Pendant tout le repas, elle lui narra l'affaire des meurtres de Westminster Bridge dans les moindres détails, qu'elle revécut d'abord avec sérénité, puis avec angoisse et effarement. Lorsqu'elle eut terminé, Emily tendit la main vers elle et lui serra le bras de toutes ses forces.

— Mais tu aurais pu mourir ! s'écria-t-elle, les larmes aux yeux. Ne refais jamais une chose pareille ! J'imagine que tout ce que je te dis, Thomas te l'a déjà répété mille fois. Tu as dû recevoir un savon mémorable !

— Cela n'a pas été nécessaire, avoua Charlotte. Je n'ai jamais eu aussi peur de ma vie. Bon, il est temps pour toi d'aller rendre visite à tante Vespasia. Es-tu prête ?

— Oui, bien sûr. Mais tu devrais mettre une robe un peu plus élégante !

— Pour repasser ?

— Ne dis pas de bêtises. Je t'emmène ! Une promenade en voiture te fera du bien. Il fait un temps magnifique.

Charlotte n'hésita pas longtemps. La tentation était trop forte.

— Bon, si tu veux. Je vais me changer. Je n'en ai pas pour longtemps.

Elle courut prévenir Gracie qu'elle s'absentait et la chargea d'éplucher les légumes pour le dîner et de préparer le goûter des enfants qui n'allaient pas tarder à rentrer de l'école.

L'attelage s'arrêta devant l'élégante demeure de Lady Cumming-Gould. Une jolie soubrette, portant bonnet de dentelle et tablier immaculé, leur ouvrit la porte et les fit aussitôt entrer, sans leur demander de patienter : Lady Vespasia, qui exécrait l'étiquette et les insupportables papotages de salon, adorait recevoir la visite impromptue de ses nièces préférées.

La vieille dame se trouvait dans son boudoir, une pièce meublée avec simplicité, contrairement à la mode en vigueur : on n'y voyait point de lourdes tables de chêne, de canapés trop rembourrés et de rideaux à franges, mais des meubles aux lignes sobres et austères de l'époque georgienne. Vespasia était née avant la bataille de Waterloo ; l'un de ses oncles, officier dans la marine de Nelson, avait perdu la vie à Trafalgar. Wellington, le célèbre duc de fer, vainqueur à Waterloo, n'était plus qu'un nom dans les livres d'histoire, et les vaillants combattants de la guerre de Crimée étaient maintenant des vieillards.

Vespasia les reçut assise, très droite, sur une chaise Chippendale, vêtue d'une robe gris tourterelle à col montant orné de belle dentelle française du Puy. Un magnifique sautoir de quatre rangées de perles descendait presque jusqu'à sa taille. Elle leur adressa un sourire ravi.

— Emily, ma chère ! Comme vous avez bonne mine ! Vous allez me raconter votre voyage, en omettant bien entendu les détails les plus ennuyeux. Je n'aurai aucun mal à les imaginer, ayant moi-même effectué ce voyage, il y a de cela fort longtemps. Charlotte, je suppose qu'Emily vous a déjà tout raconté ; désolée, il vous faudra l'entendre une fois encore. Mais rien ne vous empêchera de poser des questions pertinentes. Venez vous asseoir.

Après l'avoir embrassée, les deux jeunes femmes prirent place en face d'elle.

Vespasia s'adressa à la soubrette.

— Agatha, apportez-nous du thé et des sandwichs au concombre, s'il vous plaît. Et demandez à la cuisinière de préparer des scones, avec de la confiture de framboise et de la crème.

— Bien, madame.

— Vous nous servirez dans une heure et demie environ, ajouta la vieille dame, sans s'inquiéter de savoir si ses visiteuses comptaient rester aussi longtemps. Et je ne veux pas être dérangée, c'est compris ? Bien, nous pouvons commencer, conclut-elle, les yeux brillants à l'idée de ce qu'elle allait entendre.

Deux heures plus tard, la table avait été desservie et Emily avait épuisé toutes les anecdotes relatives à sa lune de miel.

— Que comptez-vous faire, à présent ? s'enquit Vespasia.

Emily regarda les motifs du tapis.

— Je n'en sais rien encore. Je suppose que je m'occuperai d'œuvres de bienfaisance. Je pourrais devenir responsable d'un comité local de soutien aux femmes déchues !

— J'en doute, remarqua Charlotte. Souviens-toi que tu n'es plus Lady Ashworth. Tu ne seras qu'un membre ordinaire de l'association.

Emily lui fit une grimace.

— Je ne deviendrai ni l'un ni l'autre ! Je n'ai rien contre les femmes déchues, mais l'idée de faire partie d'une organisation charitable m'horripile. Moi, je veux me battre pour une cause juste, et non faire de beaux discours qui ne servent à rien. À propos, tu ne m'as pas répondu quand je t'ai demandé sur quelle affaire travaillait Thomas en ce moment.

Vespasia adressa à Charlotte un regard plein d'espoir.

— Oui, que fait-il ? J'espère qu'on ne l'a pas envoyé sur le secteur de Whitechapel. Les journaux se montrent très critiques sur le travail de la police en ce moment. L'an passé, ils ne tarissaient pas d'éloges à son égard ; on rendait les émeutiers de Trafalgar Square responsables de tous les maux de notre société. Aujourd'hui, les rôles sont renversés : on reclame la démission de Sir Charles Warren[1]

Emily frissonna.

— J'imagine que les gens sont terrorisés. Mettez-vous à leur place ! Si j'habitais Whitechapel, je n'oserais plus risquer le nez dehors. Même la reine est en butte aux critiques ! On dit qu'elle n'apparaît pas assez souvent en public. Le prince de Galles jette allègrement l'argent par les fenêtres et son gredin de fils mène une vie dissolue ! Mais si le prince vit aussi longtemps que la reine, le duc de Clarence n'est pas près de monter sur le trône.

— Ce n'est pas une excuse, fit Vespasia avec un léger sourire, avant de se tourner vers Charlotte.

— Vous ne nous avez pas dit si Thomas était sur les traces de l'Éventreur.

— Non. Il mène une enquête à Highgate, mais j'en sais très peu pour l'instant, confessa Charlotte. Il n'a commencé qu'hier et...

— Ça tombe bien ! fit Emily avec enthousiasme. De quoi s'agit-il ?

Charlotte, devant leur expression avide, regretta de ne pas en savoir plus.

— Une femme, brûlée vive dans l'incendie de sa maison. Son mari, médecin, avait été appelé en urgence pour un accouchement. Par chance, tous les domestiques ont pu être secourus par les pompiers, car leur bâtiment a été le dernier à prendre feu.

— C'est tout ? observa Emily, un peu déçue.

— Je viens de te dire que l'enquête n'en est qu'à son début. Thomas est rentré à la maison épuisé et ses vêtements sentaient encore la fumée. Normalement, cette

1. Chef de la police métropolitaine qui avait violemment réprimé les émeutes de Trafalgar Square en novembre 1887. Un an plus tard, son incapacité à assurer la sécurité de la population du quartier de Whitechapel, face aux crimes de Jack l'Éventreur, lui faisait perdre tout crédit. (*N.d.T.*)

pauvre femme n'aurait pas dû se trouver chez elle, si le dîner auquel elle avait été conviée n'avait été annulé à la dernière minute.

— Conclusion, le mari aurait dû se trouver à son domicile, observa Vespasia. J'imagine qu'il s'agit d'un incendie criminel, sinon l'enquête n'aurait pas été confiée à Thomas. La victime désignée était-elle le mari ? Ou celui-ci a-t-il mis le feu à sa propre maison ?

— Apparemment, il était la victime désignée. Mais avec la meilleure volonté du monde, je ne vois pas en quoi nous pourrions... nous mêler de cette affaire.

— Qui était cette femme ? demanda Emily. Sais-tu quelque chose à son sujet ?

— Non, excepté que le voisinage semble la tenir en haute estime. Mais on ne dit jamais du mal des morts. Cela ne se fait pas.

— Et cela ne nous apprend rien sur elle, soupira Vespasia. Seulement que ses voisins sont des gens conformistes. Comment s'appelait-elle ?

— Clemency Shaw.

— Clemency Shaw ? Le nom ne m'est pas inconnu. S'il s'agit bien de la même personne, c'était une femme de grande qualité. Sa mort est une tragédie, car, si quelqu'un ne reprend pas le combat qu'elle menait, beaucoup d'indigents souffriront des conséquences de sa disparition.

— Thomas ne m'a pas parlé de son travail, observa Charlotte, très intéressée. Peut-être n'est-il pas au courant. Que faisait-elle ?

Emily se pencha en avant, attentive.

— Attention, nous ne parlons peut-être pas de la même personne. Mais s'il s'agit bien de Clemency Shaw, sachez qu'elle s'était lancée dans une croisade contre les propriétaires de logements insalubres, répondit Vespasia d'un ton grave. Je sais d'expérience qu'un tel combat est quasiment perdu d'avance, tant il y a d'intérêts en jeu. Les taudis les plus surpeuplés, dépourvus d'installations sanitaires, appartiennent à des gens très fortunés. Si cette situation était rendue publique, on pourrait obliger ces propriétaires à réaliser quelques travaux d'assainissement.

— Qui empêche la réalisation de ces travaux ? s'enquit Emily, avec le sens pratique qui lui était propre.

— Je ne peux vous donner de réponse précise, répondit Vespasia. Mais si vous êtes déterminées à vous lancer dans l'enquête, nous devrions aller consulter Somerset Carlisle qui, lui, pourra nous fournir de plus amples informations.

Joignant le geste à la parole, elle se leva, prête à partir. Charlotte et Emily échangèrent un regard amusé et se levèrent à leur tour.

— Excellente idée, acquiesça Charlotte.

— L'heure n'est-elle pas inconvenante pour une visite ? demanda Emily.

— Tout à fait inconvenante ! C'est pour cette raison que nous y allons. Nous sommes certaines de ne pas rencontrer de visiteurs chez lui.

Sans attendre, Vespasia sonna la soubrette et lui demanda de prévenir le cocher d'Emily de se tenir prêt. Par commodité, elles voyageraient toutes trois dans la même voiture.

Au dernier moment, Charlotte eut un instant d'hésitation : elle n'était pas habillée pour rendre visite à un député ! Dans ce genre de circonstances, elle empruntait à Emily, ou même à Vespasia, une robe que celles-ci faisaient reprendre par leur camériste, souvent à l'aide d'épingles judicieusement placées. Mais Charlotte connaissait Somerset Carlisle depuis des années et leurs rencontres avaient toujours eu pour point de départ un combat passionné, où l'étiquette et les urbanités n'étaient pas de mise : seule comptait l'action.

Elle n'eut guère le temps d'atermoyer, car Emily et Vespasia, indifférentes à ses hésitations, montaient déjà dans l'attelage. Si elle ne les rattrapait pas, elles l'abandonneraient sur le trottoir ! Or elle aurait préféré partir en tablier de cuisine, plutôt que de renoncer à cette visite.

Somerset Carlisle était chez lui, dans son bureau, ou il travaillait sur un dossier politique important. S'il s'était agi d'une autre visiteuse que Vespasia, son valet lui aurait poliment mais fermement refusé l'entrée, car l'homme savait reconnaître le caractère urgent d'une visite. Son maître et Lady Cumming-Gould étaient à maintes reprises partis ensemble en croisade pour la défense des plus défavorisés. Le valet savait que la vieille dame était une véritable alliée du parlementaire et éprouvait à son égard un grand respect.

Il les précéda jusqu'à la porte du bureau, frappa et les annonça.

Somerset Carlisle, quinquagénaire débordant d'énergie, sec et nerveux, aux grands sourcils arqués, possédait une physionomie curieuse et changeante qui ne semblait jamais en repos. Son bureau reflétait sa personnalité : il y avait des livres partout, traitant des sujets les plus divers, relatifs à son travail de parlementaire ou à ses intérêts personnels. Les rares espaces dépourvus d'étagères étaient occupés par de superbes tableaux et des bibelots de valeur.

Les hautes fenêtres de style georgien laissaient passer une grande clarté ; des appliques étaient fixées au mur et un luminaire à gaz pendait du plafond. Un chat roux, aux longues pattes maigres, plongé dans un sommeil béat, s'étalait de tout son long sur le plus beau fauteuil, devant la cheminée. La table de travail était jonchée de papiers en désordre.

Le député posa sa plume et se leva pour venir à leur rencontre avec un plaisir évident. En faisant le tour de son bureau, il renversa une pile de lettres qui s'éparpillèrent sur le sol sans qu'il y prêtât la moindre attention. Le chat ne remua pas une oreille.

Carlisle prit la main gantée que lui offrait Vespasia.

— Lady Cumming-Gould, quelle joie de vous voir ! J'imagine que si vous arrivez chez moi sans prévenir, c'est qu'il y a une injustice urgente à combattre, ajouta-t-il avec un sourire amusé. Et si Lady Ashworth et Mrs. Pitt se sont jointes à vous, c'est que vous êtes déjà à pied d'œuvre ! Je vous en prie, asseyez-vous...

Il regarda autour de lui, à la recherche d'un fauteuil confortable, et n'en trouva point, sauf celui où dormait le chat. Il le souleva avec douceur et alla le déposer sur sa chaise, derrière le bureau, où l'animal s'étira avec volupté avant de se mettre en boule.

Vespasia s'installa dans le fauteuil ; Charlotte et Emily prirent place en face d'elle. Carlisle resta debout. Personne ne lui fit remarquer que Lady Ashworth s'appelait désormais Mrs. Jack Radley. Elles le lui diraient en temps voulu.

Vespasia en vint rapidement au fait.

— Une femme est morte au cours d'un incendie criminel. Nous n'en savons guère plus. Elle s'appelait Clemency Shaw.

Elle s'interrompit devant l'expression peinée de Carlisle.

— Clemency Shaw, dites-vous ?

— Vous la connaissiez ?

— Oui... Enfin, surtout de réputation, répondit-il à voix basse.

Les trois femmes l'observaient, surprises et attentives.

— Je ne l'ai rencontrée que deux fois. Une femme discrète, qui hésitait sur les moyens à utiliser pour atteindre ses objectifs ; elle était peu habituée aux complexités du droit civil, mais j'admirais son enthousiasme et son honnêteté. Les réformes pour lesquelles elle se battait passaient avant sa propre respectabilité ou l'opinion de son entourage. Je suis sincèrement désolé d'apprendre sa disparition. Savez-vous ce qui s'est passé ? conclut-il à l'adresse de Charlotte.

Il connaissait bien l'inspecteur Pitt, s'étant lui-même trouvé mêlé, quelques années plus tôt, à une affaire criminelle fort singulière[1].

1. Voir *Resurrection Row*, 10/18, n° 2943.

— Mrs. Shaw est morte dans l'incendie criminel de sa maison. Elle aurait dû se trouver chez des amis, en ville, mais le dîner avait été annulé à la dernière minute. C'est son mari, appelé pour une urgence, qui aurait dû être chez lui ce soir-là.

— Donc, selon vous, sa mort est accidentelle ?

— L'incendiaire a pu faire le guet pour savoir qui se trouvait dans la maison, remarqua Charlotte. Quel combat menait donc Mrs. Shaw ? Qui tenait à la faire échouer dans son entreprise ?

Carlisle eut un sourire plein d'amertume.

— Presque tous ceux qui investissent leur argent dans des taudis qu'ils louent à un prix exorbitant à de pauvres diables s'entassant parfois à deux ou trois familles dans une seule pièce. Ces profiteurs achètent aussi, pour les louer, des ateliers de confection clandestins, des tripots, des maisons de passe et même des fumeries d'opium. Activités fort lucratives, au demeurant. Vous seriez surprise d'apprendre le nom de ceux qui en tirent profit.

— De quelle manière Mrs. Shaw les menaçait-elle ? intervint Vespasia. Que souhaitait-elle exactement, ou plutôt, qu'avait-elle l'intention de faire, de façon concrète ?

— Elle désirait faire modifier la loi, afin que ces propriétaires, qui se cachent derrière la façade de sociétés anonymes ou font appel à des hommes de loi pour défendre leurs intérêts, puissent être retrouvés plus facilement.

— Ne serait-il pas plus utile de voter des lois sur l'hygiène et la limitation du nombre d'habitants de ces taudis ? proposa Emily, très réaliste.

Carlisle se mit à rire.

— Si vous limitez le nombre d'habitants par logement, vous ne ferez que jeter ces pauvres gens à la rue. Dieu sait qu'ils sont déjà nombreux ! Et comment réglementer tout cela ? Quant à l'hygiène...

Sa voix se durcit.

— Nos gouvernants ont tendance à croire que les indigents ont les installations sanitaires qu'ils méritent ; ils s'imaginent que si vous les améliorez, elles se retrouveront au bout d'un mois dans le même état de délabrement qu'auparavant. Ils préfèrent donc se vautrer dans leur luxe avec la conscience tranquille. De plus, la moindre réparation des installations existantes, dans toute la capitale, coûterait des millions de livres.

— Mais tous ces propriétaires sont tres riches ! remarqua Emily. Si chacun ordonnait quelques travaux...

— De telles lois ne passeront jamais au Parlement, affirma Carlisle, les yeux pleins de colère, les poings crispés. Vous oubliez qui vote...

Emily ne répondit pas. Il n'y avait que deux grands partis politiques susceptibles de former un gouvernement et aucun des deux n'accepterait de faire voter de telles lois ; les femmes n'avaient pas droit au suffrage, et les pauvres, étant pour la plupart illettrés, n'étaient pas organisés. La conclusion s'imposait avec évidence : inutile de continuer dans cette voie.

Carlisle émit un grognement.

— Voilà pourquoi Mrs. Shaw souhaitait parvenir à remonter jusqu'aux propriétaires de ces logements. Elle pensait que si leurs noms étaient rendus publics, la pression sociale parviendrait à obtenir ce que les législateurs se refusent à faire.

— Mais cette pression ne vient-elle pas justement des gens qui votent ? demanda Charlotte, qui se rendit aussitôt compte qu'il n'en était rien.

Les femmes ne votaient pas ; or, paradoxalement, elles jouaient un rôle important dans une société qui autorisait les hommes à tous les dérèglements, même les plus abjects, du moment qu'ils se montraient discrets. En public au contraire, ou dans l'intimité de leur foyer, ils feignaient de déplorer les affronts faits aux fondements mêmes d'une société civilisée. Ils ne feraient donc en aucun cas pression pour modifier des lois qui leur étaient favorables.

Carlisle lut ses pensées sur son visage et jugea inutile de s'attarder à de longues explications.

— Mrs. Shaw était très clairvoyante, remarqua Vespasia. J'imagine qu'elle s'était fait des ennemis.

Carlisle hocha la tête.

— Disons que ses idées suscitaient certaines appréhensions. Mais je pense qu'elle n'a pas eu le temps d'avancer assez loin dans ses démarches pour soulever de réelles craintes.

— Selon vous, serait-elle parvenue à ses fins, si elle avait vécu ? demanda Charlotte.

Elle regrettait sincèrement la disparition de cette femme qu'elle n'aurait, hélas, plus jamais l'occasion de rencontrer. Or, plus elle en entendait parler, plus elle sentait qu'elle l'aurait beaucoup appréciée.

Carlisle réfléchit avant de lui donner une réponse. L'heure n'était pas aux louanges posthumes. Il connaissait les arcanes de la vie politique et la puissance des milieux financiers ; il avait été témoin de suffisamment de meurtres crapuleux commandités par des gens influents pour ne pas exclure la possibilité que Clemency ait été supprimée afin de l'empêcher de poursuivre sa croisade, même si son action avait peu de chances d'influencer le législateur ou l'opinion publique.

Les trois femmes, silencieuses, guettaient sa réponse.

— Oui, dit-il enfin. C'était une personne remarquable. Elle croyait passionnément à ce qu'elle faisait. Un tel enthousiasme peut parvenir à émouvoir les gens, là où le raisonnement échoue. Il n'y avait aucune hypocrisie en elle, aucune...

Il fronça les sourcils, cherchant les mots précis pour décrire une personne qu'il n'avait rencontrée que deux fois et qui pourtant avait laissé sur lui une empreinte indélébile.

— Mrs. Shaw ne cherchait pas à tout prix une cause à défendre pour occuper son temps. Elle ne désirait rien pour elle-même ; de tout son cœur, elle souhaitait alléger la détresse de ceux qui vivent dans ces immondes taudis.

Vespasia eut un frisson de pitié.

— Elle haïssait ces riches marchands de sommeil et affichait à leur égard un mépris qui vous rendait honteux de posséder un toit au-dessus de votre tête, poursuivit Carlisle.

Il eut un sourire embarrassé, qui donna du charme à son étrange visage, puis conclut, en s'adressant à Charlotte :

— Sa mort me fait beaucoup de peine. J'imagine que Thomas est chargé de l'enquête ?

— En effet.

— Et, cela va sans dire, vous avez l'intention d'y mettre votre grain de sel ?

Cette fois, il s'adressait aux trois femmes. Vespasia émit un reniflement désapprobateur, mais ne le contredit pas.

— Vous auriez pu choisir une expression plus heureuse, lui fit-elle remarquer, froissée.

— Oui, c'est bien notre intention, avoua Emily. Mais nous ne savons par où commencer.

À l'inverse de Clemency Shaw, elle cherchait à occuper ses journées, mais cela ne l'empêchait pas de vouloir les occuper intelligemment

— Parfait, dit Carlisle. Si je peux vous être utile à quoi que ce soit, n'hésitez pas à faire appel à moi J'éprouvais une grande admiration pour Mrs. Shaw. J'espère voir son assassin pourrir dans les geôles de Coldbath Fields.

— Il sera pendu, fit Vespasia d'une voix dure.

Elle savait que Carlisle était contre la pendaison, dont il ne pouvait accepter le caractère définitif, dans un pays où les erreurs judiciaires étaient nombreuses. Elle aussi desapprouvait la peine de mort, mais elle était réaliste.

Carlisle soutint son regard, mais ne fit aucune réflexion. Ils avaient souvent débattu ensemble de ce sujet, et chacun connaissait l'opinion de l'autre. Au cours de leurs combats communs, ils avaient connu des tragédies ayant engendré d'indicibles souffrances. Le crime est rarement un acte isolé, dans lequel la faute incombe à une seule personne.

Charlotte se leva.

— Ce n'est pas une raison pour ne pas agir. Je vous contacterai dès que j'en saurai davantage.

Carlisle les accompagna jusqu'à la porte du bureau et s'effaça pour les laisser passer. Vespasia sortit la première, tête haute, suivie d'Emily. Lorsque Charlotte passa devant lui, il posa sa main sur son bras.

— Soyez prudente. Vous allez déranger des gens influents, qui ont beaucoup à perdre dans cette affaire. Si l'on n'a pas hésité à tuer Clemency Shaw, l'on n'hésitera pas à frapper à nouveau.

— Je vous promets de faire attention, dit-elle d'un ton convaincu, bien qu'elle ignorât encore si son entreprise aurait une quelconque utilité. Je me bornerai à collecter des informations.

Carlisle lui lança un regard sceptique, sachant d'expérience, pour avoir suivi de près ses enquêtes passées, qu'en général elle ne se contentait pas de « collecter des informations » ! Il lâcha son bras et escorta ses visiteuses jusqu'à la porte d'entrée. L'attelage les attendait dans la rue ensoleillée.

Dès que la voiture s'ébranla, Emily annonça :

— Je vais tenter d'obtenir de plus amples informations sur les propriétaires de ces immeubles insalubres. En cherchant bien, je devrais trouver des gens qui les connaissent.

— Vous êtes jeune mariée, lui rappela gentiment Vespasia. Votre époux ne verra peut-être pas d'un bon œil cette façon d'envisager votre retour de voyage de noces.

L'hésitation d'Emily fut très brève.

— Oh, cela ne devrait pas poser de problèmes. J'en discuterai avec lui. Charlotte, essaie d'en apprendre davantage, discrètement, cela va de soi. Nous devons recueillir le maximum de détails.

Les deux sœurs ne s'arrêtèrent pas chez Lady Vespasia. Elles lui souhaitèrent une bonne journée et la suivirent des yeux tandis qu'elle gravissait les marches du perron. La porte s'ouvrit aussitôt. Vespasia, perdue dans ses pensées, remercia la soubrette d'un air absent. Depuis le décès de Lord Cumming-Gould, elle s'était engagée dans un combat difficile contre les maux dont souffrait la société victorienne. Elle aimait la lutte et était prête à prendre tous les risques, en faisant fi de l'opinion d'autrui, lorsqu'elle croyait en une juste cause. Elle n'en demeurait pas moins sensible à la perte inévitable, ou du moins à la réprobation, de certaines de ses relations.

À cette minute, elle pensait à Emily. Celle-ci était la plus vulnérable, car son nouvel époux était en droit d'attendre d'elle un comportement convenable. Par ailleurs, elle aurait à faire face aux critiques de la bonne société, qui s'extasiait sur les innovations en matière de mode vestimentaire et culturelle, mais ne tolérait pas que l'on perturbe sa vie confortable et insouciante.

Arrivée devant chez elle, Charlotte prit rapidement congé de sa sœur et entendit l'attelage s'éloigner tandis qu'elle ouvrait sa porte. La maison était tiède et silencieuse. Les bruits de la rue n'y parvenaient que de façon assourdie. Elle demeura un instant immobile, prêtant l'oreille au bruit sec du hachoir que Gracie maniait en fredonnant. Charlotte éprouva une intense sensation de sécurité et de bonheur. Tout ceci lui appartenait. Elle était chez elle. Elle n'avait pas à partager sa maison avec une autre famille que la sienne. Personne n'augmentait son loyer ni ne menaçait de la jeter à la rue. Ils avaient l'eau courante à l'évier et un système d'évacuation des eaux usées ; la cuisinière à charbon ronflait ; chaque pièce possédait sa cheminée et le jardinet regorgeait de fleurs.

Dans ces conditions, il était facile d'oublier les centaines de milliers d'indigents qui habitaient des taudis infestés de vermine, sans le minimum d'intimité nécessaire pour vivre dans la dignité.

Clemency Shaw avait dû être une femme exceptionnelle pour s'être intéressée avec tant de passion aux problèmes des mal-logés. Il était même extraordinaire qu'elle ait entendu parler de leur existence. La plupart des femmes de bonne famille ne connaissaient que ce qu'on leur avait appris ; elles ne lisaient dans les journaux et les magazines que les articles supposés leur convenir. Charlotte, par exemple, ignorait tout de ces problèmes avant sa rencontre avec Pitt, sept ans plus tôt. Au début, elle lui en avait même voulu de lui avoir ouvert les yeux à la misère du monde, avant de se révolter à son tour devant tant d'injustice.

L'ironie du sort avait voulu que Clemency Shaw périsse dans l'incendie de sa propre maison... Charlotte était bien décidée à démasquer l'incendiaire et à découvrir ses motivations. Si, de son vivant, Mrs. Shaw n'avait pu attirer l'attention sur les infâmes profiteurs qui s'enrichissaient sur le dos des indigents, Charlotte était prête à tout faire pour que sa mort permette de laisser enfin éclater la vérité.

De son côté, Emily, qui poursuivait le même objectif, mais pour des raisons différentes, comptait parvenir à ses fins par des moyens radicalement opposés. Elle entra dans le vestibule de sa vaste demeure en faisant virevolter ses jupes, puis se débarrassa de sa capeline, fit bouffer ses bouclettes blondes et se composa une expression de tendresse chagrine.

Elle savait que Jack était rentré, car c'était son valet, Arthur, qui lui avait ouvert la porte. Si Jack était sorti, Arthur l'aurait accompagné.

Elle poussa les battants de la porte du petit salon et fit une entrée théâtrale.

Jack était assis près de la cheminée. Devant lui, sur la table basse, étaient posées une théière, une tasse et une assiette où subsistaient des traces de beurre fondu. Il avait mangé tous les *crumpets*[1].

Il lui sourit avec tendresse et se leva pour venir à sa rencontre. Mais devant son expression inquiète, son sourire se mua en inquiétude.

— Emily chérie, que se passe-t-il ? Charlotte est-elle malade ? Est-il arrivé quelque chose à Thomas ?

— Non, non...

Elle se jeta dans ses bras et posa amoureusement sa tête sur son épaule, en partie pour éviter son regard, car elle n'était pas tout à fait sûre de pouvoir lui mentir avec succès. Ils se ressemblaient trop. Jack, qui avait passé la majeure partie de son existence à user de son charme et de son élégance, connaissait toutes les astuces pour survivre en société. Cependant, elle devait s'expliquer avant qu'il ne commence à s'inquiéter pour de bon.

— Non, rassurez-vous, Charlotte va très bien. Mais Thomas est chargé d'une enquête assez particulière... Ma sœur est bouleversée, tante Vespasia aussi, et j'avoue que je partage leur sentiment. Une femme est morte brûlée vive dans l'incendie de sa maison — une femme courageuse et bonne qui se battait pour mettre au grand jour l'un des pires maux de notre société.

Maintenant, elle pouvait se permettre de relever la tête et de le regarder en face.

— Jack, je crois que nous devrions faire quelque chose pour les aider.

Il lui caressa tendrement les cheveux, l'embrassa, puis ouvrit de grands yeux et lui sourit.

— Ah ? Quoi, par exemple ? demanda-t-il d'un ton amusé.

Emily changea aussitôt de tactique. Avec Jack, il ne servait à rien de dramatiser. Elle lui rendit son sourire et se mordilla la lèvre.

— Je n'en sais rien encore. Qu'en pensez-vous ?

1. Petites crêpes épaisses servies chaudes et beurrées. (*N.d.T.*)

— De quels maux parlez-vous ? s'enquit-il, déjà sur la défensive.

Il connaissait son Emily bien mieux qu'elle ne le supposait.

— Les propriétaires d'immeubles qui font payer des loyers exorbitants à des gens qui s'entassent dans des taudis. Clemency Shaw souhaitait que leurs noms soient connus du public. Ils ne devraient plus rester anonymes et se cacher derrière des prête-noms qui envoient des hommes encaisser les loyers.

Jack demeura si longtemps silencieux qu'elle finit par se demander s'il l'avait entendue.

— Jack ?

— Oui, dit-il enfin. Mais s'il faut agir, nous le ferons ensemble. Je refuse de vous laisser agir seule. Votre entreprise représente une menace pour des gens riches et influents — il y a des millions en jeu. Vous seriez surprise d'apprendre combien de fortunes reposent sur des investissements immobiliers faits dans les bas-fonds de St. Giles et de Devil's Acre.

Emily eut un sourire crispé. Elle se souvint de certaines personnes qu'elle fréquentait, du vivant de George... À l'époque, elle les avait acceptées sans se demander d'où venait leur fortune. Ces gens étaient riches, très riches ; c'était une évidence qui ne requérait aucune explication. Aujourd'hui, elle était moins innocente, et nettement plus mal à l'aise face à eux.

Jack la tenait toujours dans ses bras. Du bout des doigts, il caressa son front, repoussant une boucle dorée.

— Vous tenez quand même à continuer ?

Elle fut surprise de voir qu'il avait clairement deviné son sentiment de culpabilité et son appréhension.

— Bien sûr, répondit-elle, toujours blottie dans ses bras. Je ne peux revenir en arrière ! Que dirais-je à tante Vespasia ou à Charlotte ? Je n'oserais plus me regarder dans un miroir.

Le sourire de Jack s'élargit. Il l'embrassa tendrement,

puis avec une passion qui les éloigna tous deux du sujet qui les préoccupait. Demain, il serait bien temps de repenser à tout cela. Mieux valait profiter du moment présent.

3

Pitt, chargé de l'enquête par le commissariat de Bow Street, alla faire son rapport à son supérieur, un homme qu'il respectait pour ses compétences professionnelles et appréciait pour sa franchise et sa modestie. Micah Drummond, peut-être parce qu'il était d'origine aisée, n'éprouvait jamais le besoin de se mettre en avant.

Ravi de voir arriver Pitt, il se leva de son fauteuil, non par courtoisie — Pitt était un officier subalterne — mais parce qu'il était pressé d'entendre son rapport. Il lui avait d'ailleurs récemment proposé une importante promotion que ce dernier, après mûre réflexion, avait fini par refuser ; une augmentation de salaire n'aurait pas été pour lui déplaire, mais il ne souhaitait pas rester assis derrière un bureau à diriger ses hommes. Il avait besoin d'approcher les gens, d'observer leur visage et leurs gestes, d'entendre les intonations de leur voix, de s'immerger dans la réalité, plaisante ou déplaisante, de son travail. Se borner à donner des ordres aux autres et à feuilleter des rapports le priverait de la possibilité de donner le meilleur de lui-même. Charlotte l'avait poussé à refuser cet avancement, car, le connaissant bien, elle préférait le savoir content dans son métier. Qu'importait alors une augmentation de salaire ? Le désintéressement de son épouse, son sens du partage de valeurs communes étaient pour Pitt la preuve de l'amour qu'elle lui portait.

Micah Drummond l'observait avec curiosité.

— Eh bien ?

— Incendie volontaire, répondit Pitt. Les preuves sont indiscutables. L'état du corps carbonisé ne peut rien nous apprendre. Mais le rapport des pompiers précise que le feu a pris simultanément en quatre endroits différents. Le criminel était donc bien décidé à parvenir à ses fins.

— Vous dites que le cadavre était celui d'une femme ? fit Drummond d'un ton attristé.

— Il est pratiquement acquis qu'il s'agit de Mrs. Clemency Shaw.

Pitt lui fit part de ce qu'il avait appris au cours de sa brève incursion chez les voisins du Dr Shaw et au commissariat de Highgate. Avec l'agent Murdo, il avait interrogé le petit groupe de curieux qui s'était attroupé, alerté par la fumée et les cloches des pompiers. Parmi tous ces gens désireux d'offrir leur aide, s'était-il trouvé un homme pour regarder le feu destructeur avec un frisson de jouissance ? Les pyromanes invétérés restent parfois sur les lieux de leur crime.

Drummond retourna s'asseoir et, d'un geste, fit signe à Pitt de prendre place dans un confortable fauteuil de cuir. La pièce était agréable, lumineuse et aérée ; des étagères de livres couvraient les murs. Un grand bureau de chêne ciré, très fonctionnel, en occupait le centre.

Drummond en vint directement au fait.

— Le mari était-il visé ? Que savez-vous de lui, au juste ?

Pitt se cala dans son siège et croisa ses longues jambes.

— Un médecin. Intelligent, à l'esprit vif et ouvert, qui a son franc-parler. Je n'ai pas encore eu le temps d'apprécier ses compétences professionnelles.

— Votre sentiment personnel ? demanda Drummond en lui lançant un regard en biais.

Pitt sourit.

— J'apprécie l'homme. Toutefois, il m'est arrivé de sympathiser avec des meurtriers poussés par la peur ou le désespoir. Il serait bien entendu plus simple d'avoir des opinions arrêtées sur tout le monde et de décider, une fois pour toutes, d'aimer ou de détester telle ou telle personne. Mais je dois sans cesse changer d'avis, en fonction des circonstances. Là repose la difficulté de mon travail.

Drummond soupira et roula des yeux amusés.

— Je veux simplement votre avis, Pitt !

— Alors, je dirai que le Dr Shaw était la victime toute désignée. On peut avoir des dizaines de raisons de vouloir réduire un médecin au silence, et celui-ci en particulier.

Drummond leva les sourcils.

— Tous les médecins sont tenus au secret médical. Aurait-il découvert par inadvertance un secret que son serment ne l'obligerait pas à taire ?

Pitt haussa les épaules.

— Les possibilités sont multiples : par exemple, une maladie contagieuse qu'il serait tenu de révéler aux autorités, la peste, la fièvre jaune...

— La fièvre jaune à Highgate ? Vous plaisantez ! Si tel était le cas, il l'aurait déjà signalée. Une personne atteinte de syphilis, peut-être, ou d'un désordre mental, qui ne voudrait pas que sa folie fût connue du voisinage, de sa famille, ou de sa future belle-famille, si elle comptait faire un beau mariage. Cherchez de ce côté-là, Pitt.

Il s'enfonça dans son fauteuil, s'appuya sur les accoudoirs et joignit le bout de ses doigts.

— Oui, cherchez de ce côté-là. Shaw était peut-être au courant d'une naissance illégitime ou d'un avortement, qu'il aurait lui-même pratiqué !

— Pourquoi avoir attendu jusque-là ? fit remarquer Pitt. S'il venait de le pratiquer, ce serait sur l'une des patientes auxquelles il a rendu visite au cours de ces deux ou trois derniers jours. L'avortement étant illégal, il est peu probable qu'il en ait parlé, ou même qu'il l'ait consigné dans ses dossiers. Il avait encore plus à perdre que la femme concernée.

— Un mari, un père furieux ?

Pitt secoua la tête.

— Peu probable. S'ils n'étaient pas au courant, ils seraient bien les derniers à qui cette femme en aurait parlé. En admettant qu'ils l'aient appris par inadvertance ou qu'elle le leur ait avoué, assassiner le médecin ayant pratiqué l'avortement serait la dernière chose à faire ! La police ne tarderait pas à ouvrir une enquête.

— Allons, Pitt, vous savez aussi bien que moi qu'un homme en proie à une violente émotion ne raisonne pas ainsi, sinon, la moitié, que dis-je, les trois quarts des crimes de sang ne seraient pas commis ! Cet homme ne réfléchit pas ; la rage, la peur, la confusion l'envahissent. Il ressent le besoin de punir la personne qu'il considère responsable de sa souffrance.

— Je suis d'accord, concéda Pitt. Mais je persiste à penser qu'il y a d'autres mobiles possibles. Shaw est un être passionné, aux idées politiques progressistes. Je suis sûr qu'il serait prêt à les appliquer, en faisant fi des conséquences.

— Vous l'aimez bien, constata Drummond avec un petit sourire forcé.

Il n'y avait rien à répondre à cela.

— Il est peut-être au courant d'un crime, reprit Pitt, suivant le fil de ses pensées. Le décès d'une personne arrivée en phase finale d'une maladie incurable...

— Vous voulez parler d'euthanasie ? releva Drummond. Pourquoi pas ? Il a pu aider quelqu'un à mourir par pure humanité ; mais si un membre de la famille du défunt avait fait cette suggestion pour des raisons d'intérêt, alors cette personne a pu s'affoler à l'idée que le médecin commette une indiscrétion ou décide de la faire chanter — vous m'avez dit que Shaw ne manquait ni de sang-froid ni d'imagination. Ce serait un excellent mobile de meurtre, non ?

Pitt aurait aimé pouvoir contrer un tel raisonnement, mais celui-ci était d'une logique imparable.

Drummond l'observait, intrigué, un léger sourire aux lèvres.

— Peut-être, acquiesça Pitt, mais, à mon avis, il doit plutôt s'agir d'un problème d'ordre médical.

— Ou d'une vengeance personnelle, due à la jalousie, à la cupidité. Shaw a-t-il une maîtresse ? Sa femme avait-elle un amant ? Ne m'avez-vous pas dit qu'elle n'aurait pas dû se trouver à son domicile ce soir-là ?

– En effet.

Pitt échafaudait d'autres hypothèses, toutes aussi sordides les unes que les autres, notamment celles qui touchaient à la fortune des Worlingham. Il n'oubliait pas non plus la jolie frimousse de Flora Lutterworth, dont le père désapprouvait les fréquentes visites au domicile de Shaw.

Le commissaire se leva et se dirigea vers la fenêtre, les poings dans les poches, puis se tourna vers Pitt.

— Il faut poursuivre les recherches. Les hypothèses sont nombreuses, que la personne visée ait été Mrs. Shaw ou son mari. L'enquête risque d'être longue et difficile. Dieu sait quelles tragédies, quelles turpitudes vous allez découvrir, sans compter l'ingéniosité que déploieront ces gens pour les cacher. Ce que je déteste le plus dans notre métier, c'est le bouleversement que nous créons dans toutes ces vies.

Il enfonça un peu plus ses mains dans ses poches.

— Par où comptez-vous commencer ?

— Je retourne au commissariat de Highgate, répondit Pitt en se levant. Shaw est aussi médecin légiste.

— Tiens ? Vous ne me l'aviez pas dit.

Pitt eut un large sourire.

— Vous comprenez qu'il ait pu avoir connaissance d'un crime sans en être nécessairement complice...

— Un point pour vous, concéda Drummond. Mais que cela ne vous aveugle pas. Ensuite, où irez-vous ?

— À l'hôpital de Highgate, voir ce que l'on pense de lui, et interroger ses collègues.

Drummond haussa les épaules.

— Vous n'obtiendrez pas grand-chose d'eux. Les médecins ont tendance à serrer les rangs, dans ces cas là. S'ils ne le faisaient pas, cela reviendrait à reconnaître implicitement que n'importe lequel d'entre eux peut commettre une erreur.

— Je lirai entre les lignes... Parfois, un mot, une tournure de phrase, une gentillesse excessive même, peuvent être lourds de sens et révéler des conflits latents ou de vieilles rancunes. Ensuite, j'irai interroger les domestiques des Shaw, sans trop d'espoir d'apprendre du nouveau. Mais ils ont peut-être vu quelque chose qui nous permettra de déceler un mensonge, une omission, une incohérence dans les témoignages ; ils ont pu apercevoir quelqu'un qui n'aurait pas dû se trouver dans les parages ce soir-là.

En disant cela, Pitt pensait à toutes les faiblesses que ses enquêtes avaient mises à nu par le passé : bêtises, petites bassesses n'ayant rien ou très peu à voir avec le crime lui-même, et qui pourtant avaient brisé de vieilles amitiés ou créé de nouveaux liens. Il détestait cette intrusion forcée dans la vie privée des autres. Mais comment faire autrement ?

— Tenez-moi au courant, fit Drummond, qui paraissait deviner ses pensées. Je veux savoir.

— Bien, monsieur. C'est promis, vous saurez tout.

Drummond sourit, puis d'un léger signe de tête lui fit comprendre qu'il pouvait partir. Pitt quitta le commissariat, héla un cab dans Bow Street et demanda au cocher de le conduire à Highgate. Une très longue course, que l'administration prendrait en charge. Il s'assit sur la banquette et étendit ses jambes avec un soupir d'aise en songeant qu'il était bien agréable de voyager ainsi aux frais de Sa Majesté.

Le cab se fraya un chemin dans un dédale de rues qui partaient de la Tamise, longea High Holborn jusqu'à Gray's Inn Road, traversa Bloomsbury, puis, après avoir remonté Kentish Town Road, le déposa enfin devant le commissariat de Highgate.

L'agent Murdo l'attendait impatiemment. Il avait épluché tous les rapports de police de ces deux dernières années et mis de côté ceux dans lesquels apparaissait le nom du Dr Shaw. Murdo se tenait au milieu d'un bureau spartiate, meublé d'une simple table de travail et de trois chaises. Le cheveu en bataille, le col de sa tunique déboutonné, il semblait décidé à s'acquitter le mieux possible de sa tâche. Cette affaire le touchait profondément mais il n'oubliait pas qu'une fois l'enquête terminée Pitt retournerait à Bow Street. Il reprendrait donc son travail routinier auprès de ses collègues, qui persistaient à juger indésirable la présence de cet inspecteur venu de la capitale, et qui ne lui cachaient pas leur animosité.

— Tout est là, monsieur, dit-il dès que Pitt eut franchi le pas de la porte. Même les affaires de troubles sur la voie publique ayant nécessité l'intervention du Dr Shaw.

Il désigna l'une des piles.

— Dans celles-là, voyons... quelques nez en sang, une côte cassée, un pied écrasé par les roues d'un attelage. Ensuite il y a eu bagarre entre le piéton blessé et le cocher... Je ne vois qu'un malade mental pour vouloir se venger du médecin intervenu sur les lieux.

Pitt secoua la tête.

— Je ne pense pas que nous ayons affaire à un déséquilibré. Le feu a été allumé dans quatre des pièces de la maison, loin des quartiers des domestiques ; les fenêtres de leurs chambres ne donnant pas sur le bâtiment principal, ils n'auraient pu apercevoir les rideaux en feu, à supposer qu'ils aient été encore éveillés. Les pièces en question sont systématiquement fermées après le coucher des maîtres de maison ; il ne s'agissait pas du vestibule ou d'un palier, où aurait pu se trouver un valet vérifiant la fermeture des portes ou une femme de chambre descendant préparer une tasse de thé. Non, Murdo, notre incendiaire est parfaitement sain d'esprit.

Le jeune agent pâlit et frissonna.

— C'est affreux, Mr. Pitt. Il faut vraiment être poussé par une haine terrible pour faire une chose pareille.

— Je doute que nous trouvions notre homme là-dedans, dit Pitt en désignant les dossiers que Murdo avait triés. À moins que Shaw n'ait eu à constater un décès anormal. Oh, à propos, savez-vous dans quelles circonstances est décédé Theophilus Worlingham ?

— Oui, monsieur, répondit Murdo avec empressement.

Il avait pris ce travail à cœur et était très désireux de raconter ce qu'il savait.

Pitt alla s'asseoir derrière le bureau, croisa les jambes et leva un sourcil attentif.

— Je vous écoute.

Tendu et concentré, Murdo se lança dans un compte rendu théâtral et détaillé.

— Theophilus Worlingham est mort subitement. C'était un homme énergique, en pleine santé, que l'on pouvait qualifier de... fervent adepte d'un christianisme « hygiénique ».

Il rougit de sa propre audace à utiliser un tel terme à propos d'un homme qui lui était socialement supérieur. C'était une expression qu'il n'avait pas entendue plus de deux fois jusqu'ici.

— Sa bonne santé physique était pour lui une source de fierté, se crut-il obligé d'expliquer, songeant que Pitt ne connaissait peut-être pas l'expression.

Pitt hocha la tête, dissimulant un sourire.

Murdo se détendit.

— Il a dû s'aliter après un banal refroidissement. Dans son entourage, personne ne s'en est inquiété. Mr. Worlingham paraissait furieux de ne pas être plus résistant que les autres. Le Dr Shaw, appelé à son chevet, a prescrit des inhalations à base de thym et d'eucalyptus pour décongestionner les bronches et a recommandé un régime léger, ce qui n'était pas du goût de son patient. Il lui a conseillé de garder le lit et d'arrêter de fumer le cigare. Ces prescriptions ont exaspéré le malade, qui n'a en revanche rien trouvé à redire à l'application de cataplasmes à la moutarde..

Murdo fit la grimace et hocha la tête.

— Quand nous étions petits, ma mère nous obligeait toujours à supporter les cataplasmes à la moutarde... Bref, l'état de Mr. Worlingham ne s'est pas amélioré, mais Shaw n'est plus revenu à son chevet. Trois jours plus tard, Mrs. Clemency Shaw, en allant rendre visite à son père, l'a trouvé mort, allongé sur le tapis, dans son bureau, une pièce située au rez-de-chaussée. La porte-fenêtre était grande ouverte. Selon le rapport de l'agent appelé sur les lieux, l'expression du défunt était épouvantable.

— Pourquoi avoir appelé la police ? s'étonna Pitt. Il s'agissait d'une tragédie domestique.

— Eh bien, à cause de la fenêtre ouverte et de cette expression terrible sur son visage, expliqua Murdo, sans regarder ses notes. Il y avait beaucoup d'argent liquide dans le bureau, et Mr. Worlingham tenait dans sa main une liasse de bons du Trésor. Personne n'est arrivé à déplier ses doigts tant il les tenait serrés ! ajouta-t-il d'un air triomphant.

Il guetta la réaction de Pitt.

— Très curieux, en effet, commenta celui-ci pour lui faire plaisir. Clemency Shaw a découvert le cadavre de son père, dites-vous ?

— Oui, monsieur.

— La famille a-t-elle signalé la disparition d'une importante somme d'argent ?

— Non, monsieur, c'est bien cela le plus étrange. Il venait de retirer sept mille... quatre cent... quatre-vingt-trois livres de son compte en banque.

L'énormité de la somme le faisait bredouiller. Avec cela, Murdo aurait pu s'acheter une maison et vivre heureux sans être obligé de travailler !

— On les a retrouvées dans le tiroir de son bureau, qui n'était même pas fermé à clé ! Des liasses de bons du Trésor. Tout ceci mérite explication, monsieur.

— En effet, approuva Pitt avec chaleur. On peut supposer que Mr. Worlingham avait l'intention de réaliser un achat important qu'il voulait payer en liquide et non par traites, comme cela se fait d'ordinaire. Mais pourquoi, mystère.

— Pensez-vous que sa fille, je veux dire Mrs. Shaw, était au courant de quelque chose, monsieur ?

— Probablement, concéda Pitt. Mais Theophilus Worlingham n'est-il pas décédé il y a au moins deux ans ?

L'expression triomphante de Murdo s'évanouit.

— Oui, monsieur, deux ans et trois mois.

— Que mentionne le certificat de décès ?

— Crise d'apoplexie, monsieur.

— Qui l'a signé ?

— Ce n'est pas Shaw, dit Murdo en secouant lentement la tête. Il est arrivé tout de suite après l'annonce du décès, étant donné qu'il était le gendre du défunt. Mais pour cette raison précisément, il a fait appel à un collègue pour confirmer son diagnostic et signer le certificat.

— Très prudent de sa part, remarqua Pitt. Il y avait beaucoup d'argent en jeu, j'imagine. Le retrait effectué par Worlingham ne représentait sans doute qu'une infime partie de ses biens. Pourriez-vous faire évaluer son patrimoine et rechercher ses dispositions testamentaires ?

— Je m'en occupe immédiatement, monsieur.

— Attendez une minute. Voyez-vous d'autres affaires ayant nécessité l'intervention de Shaw ?

— Oui, je me souviens de trois incidents. Rien de bien intéressant pour vous. Le vieux Mr. Freemantle, un peu éméché au repas de Noël offert par le maire à l'hôtel du Lion Rouge, s'est disputé avec Mr Tiplady et l'a poussé dans l'escalier...

Murdo avait peine à garder son sérieux.

Pitt poussa un léger soupir.

— Shaw a été appelé pour soigner les blessures ?

— Oui, monsieur. Mr. Freemantle est tombé lui aussi ; on a dû le raccompagner chez lui. Si ce n'avait pas été un gentleman aussi important, on l'aurait collé au violon pour la nuit. Mr. Tiplady souffrait de contusions et d'une méchante coupure au front. Il y avait du sang partout. Tout le monde a eu très peur. Il était blanc comme un linge, le pauvre homme. En tout cas, ça l'a mieux dessaoulé qu'un seau d'eau froide !

Il eut un petit sourire amusé en se souvenant de l'histoire, puis poursuivit :

— Le lendemain, il était de méchante humeur. Il est arrivé ici en hurlant : il prétendait avoir mal à la tête et reprochait au Dr Shaw de l'avoir mal soigné, mais je crois qu'en fait il était honteux et furieux de s'être couvert de ridicule en tombant dans l'escalier. Le Dr Shaw lui a conseillé de boire davantage d'eau et d'aller dormir pour se dessaouler.

Un homme déciderait-il de se débarrasser d'un médecin parce que celui-ci lui avait dit son fait un peu brutalement ? Cela paraissait peu probable.

— Et les deux autres incidents ?

— Mr. Obadiah Parkinson, qui s'est fait attaquer et voler un soir dans Swan's Lane, une petite rue près du cimetière. Son agresseur lui a porté un coup violent et l'agent qui l'a trouvé a prévenu le Dr Shaw. Celui-ci l'a examiné et, le voyant fortement commotionné, l'a accompagné chez lui dans son cabriolet. Mr. Parkinson lui en est très obligé.

Pitt mit les deux dossiers de côté et prit le dernier.

— Ah, le constat de décès du jeune Armitage, expliqua Murdo. Triste histoire. Renversé par un fardier dont le cheval s'était emballé. Mort sur le coup. Un brave petit. Il n'avait pas quatorze ans.

Pitt le remercia, l'envoya enquêter sur la fortune des Worlingham et feuilleta les dossiers restant sur le bureau. Des affaires semblables, dramatiques ou parfois drôles, montrant les faiblesses d'hommes incapables de résister à l'aiguillon de la chair. Des tragédies domestiques se cachaient sans doute entre les lignes de ces rapports contenant des descriptions de contusions et de fractures. Il était même possible que des rapports d'autopsie ayant conclu à une pneumonie ou à une crise cardiaque cachassent une réalité bien plus noire, un homicide, par exemple, mais rien ne l'indiquait dans les notes. Si Shaw s'était rendu compte de quelque chose de plus grave, il ne l'avait pas signalé aux autorités. Sept décès étaient consignés dans les rapports, mais, à la relecture, Pitt n'y trouva rien qui puisse éveiller les soupçons.

Finalement, il quitta le poste de police en prévenant les agents de service qu'il se rendait à l'hôpital St. Pancras. Il partit d'un pas vif, car, en cette fin d'après-midi, le temps commençait à fraîchir.

Il gravit les marches et passa la grande porte. Une fois entré, il arrangea les pans de sa redingote et frotta la pointe de ses bottes contre le bas de la jambe de son pantalon, puis transféra la moitié du contenu de l'une de ses poches — bouts de ficelle, cire à cacheter, menue monnaie et morceaux de papier griffonnés — dans l'autre poche, afin d'équilibrer leur volume. Ses doigts s'attardèrent sur la texture soyeuse d'un mouchoir offert par Emily. Enfin, il ajusta sa cravate et tenta, sans succès, de lisser quelques épis rebelles, puis se dirigea résolument vers le bureau du surveillant-chef.

Il frappa à la porte qui s'ouvrit sur un jeune homme blond au visage étroit et inquiet.

— Oui ? fit-il en lançant à Pitt un regard aigu.

Celui-ci tendit sa carte, un petit luxe qu'il s'était récemment offert et qui lui procurait toujours un frisson de satisfaction.

— Inspecteur Pitt, commissariat de Bow Street, lut le jeune homme à voix haute. Mon Dieu ! Que nous voulez-vous ? Tout va très bien ici, je vous assure. Tout est en ordre.

Planté sur le seuil, il n'avait visiblement pas l'intention de laisser entrer un policier.

— Je n'en doute pas, le rassura Pitt. Je dois mener une enquête — confidentielle, cela va de soi — au sujet d'un médecin qui travaille ici...

— Tous ceux qui travaillent ici sont irréprochables,

protesta aussitôt son interlocuteur. Si l'un d'entre eux s'est comporté de façon contraire à la déontologie médicale...

Drummond avait raison : il serait très difficile d'obtenir la moindre information, car la profession, affolée, allait resserrer les rangs.

— Pas à ma connaissance, l'interrompit Pitt. Mais on a voulu attenter à sa vie. Vous pourriez peut-être nous aider à retrouver le coupable...

— Attenter à sa vie, dites-vous ? Mais c'est terrible ! Personne dans cet établissement ne songerait à commettre pareille monstruosité ! Notre devoir est justement de sauver des vies !

Il desserra le nœud de sa cravate, qui paraissait sur le point de l'étrangler.

— Il vous arrive d'échouer, remarqua Pitt.

— Oui, oui, évidemment. Nous ne pouvons faire des miracles. Ce serait déraisonnable. Mais je vous assure...

— Puis-je parler au directeur ?

Le jeune homme releva le menton.

— Si vous y tenez... Mais je vous assure que nous ne sommes pas au courant des menaces proférées à l'encontre de l'un de nos médecins, sinon la police en aurait été informée. Le directeur est débordé, très débordé.

— Vous m'impressionnez, mentit Pitt. Cependant, si cette personne parvient à mettre son plan à exécution et assassine le médecin en question, alors votre directeur sera encore plus débordé, car il aura un médecin de moins dans son service.

Il vit son interlocuteur tour à tour rougir de colère et pâlir d'horreur.

Le directeur de l'hôpital, un homme au visage triste, aux grandes moustaches, affligé d'un début de calvitie, ne trouva rien à dire au sujet de Shaw qui pût faire avancer l'enquête. Il fut bien plus aimable avec Pitt que ce à quoi celui-ci s'attendait. Il n'y avait aucune prétention chez lui, seulement la conscience de l'immensité de la tâche qui lui incombait : soigner des maladies pour lesquelles on ne connaissait encore aucun traitement efficace et lutter contre le manque général d'instruction — bien que l'on assistât à un timide début de scolarisation des populations défavorisées. Il savait l'importance de l'hygiène, alors qu'il n'y avait que trop peu d'eau potable dans certains quartiers surpeuplés, aucune installation sanitaire, aucun déversoir pour les égouts qui débordaient et dans lesquels pullulaient les rats. Le prince Albert étant lui-même décédé, dans son propre palais, des suites de la fièvre typhoïde véhiculée par un système d'égouts défectueux, quel combat pouvait-on espérer mener pour l'amélioration des conditions d'hygiène de millions de citadins, sans parler du sort de ceux qui vivaient dans les taudis, et des sans-abris ?

Il conduisit Pitt dans son bureau, une petite pièce en désordre qui sentait le savon et le papier, et l'invita à s'asseoir. La minuscule fenêtre qui éclairait la pièce offrait si peu de lumière que les deux lampes à gaz étaient allumées, produisant un léger chuintement.

— Je n'ai rien à vous apprendre, dit-il. Shaw est un praticien très dévoué. Je l'ai vu rester trente-six heures d'affilée au chevet d'un malade, et pleurer de ne pas avoir pu sauver une mère et son enfant au cours d'un accouchement.

Un sourire éclaira ses joues émaciées.

— Mais je l'ai entendu brailler contre un vieil imbécile prétentieux qui lui faisait perdre son temps. Et aussi injurier un homme qui avait les moyens de donner du lait et des fruits à ses enfants et qui ne le faisait pas : les pauvres gamins étaient tout déformés par le rachitisme. Je n'ai jamais vu quelqu'un d'aussi furieux que Shaw ce jour-là. Il était blême et tremblait de colère !

Il prit une profonde inspiration, s'appuya contre le dossier de sa chaise et observa Pitt de ses yeux étonnamment perçants.

— J'apprécie cet homme. Je suis désolé pour ce qui est arrivé à son épouse. C'est la raison de votre visite, j'imagine. Pensez-vous que le feu qui a détruit sa maison le visait personnellement ?

— Cela me paraît possible, répondit Pitt. Étiez-vous au courant de violentes dissensions entre lui et certains de ses collègues ?

Le directeur se mit à rire.

— On voit que vous ne connaissez pas Shaw ! Il se dispute avec tout le monde : ses collègues, les infirmières, le personnel administratif, et avec moi aussi !

Son regard pétillait d'amusement.

— Toute personne à portée de voix peut l'entendre. Il ne connaît pas le sens du mot discrétion, du moins quand il est en colère !

Il se redressa sur sa chaise et regarda Pitt en face.

— Je ne parle pas de secret médical, bien entendu. De ce côté-là, il est plus muet qu'une tombe. Il n'a jamais trahi l'ombre d'un secret médical, ne serait-ce que pour demander l'avis d'un collègue. Je doute qu'il ait jamais laisser filtrer la moindre information sur ses patients. Mais il monte comme la soupe au lait quand il se trouve face à une injustice ou lorsque l'on profère des âneries devant lui.

Il haussa ses maigres épaules.

— Il n'a pas toujours raison, mais il sait reconnaître ses torts, avec un peu de recul.

— Est-il apprécié par l'équipe soignante ?

L'homme sourit.

— Oh, je ne vais pas vous raconter des histoires pour vous faire plaisir. Il a des admirateurs inconditionnels, dont je fais partie. Mais beaucoup de ceux qu'il a pu offenser lui reprochent une brusquerie inutile, une franchise frisant la grossièreté ; ils prétendent qu'il s'immisce dans leur travail et cherche à saper leur carrière.

Sur son visage se lisait la tolérance apprise par des années de combats et de défaites.

— Beaucoup d'hommes détestent s'entendre dire qu'ils ont tort, et qu'il existe une meilleure solution que la leur, surtout en public. Plus ils campent sur leurs positions, plus ils passent pour des idiots lorsqu'ils sont obligés d'admettre leurs erreurs.

Son sourire s'élargit.

— Et Shaw manque totalement de tact ! Son esprit d'à-propos est plus rapide que sa perception des sentiments d'autrui. Plus d'une fois j'ai vu une salle entière rire aux dépens de quelqu'un à la suite d'une de ses plaisanteries ; et j'ai aussi souvent lu sur le visage de l'offensé une expression qui en disait long sur son intention de faire payer à Shaw sa causticité. Personne n'apprécie d'être tourné en ridicule, et la plupart préféreraient recevoir un soufflet.

— Parmi ces personnes, voyez-vous quelqu'un qui garderait une rancune particulière au Dr Shaw ? demanda Pitt, d'un ton qui se voulait détaché.

— Pas au point de mettre le feu à sa maison, répondit le directeur en le regardant droit dans les yeux.

Pitt n'avait aucune raison de se dérober : c'eût été faire affront à l'intelligence de son interlocuteur.

— J'aimerais tout de même les noms de ceux qu'il a offensés, ne serait-ce que pour pouvoir les éliminer de la liste des suspects. N'oubliez pas que le Dr Shaw n'a plus de maison et que son épouse est morte brûlée vive.

Le visage du directeur se rembrunit aussitôt. Il se cala contre le dossier de sa chaise et déclara, sans chercher à tergiverser :

— Voyons... Fennady ne peut pas le supporter...

Il s'apprêtait à dresser un long catalogue de rancunes et de récriminations, mais sa voix n'exprimait aucun jugement de valeur.

— Ils se sont souvent disputés, à propos de tout, de l'état de la monarchie à celui des égouts, en passant par tous les sujets possibles et imaginables. Et Nimmons, aussi ! Un vieux médecin conservateur, aux idées un peu rétrogrades. Shaw a voulu lui démontrer l'utilité des nouveaux traitements, mais il a eu le malheur de le faire en présence d'un patient de Nimmons, qui n'a pas tardé à changer de médecin traitant. Toute sa famille consulte chez Shaw, désormais.

— Manque de tact, remarqua Pitt.

— Je vous ai dit que le tact n'était pas son fort, soupira le directeur. Mais Shaw a bel et bien sauvé la vie de ce malade. Ah, il y a aussi Henshaw, un jeune praticien, tout acquis aux pratiques nouvelles. Shaw prétend que, n'ayant pas été suffisamment expérimentées, elles représentent un risque pour le patient. Il est parfois aussi contrariant qu'une mule de l'armée ! Henshaw a mal accepté ses remontrances, mais je ne pense pas qu'il nourrisse encore un violent ressentiment à son égard. Voilà, c'est tout ce que je peux vous dire.

— Shaw se montrait peu délicat vis-à-vis de ses collègues, résuma Pitt. Que savez-vous de ses rapports avec ses patients... ou ses patientes ? ajouta-t-il, décidé à en apprendre davantage.

Le directeur haussa les sourcils.

— Shaw ? Un comportement inconvenant ? C'est la meilleure ! Enfin, je comprends que votre métier vous oblige à envisager toutes les hypothèses, pour les besoins de l'enquête. Rien n'est parvenu jusqu'à mes oreilles. Mais c'est un homme séduisant et vigoureux. Il n'est pas impossible qu'une patiente se soit imaginé...

On toqua à la porte.

— Entrez, fit le directeur en adressant un regard d'excuse à Pitt.

Le jeune homme blond qui avait reçu celui-ci passa la tête dans l'entrebâillement. Il arborait toujours la même expression hostile.

— Mr. Marchant est là, monsieur, dit-il, ignorant le policier.

— Dites-lui de patienter. Je le recevrai dans quelques instants.

— Mr. Marchant, de la mairie, insista le surveillant. C'est important, monsieur...

— Cet entretien aussi est important, répliqua le directeur sans bouger de sa chaise. La vie d'un homme en dépend.

Il eut un sourire triste en réalisant le double sens de sa phrase[1].

— Plus vous resterez ici, Spooner, plus je passerai de temps avec l'inspecteur et moins vite je pourrai rencontrer Marchant ! Allons, sortez d'ici et demandez-lui de patienter.

Spooner se retira, vexé, et ferma la porte avec une vigueur qui dénotait sa réprobation. Le directeur se tourna vers Pitt en secouant la tête.

— Je disais donc... Oui, il n'est pas impossible qu'une femme se soit amourachée de Shaw. Cela arrive. Curieuse, la relation personnelle et pourtant distante qui unit un médecin et son patient. Il peut arriver qu'elle échappe à leur contrôle. Ce ne serait pas la première fois qu'un mari ou un père verrait d'un mauvais œil son épouse ou sa fille se rendre chez le médecin. Par exemple, ce n'est un secret pour personne qu'Alfred Lutterworth pense que sa fille fréquente trop assidûment le cabinet de Shaw. Elle insiste pour y aller seule et refuse de lui dire ce dont ils discutent et de quel mal elle souffre. Une jolie fille, riche héritière... Lutterworth a fait fortune dans le coton. J'ignore si elle a un prétendant, n'habitant pas moi-même Highgate.

Pitt se leva.

— Merci de m'avoir consacré un peu de votre précieux temps, monsieur. Vous m'aurez permis d'éliminer certaines hypothèses.

— Je n'envie pas votre travail, répondit le directeur. Je pensais que le mien était difficile, mais je crains que le vôtre ne le soit davantage. Au revoir, inspecteur.

Lorsque Pitt quitta l'hôpital, il faisait nuit et les réverbères étaient déjà allumés. On était au mois d'octobre, et les premières feuilles mortes crissaient sous ses pieds.

1. Jeu de mots sur le verbe *to hang*, qui signifie à la fois « dépendre de » et « pendre ». (*N.d.T.*)

Il se dirigea à grands pas vers un carrefour où il espérait pouvoir héler un cab. L'air frais et piquant laissait présager de prochaines gelées. Les étoiles scintillaient très haut dans le ciel. Ici, à Highgate, on ne voyait pas, comme dans le centre de la capitale, les nappes de brouillard montant du fleuve, ou les fumées de charbon s'échappant des cheminées des usines et des immeubles. Le vent apportait des odeurs champêtres et un chien aboyait dans le lointain. Pitt se dit qu'un jour il emmènerait Charlotte et les enfants une semaine à la campagne. Ils adoreraient cela, car ils n'avaient pas quitté Bloomsbury depuis longtemps. Il réfléchit à la façon de réaliser de petites économies et imagina l'expression de Charlotte lorsqu'il lui annoncerait la nouvelle. Mais, en attendant, mieux valait ne rien dire.

Tout à ses pensées, il vit un cab le dépasser et disparaître en haut de la rue, sans même penser à le héler.

Le lendemain matin, il retourna à Highgate pour voir si son adjoint avait du nouveau à lui apprendre, mais l'agent de service lui tendit un message que Murdo avait laissé à son intention, l'informant qu'il était parti enquêter. L'homme, tout comme ses collègues, lui tenait toujours manifestement rigueur de s'occuper d'une affaire que la police de Highgate aurait pu régler elle-même.

Pitt le remercia et s'en fut à l'hôpital pour rencontrer le majordome des Shaw.

Il trouva ce dernier appuyé contre ses oreillers, l'air hagard, le visage hâve, couvert de plaies et de croûtes qui l'empêchaient de se raser. Son bras gauche était bandé. On voyait qu'il souffrait de graves brûlures. Malgré l'atmosphère imprégnée de sang, de sueur, d'antiseptique et de chloroforme, Pitt crut discerner une odeur de fumée, de cendres brûlantes, comme s'il venait de quitter les décombres calcinés de la maison et de voir les restes carbonisés de Clemency Shaw à la morgue. Une sourde colère lui serra la poitrine.

— Mr. Burdin ? articula-t-il, la gorge nouée.

Le majordome tourna vers lui un regard vide.

— Inspecteur Pitt, de la police de Londres. Je suis à Highgate pour découvrir le criminel qui a mis le feu à la maison du Dr Shaw...

Il ne mentionna pas le nom de Clemency, car si l'homme n'avait pas été mis au courant de son décès, cette nouvelle risquait de lui causer un choc cruel et inutile. Il devrait en être informé avec douceur, par quelqu'un disposé à rester à ses côtés pour le soulager, si son chagrin devait aggraver son état.

— Je ne sais rien, dit Burdin d'une voix éraillée — le pauvre homme avait les poumons brûlés. Je n'ai rien vu, rien entendu jusqu'à ce que Jenny se mette à hurler. Jenny, c'est la bonne. Elle dort dans la chambre la plus proche de la maison des maîtres.

— Nous nous doutons bien que vous n'avez pas vu démarrer le feu, dit Pitt pour le tranquilliser. Mais vous vous souviendrez peut-être d'un détail qui, additionné à d'autres, pourrait constituer un faisceau d'indices. Puis-je vous poser quelques questions ? ajouta-t-il aimablement, tenant à respecter sa souffrance.

— Bien sûr, répondit Burdin dans une sorte de croassement. J'ai beau réfléchir...

Il fronça les sourcils, dans un violent effort de concentration.

— ... je ne me souviens de rien d'anormal. Tout était comme d'habitude...

Soudain, la respiration lui manqua et il se mit à tousser à s'arracher les bronches.

Un instant désemparé, Pitt s'affola pour de bon en voyant l'homme étouffer et devenir tout rouge : visiblement, il manquait d'air, et des larmes se mirent à couler sur ses joues. Pitt chercha des yeux une infirmière, mais il ne vit personne. Apercevant un pichet d'eau sur une table dans un coin de la pièce, il remplit précipitamment une tasse, prit Burdin par les épaules, l'aida à se soulever et glissa le bord de la tasse entre ses lèvres. Au début, l'homme s'étouffa et recracha, puis un peu de liquide coula dans sa gorge desséchée. Enfin réhydraté, il se laissa aller contre ses oreillers, épuisé. Il était cruel de lui demander de soutenir une conversation.

— Je vais vous poser quelques questions, dit Pitt. Surtout, ne parlez pas. Tournez simplement la paume de votre main vers le haut quand la réponse sera « oui » et vers le bas si vous voulez répondre par la négative.

Burdin eut un faible sourire et tourna sa paume vers le haut.

— Bien. Nous pouvons commencer. Quelqu'un est-il venu rendre visite au Dr Shaw, ce jour-là, en dehors de ses patients ?

Paume en l'air.

— Des démarcheurs, des commerçants ?

Paume en bas.

— De la famille ?

Paume en l'air.

— Les demoiselles Worlingham ?

Paume en bas, très nettement.

— Mr. ou Mrs. Hatch ?

Paume en l'air.

— Mrs. Hatch ?

Paume vers le bas.

— Mr. Hatch, alors. Avez-vous surpris une dispute, une conversation animée, des échanges de mots un peu vifs ?

Avoir des tempéraments radicalement opposés était-il un motif suffisant pour assassiner son prochain ?

Burdin haussa les épaules et remua la main de droite et de gauche.

— Pas plus que d'habitude, vous voulez dire ?

Burdin sourit. Un éclair amusé brilla dans ses yeux, puis il haussa à nouveau les épaules.

— D'autres visites ?

Paume en l'air.

— Quelqu'un du voisinage ? Mr. Lindsay ?

Paume en l'air. Burdin se détendit.

— Personne d'autre ?

Paume en bas.

Pitt faillit demander s'il y avait eu quelque chose d'intéressant ou d'inhabituel au courrier, mais il se ravisa, en songeant que le majordome n'était pas à même de lui répondre.

— Le Dr Shaw paraissait-il inquiet, perturbé ?

La paume resta vers le bas, au-dessus du lit, hésitante. Pitt, qui connaissait le tempérament de Shaw, hasarda :

— Quelque chose l'avait-il mis en colère ?

La main se leva aussitôt.

— Merci, Mr. Burdin. Si vous pensez à quoi que ce soit qui puisse nous aider, faites-moi parvenir un message par l'intermédiaire de l'hôpital. Je viendrai aussitôt. En attendant, je vous souhaite un prompt rétablissement.

Burdin sourit et ferma les yeux. Cet effort l'avait épuisé.

Pitt se sentait furieux et impuissant devant une telle souffrance physique. Il n'avait pas appris grand-chose : Shaw et Hatch devaient se quereller régulièrement, pour la bonne raison que leur caractère et leurs opinions les opposaient.

Il quitta l'établissement et prit un cab qui l'emmena de Highgate Hill jusqu'à Seven Sisters Road, où il savait trouver la cuisinière des Shaw, hébergée par une nièce. C'était une petite maison proprette, bien qu'un peu décrépite, mais convenablement entretenue. Pitt eut beaucoup de mal à convaincre la nièce de le laisser entrer.

La cuisinière le reçut assise sur le lit de la plus belle chambre de la maison, enveloppée de lainages, qui lui servaient davantage à se protéger contre la visite de cet intrus que contre la fraîcheur ambiante. Elle souffrait de brûlures légères au bras et avait perdu quelques cheveux sur une partie de la tête, ce qui la faisait ressembler à un poulet à moitié plumé. Pitt eut peine à garder son sérieux en la regardant.

La nièce, toute hérissée de colère par la présence de cet étranger, ne quitta pas la pièce un seul instant.

— Mrs. Babbage ? commença Pitt.

On appelait toujours les cuisinières « madame », qu'elles fussent mariées ou non.

Elle le regarda d'un air affolé et porta sa main à sa bouche pour étouffer un cri

— Je ne vous veux aucun mal, Mrs. Babbage.

— Qui êtes-vous ? Qu'est-ce que vous me voulez ? Je vous connais pas.

Elle tendait le cou, telle une poule affolée, comme si le visiteur la menaçait physiquement.

Pitt s'assit sur une chaise et s'efforça de prendre un air rassurant. Elle était manifestement encore en état de choc, même si ses brûlures étaient légères.

— Je suis l'inspecteur Pitt, dit-il.

Il omit de prononcer le mot « police » : tout bon domestique détestait avoir affaire aux représentants de l'ordre.

— Je dois découvrir comment l'incendie a commencé.

— Pas dans ma cuisine, en tout cas ! s'exclama-t-elle avec une véhémence qui fit sursauter sa nièce. Commencez pas à m'accuser, moi, ou Doris. Je sais m'occuper d'une cuisinière. J'ai jamais fait tomber un seul morceau de charbon et encore moins mis le feu à une maison !

— Nous savons qu'il n'a pas pris dans la cuisine, Mrs. Babbage, dit-il d'un ton apaisant.

Elle parut vaguement rassurée, mais gardait les yeux écarquillés, tout en tortillant nerveusement son mouchoir entre ses doigts. Elle n'osait pas le croire, soupçonnant un piège.

— Le feu a été mis aux rideaux de quatre des pièces du rez-de-chaussée, expliqua-t-il.

— Qui ferait une chose pareille ? murmura-t-elle, en serrant encore plus son mouchoir. Pourquoi est-ce que vous êtes venu me voir ?

— Peut-être avez-vous remarqué quelque chose d'anormal ce jour-là, un inconnu rôdant autour de la maison, par exemple...

Pitt comprit très vite qu'il n'obtiendrait aucune réponse satisfaisante. La cuisinière était trop choquée pour se souvenir de quoi que ce soit, et lui-même ne croyait pas à la culpabilité d'un vagabond. L'incendie avait été soigneusement prémédité : c'était le geste d'un homme animé d'une haine profonde, née d'un désir inassouvi ou d'une peur panique. Mais que savait donc Shaw de si important pour qu'on ait voulu le faire taire à jamais ?

— J'ai rien vu...

Mrs. Babbage commença à pleurer, se tamponna les yeux, puis reprit d'une voix aiguë :

— Moi, je m'occupe de mes affaires. Je pose pas de questions et j'écoute pas aux portes. Et je me mêle pas de ce que font ou disent mes patrons.

— C'est tout à votre honneur, la complimenta-t-il. Je suppose que c'est en revanche ce que font parfois certaines cuisinières ?

— Évidemment !

— Ah ? fit-il d'un ton qui se voulait perplexe. Que vous seriez-vous imaginé à leur place ?

Elle prit un air de vertu outragée et le regarda par-dessus son mouchoir humide de larmes.

— Eh bien, si j'étais ce genre de personne — ce que je suis pas —, je me serais demandé pourquoi on renvoie une bonne qui fait très bien son travail, pourquoi on mange plus de saumon, ni de jambonneau comme avant, et j'aurais demandé à Burdin pourquoi il faisait plus entrer de caisses de bon bordeaux depuis six mois.

— Mais bien entendu, vous n'avez jamais posé ces questions... dit Pitt, dissimulant un sourire. Le Dr Shaw a bien de la chance d'avoir une cuisinière aussi discrète.

— Oh, je crois que je travaillerai plus pour lui, dit-elle en reniflant. Jenny a rendu son tablier, et dès qu'elle ira mieux, elle retournera dans le Somerset. La petite Doris n'est qu'une gamine de treize ans. Et le pauvre Mr. Burdin... Qui sait s'il pourra redevenir comme avant, avec toutes ses brûlures ? Moi, je veux servir dans une maison respectable, pour mes nerfs, vous comprenez.

Il ne servait à rien de discuter. Pour le moment, le médecin se passait sans difficulté de domestiques, étant donné qu'il n'avait plus de maison. Le seul détail intéressant était la soudaine diminution du train de vie des Shaw, suffisamment importante pour que la cuisinière s'en soit aperçue et commence à se poser des questions.

Pitt se leva, lui souhaita bon rétablissement, remercia la nièce et partit à la recherche de Jenny et de Doris, les deux petites bonnes. Ne souffrant que de brûlures superficielles, elles n'étaient ni sous le choc ni effrayées, et ne risquaient donc pas une rechute, comme le majordome.

Il les trouva au presbytère, aux bons soins de Lally Clitheridge, la femme du pasteur. Mais il eut beau les questionner, elles ne lui apprirent rien d'utile. Elles n'avaient rien remarqué d'anormal dans le voisinage, ni même dans la maison. La journée n'avait rien eu d'extraordinaire jusqu'au moment où Jenny, qui rêvassait sur son lit à des choses dont le souvenir la faisait encore rougir, avait été alertée par l'odeur de la fumée, et ses cris avaient alors réveillé Doris.

Dehors, le crépuscule tombait. Pitt quitta le presbytère et se rendit à pied dans Woodsome Road où habitait Mrs. Colter, la femme qui venait le matin faire les gros travaux ménagers chez les Shaw. Il arriva devant une coquette petite maison aux vitres étincelantes ; le perron était si propre qu'il se sentit obligé d'avancer sur la pointe des pieds.

La porte s'ouvrit sur une forte femme aux joues rebondies et à la poitrine généreuse, les cheveux ramenés en chignon dont s'échappaient quelques mèches. Les poches de son tablier étaient garnies d'objets les plus divers.

— Qui êtes-vous ? fit-elle d'un ton surpris, mais nullement agressif. Je crois pas qu'on se connaisse.

Pitt souleva son chapeau, dont le fond était un peu cabossé.

— Mrs. Colter ?
— C'est moi. Mais ça me dit pas qui vous êtes.
— Thomas Pitt, de la police de Londres.
Elle ouvrit de grands yeux.
— Oh, alors vous venez pour l'incendie ! Pauvre Mrs. Shaw... Quel malheur ! Une si brave femme. Entrez donc. Mon petit doigt me dit que vous avez froid. Vous mangerez bien un morceau ?
Pitt pénétra dans la maison après avoir soigneusement frotté ses semelles sur le paillasson, pour ne pas salir le linoléum immaculé. Il faillit même ôter ses chaussures, comme il l'aurait fait en arrivant chez lui. Une délicieuse odeur de ragoût parvint à ses narines.
— Volontiers, fit-il avec enthousiasme.
— Vous savez, je sais pas si je peux vous aider, mais j'essaierai !
Elle le précéda dans la cuisine, une pièce minuscule d'une propreté impeccable. Le ragoût mitonnait dans une énorme marmite, sur le coin de la cuisinière, emplissant la pièce d'une vapeur chaude.
— Merci, dit Pitt, qui s'assit à table, en humant cette bonne odeur.
— On dit que l'incendie était volontaire, remarqua Mrs. Colter. Je comprends vraiment pas comment on peut faire une chose pareille.
Elle souleva le couvercle de la marmite et remua son contenu avec une grosse cuillère en bois.
— Vous avez dit « comment » et non « pourquoi », observa Pitt. Cela signifie-t-il que vous voyez des raisons ?
— Y a pas beaucoup de viande, là-dedans, fit-elle d'un ton pensif. Juste un bout de selle de mouton.
— Pour quelles raisons ? insista Pitt.
— Parce que j'ai pas assez d'argent pour me payer de l'épaule, pardi ! dit-elle en le regardant comme s'il était simplet.
Il rougit, un peu gêné.

— Excusez-moi. Je voulais dire : savez-vous pourquoi quelqu'un a mis le feu au domicile du Dr Shaw ?

— Vous en voulez ? demanda-t-elle, la cuillère en l'air.

— Ce n'est pas de refus !

Mrs. Colter versa une généreuse portion de ragoût dans un grand bol.

— Oh, je vois des tas de raisons : la vengeance, par exemple ; beaucoup disent qu'il aurait dû mieux s'occuper de son beau-père. Moi, j'ai toujours pensé que Mr. Theophilus finirait par mourir d'apoplexie, mais tout le monde est pas forcément du même avis.

Elle posa le bol devant lui, ainsi qu'une cuillère à soupe. Le ragoût, essentiellement composé de pommes de terre, de carottes, d'oignons et de navets doux, accompagnés de petits morceaux de viande, était bien chaud et riche en arôme.

Pitt la remercia avec chaleur.

— Je crois pas que l'incendie ait un rapport avec la mort de Mr. Theophilus, reprit-elle en secouant la tête. Mr. Lutterworth est furieux après sa fille, Miss Flora, qui va tout le temps voir le Dr Shaw, chez lui, en dehors des heures d'ouverture du cabinet. Mais puisque Mrs. Shaw avait pas l'air de s'en soucier, c'est qu'il y avait pas anguille sous roche. Enfin, je crois pas. Les Shaw menaient des vies très indépendantes. Ils étaient bons amis, à mon avis, mais pas plus.

— Vous êtes fine observatrice, Mrs. Colter.

— Vous voulez du sel ?

— Non, merci. C'est parfait.

Elle secoua la tête.

— Le ragoût pourrait être meilleur.

— Non, je vous assure, il est délicieux. Il ne manque rien.

— C'est pas difficile de voir dans un couple quand des gens se font confiance et se respectent, et de deviner qu'ils se moquent bien que l'autre ait quelqu'un dans sa vie.

— Ce qui était le cas des Shaw ? s'étonna Pitt, qui en oublia d'enfourner la cuillère dans sa bouche.

— Là, vous m'en demandez trop. Mrs. Shaw se rendait en ville tous les jours. Son mari lui souhaitait bonne route, mais ne se préoccupait jamais de savoir où elle allait, et avec qui. De son côté, elle se moquait de voir la femme du pasteur passer chez eux dix fois par jour !

Pitt ne put s'empêcher de sourire. Il baissa le nez sur son bol afin de masquer son amusement.

— Ah ? Et le Dr Shaw s'apercevait-il de l'intérêt que lui portait Mrs. Clitheridge ?

— Si vous voulez mon avis, non. De ce côté-là, il est myope comme une taupe ! Mrs. Shaw, elle, s'en rendait compte : elle devait être désolée pour la femme du pasteur. Le révérend, c'est un brave type. Il veut bien faire. Mais c'est pas vraiment un homme, comparé au Dr Shaw... Enfin, c'est comme ça.

Elle regarda le bol vide.

— Vous en voulez encore ?

Pitt songea qu'elle devait avoir une famille à nourrir et repoussa le bol devant lui.

— Non, merci, Mrs. Colter. C'était vraiment très bon.

Peu habituée aux compliments, elle rosit, gênée et ravie à la fois.

— Oh, c'est rien d'extraordinaire, dit-elle en retournant remuer le contenu de la marmite.

Pitt se leva, repoussa la chaise sous la table, chose qu'il n'aurait pas songé à faire chez lui.

— Pour vous, peut-être, mais pas pour moi. Je vous en suis très reconnaissant. Voyez-vous quelque chose à ajouter au sujet de l'incendie ?

Elle haussa les épaules.

— L'héritage des Worlingham, je suppose. Mais le Dr Shaw s'en souciait pas trop. Et puis ils n'avaient pas d'enfants, les pauvres.

— Merci, Mrs. Colter. Votre aide m'aura été précieuse.

— Ah ? Je vois pas en quoi. N'importe qui aurait pu vous dire la même chose que moi. Enfin, si vous êtes content, c'est le principal. J'espère que vous allez mettre la main sur celui qui a fait ça.

Elle renifla avec vigueur.

— Mrs. Shaw était une femme très bien. J'ai beaucoup de peine... Mourir dans des conditions pareilles !

— Nous l'arrêterons, Mrs. Colter, promit Pitt avec une imprudence qui ne lui était pas coutumière.

Lorsqu'il se retrouva dans la rue glaciale, il regretta de s'être ainsi avancé. Pour l'instant, il n'avait pas la moindre idée de l'identité de celui qui s'était faufilé dans le jardin, avait découpé une vitre puis arrosé les rideaux de pétrole avant d'y mettre le feu.

Le lendemain matin, il retourna à Highgate. Le trajet étant très long, il eut tout le temps de réfléchir. Avant son départ, Charlotte l'avait questionné sur les progrès de l'enquête. Il lui avait avoué qu'elle piétinait. Il voulut comprendre pourquoi l'affaire l'intéressait à ce point, mais elle ne lui fournit pas d'explication, sinon qu'elle était bouleversée par la mort tragique de Clemency Shaw. Il lui assura qu'elle était probablement morte asphyxiée par la fumée, pendant son sommeil. Charlotte, réconfortée par ses paroles, ne lui avait plus posé de questions, et s'était remise à ses tâches ménagères, lançant une volée d'instructions à Gracie qui, sur le seuil de la porte de la cuisine, l'écoutait, les yeux écarquillés.

Pitt fit arrêter le cab devant le domicile d'Amos Lindsay, régla la course et gravit les marches du perron. La porte s'ouvrit sur l'étrange valet aux cheveux noirs.

— Pourrais-je parler au Dr Shaw, je vous prie ?

— Le docteur est parti en visite... monsieur, répondit l'homme après une brève hésitation.

— Mr. Lindsay est-il chez lui ?

— Si vous voulez bien entrer, je vais lui demander s'il peut vous recevoir, dit le valet en s'écartant. Qui dois-je annoncer ?

— Inspecteur Pitt, de la police de Londres, répondit celui-ci, un peu sèchement.

Ne se souvenait-il donc pas de lui, ou se montrait-il volontairement méprisant ?

— Si vous voulez avoir l'obligeance de patienter, fit l'homme en inclinant la tête. Je reviens tout de suite.

Sans attendre, il s'éloigna vers les profondeurs de la maison. Pitt eut cette fois le temps d'observer les objets impressionnants qui décoraient les murs du vestibule. Il ne vit aucun tableau représentant un paysage ou une scène d'Europe occidentale. En revanche, il admira les statuettes de bois ou d'ivoire aux formes bizarres, un peu déplacées dans ce vestibule anglais traditionnel, avec ses fenêtres rectangulaires par lesquelles filtrait la lumière chiche d'un matin d'octobre. Les lances, les masques et les coiffures indigènes auraient dû se trouver en Afrique, dans leurs villages d'origine, au lieu d'être accrochés sur le chêne de ces boiseries. Pitt songea à la vie d'Amos Lindsay dans ces lointaines contrées. Qu'y avait-il vu, qu'y faisait-il, qui y avait-il rencontré ? Ses prises de position politiques, que Pascoe abhorrait, lui avaient-elles été inspirées par ce qu'il avait appris au cours de ses voyages ?

Ses pensées furent interrompues par le retour du valet, qui le considéra d'un air vaguement désapprobateur.

— Si vous voulez bien me suivre, Mr. Lindsay va vous recevoir dans son bureau.

Cette fois il omit d'ajouter « monsieur ».

Amos Lindsay se tenait debout, le dos tourné à la cheminée, dans laquelle brûlait une belle flambée. Il parut content de voir Pitt.

— Entrez, dit-il, sans un regard pour le valet, qui se retira sur la pointe des pieds. Que puis-je faire pour vous ? Shaw s'est absenté. J'ignore pour combien de temps : avec les malades, on ne sait jamais ce qui vous attend. J'aimerais pouvoir vous aider, mais vraiment, je ne vois pas comment...

Pitt eut un geste du menton en direction du vestibule.

— Au cours de vos voyages, vous avez certainement été témoin de scènes de violence...

C'était plus une observation qu'une question. Il pensa à la vieille amie de tante Vespasia, Zenobia Gunne, qui elle aussi avait exploré l'Afrique, remonté des fleuves en pirogue et vécu au milieu de tribus qui n'avaient jamais vu d'Européens avant elle.

Lindsay l'observait avec curiosité.

— En effet, répondit-il. Mais cela ne signifie pas que je m'y sois habitué, ou que je ne sois plus choqué par une mort violente. Lorsque vous vivez dans un pays étranger, Mr. Pitt, quelque singulier qu'il puisse vous apparaître au début, il faut très peu de temps pour que ses habitants vous deviennent familiers. Leur chagrin, leurs pleurs, leurs rires vous touchent autant que ceux de vos proches. Les différences entre les hommes sont bien ténues, comparées à leurs similitudes. Pour vous dire la vérité, je me suis souvent senti plus proche d'un Africain dansant nu et peinturluré sous la lune ou d'une femme asiatique tenant son enfant apeuré dans ses bras que d'hommes comme Josiah Hatch qui nous rebat les oreilles sur la place de la femme au foyer et veut nous faire croire que c'est par la volonté de Dieu qu'elles souffrent en accouchant.

Il fit une grimace qui en disait long.

— Rendez-vous compte ! Il soutient qu'un médecin, s'il est bon chrétien, ne doit pas intervenir dans le travail de la parturiente, en prétextant je ne sais quelle éternelle punition d'Ève. Il n'est pas le seul à penser cela, hélas !

Il plongea son regard bleu étincelant dans celui de Pitt. Ses yeux étaient presque dissimulés par ses lourdes paupières, comme s'il cherchait encore à se protéger du soleil africain.

Pitt sourit. Il se dit qu'il serait probablement arrivé aux mêmes conclusions, s'il avait eu l'occasion de vivre à l'étranger.

— Avez-vous par hasard, au cours de vos voyages, rencontré une certaine Zenobia Gunne...

Il n'eut pas le temps d'achever sa phrase. Le visage de Lindsay s'éclaira, ravi et incrédule.

— Nobby ? Nobby Gunne ? Bien sûr, je la connais ! Je l'ai rencontrée dans un village ashanti, cela devait être... attendez... en 1869. Une femme extraordinaire ! Comment diable la connaissez-vous ?

Un instant, la joie qui se lisait sur son visage fut remplacée par une brève inquiétude.

— Ne me dites pas qu'il lui est arrivé malheur ?

— Non, non, répondit vivement Pitt. Je l'ai rencontrée par l'intermédiaire d'une tante de ma belle-sœur. Il y a encore trois mois, elle était en excellente santé, physique et morale.

— Ah, Dieu merci ! s'exclama Lindsay en lui faisant signe de s'asseoir. Bon, que pouvons-nous faire pour aider ce pauvre Shaw ? La situation est dramatique.

Il tisonna vigoureusement l'âtre de la cheminée, puis prit place en face de Pitt.

— Il aimait beaucoup Clemency, vous savez. Pas d'un amour passionné ; avec le temps, l'amour s'use, mais il l'aimait profondément. Et il n'est pas donné à beaucoup d'hommes dans ce pays d'aimer leur épouse. C'était une femme d'une intelligence exceptionnelle.

Il haussa les sourcils et scruta le visage du policier. Celui-ci pensa aussitôt à Charlotte. La tendresse qui les unissait était aussi précieuse que l'amour, peut-être même davantage, car c'était un sentiment qui grandissait au fil des années, fait de plaisanteries partagées, de soutien mutuel en cas de difficultés, et du respect de leurs forces et de leurs faiblesses respectives.

Un homme passionné comme Stephen Shaw n'avait-il pas cherché ailleurs à revivre les émois de l'amour ? L'amitié, même la plus profonde, peut-elle survivre au besoin d'assouvir des appétits charnels ? Pitt aurait voulu le croire, car Shaw lui avait été d'emblée sympathique.

Mais une maîtresse pouvait-elle admettre de telles contraintes ? Dévorée de jalousie à l'idée que Shaw aimât et admirât encore son épouse, elle aurait pu perdre la tête et décider de la supprimer.

Lindsay observait son interlocuteur, guettant sa réaction.

Pitt releva enfin la tête, pensif.

— Il me paraît normal que le Dr Shaw ne puisse mettre un nom sur la personne qui lui vouait une telle haine ou pouvait avoir quelque intérêt à les voir disparaître, lui ou son épouse. Vous qui le connaissez bien, vous êtes peut-être en mesure d'émettre quelques hypothèses, aussi déplaisantes soient-elles. Cela nous permettrait au moins d'éliminer certains suspects...

Il laissa sa phrase en suspens, jugeant inutile d'insister. Lindsay était trop intelligent pour avoir besoin de longues explications. Celui-ci embrassa la pièce du regard, s'arrêtant pensivement sur chaque objet. Pensait-il à d'autres contrées où les gens vivaient les mêmes passions mais de façon moins violente et moins compliquée que dans les pays prétendus civilisés ?

— Les gens qui ont des opinions bien arrêtées, savent les développer avec clarté et les défendre avec intelligence, se font certainement des ennemis, dit-il d'une voix tranquille. Stephen a une patience très limitée à l'égard des imbéciles, et n'en a aucune pour les hypocrites — qui sont légion dans notre société.

Il secoua la tête. Un morceau de charbon roula au milieu des braises, faisant jaillir une gerbe d'étincelles.

— Plus nous pensons être civilisés, plus nous devenons idiots ; plus il y a d'oisifs qui n'ont rien d'autre à faire que de donner des leçons de morale à tout le monde, plus il y a d'hypocrites qui se gardent bien de respecter cette morale.

Pitt eut la vision de peuplades africaines frappant sur des tambours devant des huttes aux toits de paille, au milieu d'une savane écrasée de soleil, avec, çà et là, quelques acacias à la cime aplatie — toute une culture inchangée depuis la nuit des temps. Quelle vie avait menée Lindsay dans ces lointains pays ? Avait-il connu, aimé, une femme africaine ? Pour quelle raison était-il revenu vivre à Highgate, parmi les gants blancs, les fiacres, les cartes de visite, les lampes à gaz, les bonnes en tablier amidonné, les vieilles dames, les portraits d'évêques, les vitraux d'église... et où l'on incendiait la maison de son prochain ?

— Connaissez-vous quelqu'un que Shaw ait particulièrement offensé ? demanda-t-il.

Lindsay eut un large sourire.

— Grand Dieu ! Quelqu'un ? Mais tout le monde ! À commencer par Celeste et Angeline. Elles prétendent qu'il n'a pas soigné leur frère comme il aurait dû et que, s'il avait fait correctement son travail, ce vieil idiot serait encore en vie.

— À votre avis ?

Lindsay haussa les sourcils.

— Dieu seul le sait. Mais j'en doute. Que peut-on faire devant une crise d'apoplexie ? Shaw ne pouvait tout de même pas rester jour et nuit à son chevet !

— Qui d'autre ?

— Voyons... Alfred Lutterworth est persuadé que sa fille est amoureuse de Stephen, ce qui est ma foi fort possible. Elle sort quand bon lui semble et rend visite à Shaw en dehors des heures de consultation. Elle s'imagine peut-être que les gens ne le savent pas, mais ici tout se sait. Lutterworth pense que Shaw cherche à séduire sa fille pour son argent.

L'expression amusée de Lindsay laissait penser que l'idée de voir Shaw assassiner sa femme parce qu'elle l'empêchait de se remarier avec une riche héritière ne l'avait jamais effleuré. Son visage sillonné de rides était empreint de pitié et d'un vague mépris.

— Il y a aussi Lally Clitheridge, que les opinions athées de Stephen terrifient, poursuivit Lindsay avec un large sourire. Mais l'énergie du personnage la fascine. Shaw est dix fois plus viril que son pauvre Hector. Prudence, sa belle-sœur, l'aime bien, mais elle donne l'impression de le craindre. Pourquoi ? Mystère. Josiah le déteste, pour des raisons inhérentes à leur caractère respectif. Quinton Pascoe, vendeur, critique et amoureux de livres d'art, pense que Shaw est un iconoclaste irresponsable — parce qu'il soutient les vues hardies de John Dalgetty en matière de littérature, ou du moins son droit de les exprimer librement, même si elles offensent certaines personnes.

— Ces idées dérangent-elles vraiment beaucoup ? demanda Pitt, autant pour sa gouverne que dans l'intérêt de l'enquête. Un désaccord en matière de littérature n'irait tout de même pas jusqu'à provoquer une folie meurtrière ? Un mouvement d'humeur, de l'antipathie, du mépris, certes, mais il faut être dérangé pour assassiner son prochain parce qu'il ne partage pas vos goûts !

— Oui, elles dérangent, et bien plus que vous ne le croyez, ironisa Lindsay, qui avait noté le scepticisme du policier. Il faut comprendre Pascoe et Dalgetty. Leurs idéaux esthétiques et littéraires représentent tout pour eux.

Il haussa les épaules.

— Mais vous m'avez demandé qui avait quelque raison d'en vouloir à Stephen, et non pas qui aurait réellement décidé de mettre le feu à sa maison dans l'intention de le voir brûler vif. Si je connaissais l'identité de ce monstre, je vous aurais prévenu, bien avant que vous ne veniez frapper à ma porte.

Pitt acquiesça avec une petite grimace. Il s'apprêtait à répondre, quand le valet réapparut pour annoncer que Mr. Dalgetty demandait à être reçu. Lindsay lança à Pitt un regard amusé et hocha la tête pour indiquer son accord.

Quelques instants plus tard, John Dalgetty fit son entrée, s'attendant manifestement à trouver Lindsay seul. C'était un homme de taille moyenne qui possédait un front haut et plat, de beaux yeux et une tignasse brune un peu clairsemée au niveau du front. Il portait une lavallière qu'il avait dû soigneusement ajuster le matin avant de partir de chez lui, mais qui pendait maintenant, lâchement dénouée, autour de son cou, et une veste trop longue dont les basques lui battaient les cuisses ; l'effet général donnait une impression de débraillé savant, non dénué d'élégance.

À peine entré, il se lança dans une tirade animée, en agitant les mains.

— Félicitations pour votre brillant essai, mon ami ! Exactement ce dont Highgate, et même la capitale, avait besoin. Il bouscule toutes les idées reçues et fait réfléchir ! C'est cela qui compte, vous savez, la liberté de fuir cette orthodoxie rigide qui pétrifie les facultés d'invention et de découverte !

Il se pencha légèrement en avant, sourcils froncés.

— La puissance de l'esprit caractérise l'homme capable de se libérer des entraves de la peur. La nouveauté effraie l'être humain ; il tremble à la perspective de se tromper. Mais quelle importance peuvent revêtir quelques erreurs, si au bout du compte nous découvrons et nommons une nouvelle vérité ? Une nation d'intellectuels pleutres et frileux, voilà ce que nous devenons ! s'exclama-t-il avec un haussement d'épaules. Trop timorés pour entreprendre la grande aventure vers de nouvelles régions de la pensée et de la connaissance !

Il fit un geste large en direction d'une lance ashanti accrochée au mur.

— Si nos navigateurs n'avaient pas osé faire le tour du monde, si nos explorateurs ne s'étaient pas aventurés au plus profond de l'Afrique et de l'Inde...

Il pointa un index vers le parquet.

— L'empire serait encore limité à l'Angleterre !

Il écarta les bras dans un geste théâtral.

— Et le monde appartiendrait aux Français, aux Espagnols, ou à je ne sais qui. Et voilà que nous abandonnons l'exploration de l'esprit aux psychologues allemands, parce que nous avons peur de heurter les esprits bien-pensants. Prenez Pascoe, par exemple. Votre monographie sur les aspects négatifs de la propriété privée des moyens de production le fait écumer de rage !

Cet essai est gé-nial ! Foisonnant d'idées neuves sur le partage équitable des richesses. J'en ferai une critique exhaustive... Oh, pardon !

Il venait d'apercevoir Pitt. Sa mine s'allongea, puis il reprit, plein de curiosité :

— Excusez-moi, monsieur. J'ignorais que Mr. Lindsay avait de la visite. Je me présente : John Dalgetty.

Il s'inclina légèrement.

— Vendeur de livres rares, critique littéraire et, je l'espère, diffuseur d'idées nouvelles.

— Thomas Pitt, inspecteur de police, répondit ce dernier. Découvreur de vérité, ou du moins d'une partie de celle-ci, et qui essaie de servir ce que l'on nomme communément la justice.

Dalgetty éclata d'un rire nerveux.

— Bonté divine ! Un policier qui a de l'esprit et sait tourner ses phrases ! Vous moquez-vous de moi, monsieur ?

— Pas le moins du monde, répondit Pitt, sincère. L'essence de l'acte criminel, ses causes et ses effets, se situent au-delà de notre entendement. Mais nous pouvons, si nous faisons preuve de célérité, et la chance aidant, en découvrir l'auteur ainsi qu'une partie de ses motivations.

— Oh, oui, oui. C'est terrible.

Dalgetty fronça ses épais sourcils et secoua la tête.

— Clemency était une femme très bien. Je ne la connaissais pas intimement, mais je crois qu'elle s'occupait activement d'œuvres sociales, enfin quelque chose dans ce genre-là. Elle avait une excellente réputation.

Il soutint le regard de Pitt avec une sorte de défi.

— Je n'ai jamais entendu personne en dire du mal. C'était une grande amie de ma femme, avec qui elle avait de longues discussions. Quelle terrible perte ! J'aimerais vous aider, mais vraiment je ne sais rien, absolument rien.

Pitt était tout prêt à le croire, mais lui posa cependant quelques questions, à tout hasard. Dalgetty ne lui apprit rien d'intéressant. Bientôt, ce dernier prit congé, non sans avoir encore félicité Lindsay pour sa publication. Un quart d'heure plus tard, la porte s'ouvrit sur Stephen Shaw, qui entra en coup de vent, sans penser à la refermer. Il débordait d'énergie, comme d'habitude, mais Pitt nota les cernes sous ses yeux et les rides profondes qui entouraient sa bouche.

— Bonjour, docteur Shaw, dit-il d'une voix paisible. Je suis navré de vous déranger, mais j'ai besoin de vous poser un certain nombre de questions.

— Bien entendu.

D'un geste machinal, Shaw redressa la lance ashanti puis se dirigea vers la bibliothèque où il remit un livre ou deux en bonne place.

— Je crois vous avoir dit tout ce que je savais.

— Quelqu'un a mis le feu à votre maison, lui rappela Pitt.

Shaw cilla.

— Je le sais bien ! Ne croyez-vous pas que je vous aurais fait part de mes soupçons, si j'en avais ?

— Parmi vos patients, y en aurait-il qui souhaiteraient à tout prix cacher le mal dont ils sont atteints ?

Shaw écarquilla les yeux et leva les bras au ciel.

— De quoi parlez-vous ? S'il s'agit d'une affection contagieuse, je suis tenu de la signaler aux autorités, même contre l'avis du malade. Et dans le cas d'une maladie mentale, je dois signer un certificat d'internement.

— Et en cas de syphilis ?

Shaw laissa retomber ses bras.

— Bien vu, dit-il à voix basse. La syphilis est contagieuse et se termine en phase finale par la folie. Je me tairais, sans doute. En tout cas, j'essaierais d'empêcher que cela se sache...

Une ombre ironique effleura ses traits.

— Mais on n'attrape pas une maladie vénérienne en se serrant la main ou en partageant un verre de vin.

Quant à la folie, elle se remarque, et elle n'induit pas nécessairement des pulsions criminelles.

— Avez-vous traité de tels cas ces derniers temps ? demanda Pitt, qui n'avait pas l'intention de laisser le médecin se dérober.

— Je vous le dis tout net : je ne trahirai jamais la confiance d'un patient, répondit Shaw sur un ton de défi, et je ne révélerai pas à la police un secret médical, quel qu'il soit.

— Alors il nous faudra beaucoup de temps pour découvrir l'assassin de votre épouse, docteur Shaw, dit Pitt avec froideur. Mais je continuerai l'enquête, quitte à déranger beaucoup de monde, car, en dehors du fait qu'il s'agit de mon travail, plus j'entends parler d'elle, plus je pense qu'elle mérite que son meurtrier soit arrêté, jugé et condamné.

Shaw pâlit, mais ne répondit pas. Les muscles de son cou se crispèrent et ses lèvres se pincèrent sous l'effet de la souffrance. Pitt détestait en arriver à cette extrémité, mais se taire maintenant ne ferait que lui rendre la tâche plus difficile par la suite.

— Et si, comme il est probable, le criminel ne visait pas votre femme, mais vous, il est fort possible qu'il cherche à recommencer. J'imagine que vous y avez pensé ?

Shaw devint livide.

— J'y ai pensé, Mr. Pitt, murmura-t-il. Mais je ne renierai pas le serment d'Hippocrate, même s'il s'avère certain que l'on veuille attenter à ma vie. Trahir mes patients ne me sauverait pas nécessairement. Ce que vous apprendrez, il vous faudra le découvrir par d'autres moyens.

Pitt ne fut pas surpris. Il s'était attendu à cette réaction de la part d'un tel homme et, en dépit de sa frustration, il aurait été déçu si Shaw avait réagi différemment.

Il jeta un coup d'œil à Lindsay, dont le visage était éclairé par la lumière rougeoyante des flammes ; il y lut une affection profonde mêlée d'une certaine satisfaction.

Lui aussi aurait été déçu si Shaw s'était montré désireux de parler.

— Bien. Il ne me reste qu'à poursuivre l'enquête de mon côté, fit Pitt en se redressant. Au revoir, Mr. Lindsay, merci de votre franchise. Au revoir, docteur Shaw.

— Au revoir, monsieur, répondit Lindsay, très courtois.

Shaw, toujours debout près de la bibliothèque, demeura immobile et silencieux.

Raccompagné par le valet jusqu'à la porte, Pitt partit dans la lumière dorée de l'automne ; le vent soulevait des feuilles mortes qui tourbillonnaient sous ses pas. Il lui fallut une demi-heure pour trouver un cab qui acceptât de le ramener au centre-ville.

4

Charlotte n'aimait guère voyager en omnibus, mais prendre un fiacre pour se rendre de Bloomsbury à Cater Street, chez sa mère, était à ses yeux une dépense injustifiée. Aurait-elle eu davantage d'argent à dépenser, elle en aurait trouvé meilleur usage, notamment pour l'achat de cette nouvelle robe dont elle rêvait et sur laquelle elle pourrait épingler les roses en soie offertes par Emily. Bien sûr, le prix d'une course en cab ne correspondait même pas à celui d'une seule manche de la robe, mais c'était toujours un début d'économie ! Et puisque Emily était de retour, l'occasion de porter une nouvelle toilette ne tarderait sans doute pas à se présenter.

Elle monta donc dans l'omnibus, paya le receveur et se glissa entre une grosse dame à la respiration sifflante qui fit craquer les baleines de son corset en s'écartant pour lui faire de la place et un petit homme discret, au visage morose, tellement perdu dans ses pensées qu'il risquait de manquer son arrêt — sauf s'il s'agissait du terminus.

Charlotte descendit à l'arrêt le plus proche de Cater Street et marcha environ deux cents mètres, sous des rafales de vent. Elle arriva bientôt devant la maison où elle avait grandi. Sept ans plus tôt, lors du décès de sa sœur aînée, elle avait rencontré Thomas Pitt et scandalisé tout le voisinage en décidant de l'épouser.

Sa mère, qui jusque-là tentait en vain de lui trouver un époux, avait fini par accepter ce mariage, de meilleure grâce que Charlotte ne l'aurait imaginé. Il se pouvait même que Caroline Ellison eût été secrètement soulagée de ce choix, car, bien que respectueuse des traditions, pleine d'ambitions pour sa progéniture et sensible à l'opinion des gens de son milieu, elle adorait ses filles et avait compris que celles-ci trouveraient leur bonheur dans une union qu'en principe elle aurait jugée inadmissible.

Toutefois, même si elle montrait aujourd'hui une grande bienveillance à l'égard de son gendre, elle préférait, en société, ne pas mentionner sa profession. Sa belle-mère, en revanche, avait toujours considéré Pitt comme un intrus, indésirable dans le grand monde, et ne perdait jamais une occasion de le dire haut et fort.

Charlotte gravit les marches du perron et sonna à la porte. Elle eut à peine le temps de reculer que déjà Maddock, le majordome, la priait d'entrer.

— Bonjour, Miss Charlotte. Je suis très heureux de vous voir. Votre maman va être bien contente. Vous la trouverez dans le petit salon. Elle n'a pas de visite. Puis-je prendre votre manteau ?

— Oui, s'il vous plaît, Maddock. Tout le monde va bien ?

— Très bien, merci.

Il ne serait pas venu à l'idée de celui-ci de parler des rhumatismes articulaires dont souffrait la cuisinière, du rhume de cerveau de la bonne ou de la cheville luxée de la fille de cuisine, qui avait buté contre un seau de charbon. Une femme du monde ne pouvait s'intéresser à des détails aussi insignifiants. Maddock n'avait jamais vraiment réalisé que Charlotte n'était plus la jeune fille de bonne famille qui avait vécu sous ce toit.

Lorsque celle-ci entra dans le petit salon, sa mère brodait une pièce de coton d'un air distrait, sous l'œil irrité de l'aïeule, qui, manifestement, cherchait à placer une remarque bien sentie. Les femmes, de son temps, s'appliquaient à leur ouvrage. Si par malheur elles se retrouvaient veuves, comme Caroline, elles portaient le deuil avec dignité et continuaient à accorder à leur travail toute l'attention requise.

— Si vous continuez à rêvasser, vous allez vous piquer, mettre du sang partout et le napperon sera perdu, disait-elle au moment où Maddock ouvrait la porte pour annoncer Charlotte.

— De toute façon, il n'a aucune utilité, marmonna Caroline, qui prit soudain conscience d'une présence dans la pièce.

Elle laissa tomber aiguilles, cadre, fils de coton et de laine et bondit sur ses pieds, ravie et soulagée.

— Charlotte ! Comme je suis contente de te voir ! Tu as une mine superbe. Comment vont les enfants ?

La jeune femme étreignit sa mère.

— Ils sont en excellente santé. Et vous, Grand-Maman, comment allez-vous ?

Elle connaissait d'avance la liste de récriminations qui ne manquerait pas de s'ensuivre, mais la politesse exigeait qu'elle posât la question.

— Comme d'habitude. Je souffre, répondit la vieille dame.

Elle détailla Charlotte des pieds à la tête de ses yeux de jais et renifla avec mépris. C'était une petite femme replète, au nez crochu, qualifié dans sa jeunesse d'« aristocratique », du moins par ceux qui étaient bien disposés à son égard.

— Je boite et je suis sourde. Si tu venais plus souvent, tu le saurais sans avoir à me le demander.

— Je le sais, Grand-Maman, répondit Charlotte, décidée à lui être agréable. Je voulais vous prouver que je m'intéresse à votre santé.

— Alors, assieds-toi et raconte-nous quelque chose d'intéressant, grommela la vieille dame. Je meurs d'ennui, depuis la mort de ton grand-père. Je m'ennuyais déjà avant, d'ailleurs. C'est notre lot à toutes. Ta mère aussi s'ennuie, bien qu'elle ne s'y soit pas encore résignée comme moi. Elle n'a pas appris l'art de s'ennuyer ! La preuve, elle ne sait même pas broder correctement.

Quel dommage que je n'y voie plus assez clair ! Plus jeune, je brodais à la perfection.

Caroline sourit à sa fille par-dessus la tête de sa belle-mère. Depuis vingt ans, les monologues bougons de l'aïeule faisaient partie de son quotidien, et elle essayait de les supporter sans se plaindre. En fait, Caroline s'ennuyait rarement, car, après les premiers mois de son veuvage, elle s'était découvert de nouvelles occupations. Pour la première fois de son existence, elle était enfin libre de lire les journaux, de s'intéresser à la politique et aux problèmes de société ; devenue membre actif de diverses associations, elle pouvait à sa guise y discuter de toutes sortes de sujets.

Si Caroline trouvait le temps long ce jour-là, c'est qu'elle avait décidé de passer l'après-midi en compagnie de sa belle-mère, et n'avait encore reçu aucune visite.

— Si nous prenions le thé ?

— Volontiers, répondit Charlotte en s'asseyant dans son fauteuil préféré.

Caroline sonna la bonne et lui demanda d'apporter des sandwichs, des gâteaux secs, des scones et de la confiture, puis s'assit à son tour, prête à écouter les nouvelles fraîches qu'allait lui raconter sa fille et à lui parler à son tour du nouveau groupe de discussion dont elle faisait partie.

La bonne vint servir le thé, puis se retira.

— Tu as vu Emily, bien entendu, affirma Grand-Maman avec une grimace désapprobatrice. De mon temps, une veuve ne convolait pas en secondes noces à peine son mari mort et enterré ! Quelle hâte inconvenante, vraiment ! Si au moins elle avait fait un beau remariage, passe encore. Mais ce Jack Radley ! Qui sont donc ces Radley, je vous le demande un peu ?

Charlotte savait que son beau-frère parviendrait aisément à séduire la vieille dame, qui ne tarderait pas à fondre devant lui comme du beurre sur une crêpe brûlante. Elle jugea donc inutile de s'étendre sur le sujet. De plus, quel que soit le cadeau qu'Emily eût ramené d'Italie à sa grand-mère, celle-ci y trouverait à redire, mais serait tout de même ravie et ne cesserait de l'exhiber avec fierté.

Comme si elle devinait les efforts que déployait sa petite-fille pour garder son calme, l'aïeule se tourna vers elle et l'observa par-dessus ses lorgnons.

— Et que fait Miss Charlotte en ce moment ? Toujours à se mêler des affaires de son mari ? Il n'y a rien de plus vulgaire que de fouiner dans la vie privée d'autrui. Je t'ai déjà dit, en son temps, qu'il n'en sortirait rien de bon...

Elle renifla à nouveau et se cala dans son fauteuil.

— Jouer les détectives, vraiment...

Charlotte, qui grignotait un délicieux sandwich au concombre, fin et craquant à souhait — c'était d'ailleurs le cinquième —, répondit la bouche pleine :

— Je ne m'occupe pas de la dernière affaire de Thomas, Grand-Maman.

— Tant mieux, fit cette dernière avec satisfaction. Tu manges trop, ma fille. C'est mal élevé. Tu as oublié les bonnes manières. C'est votre faute, Caroline ! Vous n'auriez jamais dû la laisser se marier au-dessous de son rang ! Ah, si Charlotte avait été ma fille, je lui aurais interdit d'épouser ce policier !

Il y avait beau temps que Caroline avait cessé de répondre aux sempiternels reproches de sa belle-mère : elle refusait de céder à ses provocations. Elle ressentait même une certaine satisfaction à offrir un visage serein à son regard noir et irrité.

— Malheureusement, je n'avais pas votre don, Belle-Maman, soupira-t-elle avec douceur. J'ai toujours su me débrouiller avec Emily, mais pas avec Charlotte.

La vieille dame, à court d'arguments, poussa un grognement réprobateur.

Charlotte piqua du nez dans sa tasse de thé, pour cacher son sourire. Mais sa grand-mère ne s'avouait pas vaincue.

— Si tu ne vas plus fourrer ton nez partout, Emily va

être déçue. Ton mari a dû être rétrogradé, j'imagine, et doit courir après du menu fretin, vide-goussets et voleurs à l'étalage...

En dépit de ses bonnes résolutions, Charlotte n'y tint plus.

— Pas du tout ! Il enquête sur un incendie criminel au cours duquel une femme très respectable a trouvé la mort, à Highgate. Son grand-père était évêque, ajouta-t-elle d'un ton triomphant.

— De quel évêque peut-il donc bien s'agir ? s'étonna la vieille dame.

— L'évêque Worlingham.

Grand-Maman plissa les yeux, se pencha en avant et frappa le tapis avec sa canne.

— L'évêque Worlingham ? Réponds, ma fille ! Augustus Worlingham ?

— Oui, je suppose, répondit Charlotte, qui ne se souvenait pas d'avoir entendu Thomas mentionner le prénom de l'évêque. Il ne peut y en avoir deux.

— Pas d'impertinence, je te prie ! s'exclama Grand-Maman, sans pouvoir toutefois dissimuler son excitation. Je connaissais ses filles, Celeste et Angeline. Elles vivent donc encore à Highgate. Pourquoi pas, après tout ? C'est un quartier cossu. Je devrais aller leur présenter mes condoléances.

— Mais c'est impossible ! se récria Caroline, consternée. C'est la première fois que je vous entends mentionner leur nom ! Vous n'avez pas dû leur rendre visite depuis des années !

L'aïeule haussa les sourcils.

— Est-ce une raison pour ne pas aller leur présenter mes condoléances ? Je vous demande un peu ! J'irai cet après-midi même. Il en est encore temps. Vous pouvez m'accompagner, si cela vous tente, du moment que vous ne montrez pas une curiosité déplacée.

Elle se leva à grand-peine de son fauteuil, passa à côté de la desserte et sortit du salon d'un pas pesant, sans même jeter un regard en arrière pour voir la réaction que sa tirade avait suscitée. Charlotte regarda sa mère, ne sachant trop quelle décision prendre. L'idée de rencontrer des proches de la défunte était très excitante, même si l'incendiaire de la maison de Clemency Shaw était quelqu'un qui se sentait menacé par son combat pour la levée de l'anonymat des propriétaires de taudis.

L'expression de Caroline trahit une certaine incrédulité, vite remplacée par une sorte d'intérêt honteux.

— Nous ne devrions pas la laisser y aller seule. Qu'en penses-tu ? Elle pourrait dire des bêtises.

Elle se mordilla la lèvre pour cacher un sourire.

— Et la curiosité est un vilain défaut, n'est-ce pas ?

— Très vilain, acquiesça Charlotte, en se levant pour prendre son sac à main. Alors, allons-y !

Au cours du long trajet jusqu'à Highgate, Charlotte demanda à sa grand-mère à quelle occasion elle avait rencontré les sœurs Worlingham et si elle était au courant de leur situation actuelle. Elle n'eut droit qu'à une réponse laconique, proférée sur un ton qui n'admettait pas de réplique.

— Elles n'étaient ni plus ni moins jolies que les autres, décréta l'aïeule, comme si la question avait été stupide. Leur nom n'a jamais été entaché de scandale, ce qui signifie soit qu'elles étaient vertueuses, soit qu'elles n'avaient jamais l'occasion de mal se comporter. C'étaient les filles de l'évêque, voilà tout.

— Je ne parlais pas de scandale, répondit Charlotte, agacée par les sous-entendus de sa grand-mère. Je cherchais simplement à savoir chez quel genre de personnes nous allions.

— Chez des personnes en deuil. Voilà pourquoi je vais leur présenter mes condoléances. Toi, en revanche, je te soupçonne d'y aller par pure curiosité... J'ose espérer que tu ne me mettras pas dans l'embarras.

Charlotte demeura suffoquée par tant d'outrecuidance. Sa grand-mère n'avait pas fréquenté les sœurs Worlingham depuis trente ans et ne serait jamais retournée les voir si leur nièce n'était pas décédée dans des circonstances aussi horribles. Pour une fois, aucune repartie ne lui vint à l'esprit. Le reste du trajet se passa donc dans le plus grand silence.

La maison des Worlingham, située dans Fitzroy Park, était une opulente demeure en pierre de taille, aux portes et encadrements sculptés, pouvant abriter une grande famille et une nombreuse domesticité.

Une servante à la silhouette imposante les introduisit dans un immense vestibule boisé de chêne. Charlotte, qui marchait derrière sa mère et sa grand-mère, eut le temps de s'attarder sur les détails du mobilier. Aux murs étaient accrochés de nombreux portraits, sans qu'aucune plaque de cuivre n'indiquât le nom des personnes représentées. Charlotte songea qu'il ne s'agissait peut-être pas de portraits de famille, mais de toiles destinées uniquement à impressionner le visiteur. À la place d'honneur, là où la lumière du jour donnait en plein, se trouvait le plus grand tableau, représentant un gentleman assez âgé, dont la chevelure grise, coiffée vers l'arrière, retombait en boucles sur les oreilles, formant une auréole argentée autour de son visage large et rubicond. Il avait des yeux bleus, des paupières tombantes et un menton épais. Mais le trait le plus frappant de sa physionomie était le sourire béat et sûr de lui qu'il affichait. Ce tableau-là possédait une plaque sur laquelle on lisait distinctement :

ÉVÊQUE AUGUSTUS T. WORLINGHAM

La servante les fit patienter dans le petit salon et partit demander si les visiteuses pouvaient être reçues. Grand-Maman s'assit avec raideur et examina la pièce d'un œil critique. Elle eut un regard dégoûté en découvrant une vitrine emplie d'oiseaux naturalisés.

Des pièces de lin brodées de motifs marron recouvraient les têtes et les bras des fauteuils. Des tableaux évoquant des paysages aux couleurs ternes voisinaient avec des échantillons de tapisserie au point de croix, encadrés sous verre, énonçant des maximes, telles que

« Vanité, vanité, tout est vanité », « Une bonne épouse est un rubis précieux » et « Dieu voit tout », cette dernière représentant un œil unique en plumetis de satin.

Caroline fit la grimace. Charlotte imagina deux jeunes filles silencieuses, brodant avec une application maladroite, tous les dimanches après-midi — alors qu'elles détestaient ce jour d'inactivité forcée et les travaux d'aiguille —, en attendant avec impatience l'heure du thé. Leur père les invitait ensuite à prier, ce qu'elles faisaient docilement, puis il leur lisait les Écritures, et elles montaient se coucher.

La servante revint annoncer que les demoiselles Worlingham seraient enchantées de les recevoir. Les trois femmes se levèrent et la suivirent à travers le vestibule jusqu'à un salon aux proportions démesurées, au plafond duquel étaient suspendus cinq énormes lustres, dont deux seulement étaient allumés. Des tapis d'Orient aux motifs et aux coloris variés recouvraient le parquet de chêne. Par endroits, entre la porte et le canapé, la laine était usée par le piétinement et, devant la cheminée, la trame du tapis apparaissait, comme si quelqu'un avait eu l'habitude de se tenir debout devant l'âtre. Charlotte se souvint avec un mélange de mélancolie et d'agacement qu'en hiver son père se tenait ainsi, dos à la cheminée, empêchant le reste de la famille de profiter de la chaleur des braises. Le défunt évêque devait avoir la même manie. Ses filles et son épouse n'avaient certainement jamais osé élever la voix pour émettre la moindre objection.

Charlotte se remémora son enfance auprès de ses parents et de ses sœurs, une époque insouciante où l'aisance et la sécurité étaient une évidence dans le monde auquel ils appartenaient. Elle regarda sa mère, mais celle-ci était occupée à suivre des yeux Grand-Maman qui se précipitait vers l'aînée de ces demoiselles.

— Chère Miss Worlingham, en apprenant le deuil qui vous frappe, j'ai décidé de venir vous présenter mes condoléances plutôt que de vous écrire. Vous devez être bien malheureuses.

Celeste Worlingham, une femme d'une soixantaine d'années, aux yeux marron, aux traits lourds et réguliers qui dans sa jeunesse avaient dû être assez plaisants, semblait à cette minute à la fois perplexe et intriguée. L'expression crispée de sa bouche et la raideur de son port de tête trahissaient son chagrin, cependant, son sang-froid admirable lui permettait de ne pas laisser voir sa douleur devant témoins. De toute évidence, elle ne se souvenait pas d'avoir jamais rencontré ces trois visiteuses, mais les bonnes manières l'emportant sur la curiosité, elle leur réserva un accueil aimable.

— C'est très gentil à vous d'être venue, Mrs. Ellison. Ma sœur et moi-même sommes en deuil, mais notre foi chrétienne nous permet d'affronter cette épreuve avec courage.

— Bien entendu, acquiesça Grand-Maman, pour la forme. Puis-je vous présenter ma belle-fille, Mrs. Caroline Ellison, ainsi que ma petite-fille, Mrs. Pitt ?

Tandis que celles-ci saluaient leurs hôtesses, Grand-Maman observait fixement Celeste, puis son regard se porta sur Angeline, la plus jeune des deux sœurs, au visage doux et naïf, encadré de cheveux châtains.

Voyant la vieille dame se balancer d'avant en arrière, en s'appuyant sur sa canne qu'elle enfonçait dans le tapis, cette dernière lui proposa de s'asseoir.

— Voudriez-vous boire quelque chose, Mrs. Ellison ? Une tisane, peut-être ?

Grand-Maman s'empressa d'accepter, et tira d'un coup sec sur la jupe de Caroline pour l'obliger à prendre place à ses côtés, sur un canapé pansu recouvert de satin fuchsia.

— Volontiers. Vous êtes toujours aussi prévenante, Angeline.

Celle-ci agita la cloche de porcelaine posée sur un guéridon. Aussitôt la bonne apparut.

— Veuillez apporter une tisane, s'il vous plaît. Ou plutôt non, du thé pour tout le monde.

Grand-Maman se laissa aller avec satisfaction contre le dossier du canapé, posa sa canne entre les plis volumineux de sa jupe et celle de Caroline, puis prit un air compassé.

— La présence de votre frère Theophilus doit vous être d'un grand réconfort, dit-elle d'un ton onctueux. Lui aussi est certainement bouleversé. C'est dans ces moments-là que les membres d'une famille doivent s'entraider.

— C'est bien ce que disait Papa, remarqua Angeline, en se penchant en avant.

Le devant de sa robe de deuil se plissa autour de son ample poitrine.

— C'était un homme tellement extraordinaire ! « La famille est le nerf de la nation », disait-il, avant d'ajouter : « Une femme vertueuse et obéissante est le cœur de la famille. » Cette pauvre Clemency était très vertueuse.

— Notre cher Theophilus nous a quittées, remarqua Celeste, assez sèchement. Je m'étonne que vous n'ayez pas lu l'annonce de son décès dans le *Times*.

Grand-Maman demeura un instant confondue. Elle ne pouvait arguer qu'elle ne lisait pas les rubriques nécrologiques, personne ne la croirait. Naissances, décès, mariages et calendrier princier étaient la seule lecture des dames de la bonne société. Les nouvelles à sensation et les informations politiques, sujettes à discussions, ne leur convenaient pas.

— Oh, je l'avais oublié, murmura Caroline. Quand est-ce arrivé, déjà ?

— Il y a deux ans, répondit Celeste en frissonnant. Il est mort subitement. Quel choc pour nous !

Caroline regarda sa belle-mère.

— Souvenez-vous... Vous étiez alitée, avec une mauvaise grippe. Nous n'avons pas voulu vous alarmer. Après votre rétablissement, nous n'avons plus songé à vous annoncer la nouvelle...

La vieille dame ne lui adressa même pas un regard de remerciement ! Charlotte admira la bonté de sa mère. À sa place, elle aurait laissé sa grand-mère se débrouiller toute seule !

— Évidemment, fit cette dernière, comme si l'explication allait de soi, ce qui mettait Celeste dans l'impossibilité de la contredire.

Une expression de respect, mêlé de dérision, passa sur les traits de celle-ci.

— Bien entendu.

— Sa mort a été si soudaine, poursuivit Angeline sur sa lancée, comme si de rien n'était. Nous avons commencé par blâmer ce pauvre Stephen — je veux dire le Dr Shaw —, notre neveu par alliance. Je lui ai fait comprendre à mots couverts qu'il ne s'était pas assez occupé de notre frère, mais j'ai honte, aujourd'hui, devant le drame qui le frappe...

Grand-Maman hocha la tête.

— Un incendie ! Comment est-ce possible ? La négligence d'un domestique, sans doute. Le personnel n'est plus ce qu'il était ! Tous débraillés, impertinents, étourdis. C'est terrible. Je me demande où va le monde ! Mrs. Shaw n'avait pas fait installer l'électricité chez elle, je suppose ? Je n'ai pas confiance dans ces inventions modernes. Elles sont trop dangereuses. Il ne faut pas chercher à aller contre la nature.

— Clemency s'éclairait au gaz, tout comme nous, se hâta de répondre Angeline, avec un petit geste en direction du lustre. Figurez-vous, ajouta-t-elle d'un air rêveur, que j'ai vu dans un magazine une publicité pour une gaine chauffante... Je me demande ce que cela peut donner...

Elle regarda Charlotte, guettant une réponse.

— Je vous demande pardon ? répondit celle-ci, qui pensait à la mort de Theophilus. Je n'en ai pas entendu parler. A priori, je dirais que ce doit être assez désagréable à porter...

— Très dangereux ! Et complètement idiot ! s'exclama Grand-Maman, qui désapprouvait l'usage de l'électricité, mais surtout détestait être interrompue. De mon temps, il suffisait de se tenir au montant du lit et d'avoir une camériste sachant lacer énergiquement un corset pour obtenir une taille de guêpe qu'un homme aurait pu encercler de ses deux mains, si tant est qu'il en ait eu l'idée ! Par quel miracle son mari a-t-il échappé à l'incendie ? enchaîna-t-elle tout à trac, en se tournant vers Celeste.

Caroline ferma les yeux, excédée. Grand-Maman lui décocha un discret coup de canne pour l'empêcher d'intervenir.

Charlotte poussa un léger soupir. Celeste, stupéfiée par tant d'indélicatesse, ne répondit pas.

— Il était sorti visiter une femme en couches, répondit Angeline, nullement gênée. Le travail avait commencé plus tôt que prévu. Notre neveu est médecin, vous savez. C'est un brave garçon, malgré ses défauts...

Elle s'interrompit et rougit de confusion.

— Je vous demande pardon ! Il ne faut jamais dire du mal d'autrui. C'est ce que répétait notre père.

Elle poussa un profond soupir, perdue dans ses souvenirs.

— Un homme si remarquable. Quel privilège d'avoir vécu sous son toit, de l'avoir soigné, d'avoir veillé à ce qu'il soit servi comme il le méritait !...

Charlotte observa sa silhouette replète, son visage falot, pâle réplique de celui de sa sœur, en beaucoup plus vulnérable. Jeune fille, elle avait dû avoir des soupirants. Si on lui en avait laissé le choix, elle aurait certainement préféré se fiancer plutôt que de passer sa vie à s'occuper de son père. Certains parents gardent leurs filles à la maison, nourries, logées, mais non payées, incapables de rendre leur tablier, à l'inverse des domestiques, puisqu'elles n'ont aucun moyen d'assurer leur subsistance ; aussi restent-elles là, obéissantes et serviables, mais néanmoins prisonnières et parfois emplies de haine, jusqu'à ce que la mort de leurs géniteurs les libère enfin, mais souvent trop tard.

Angeline et Celeste faisaient sans doute partie de ces femmes-là.

— Votre frère aussi était un homme merveilleux, poursuivit Grand-Maman, intarissable, ses petits yeux noirs brillant d'excitation. Mourir si jeune, quelle tragédie ! À propos, quelle est la cause de son décès ?

— Belle-Maman, voyons ! s'exclama Caroline, atterrée. Je pense que nous devrions... Oh !

Elle poussa un petit cri de douleur. L'aïeule venait encore de lui piquer la jambe avec la pointe ferrée de sa canne.

— Que se passe-t-il, Caroline ? Vous avez le hoquet ? s'enquit innocemment la vieille dame. Reprenez donc un peu de thé. Ma chère Celeste, vous parliez de la perte tragique de votre frère...

— Nous ignorons la cause exacte de son décès, répondit celle-ci avec froideur. Une crise d'apoplexie, apparemment.

— C'est la pauvre Clemency qui l'a trouvé, reprit Angeline. Encore une chose dont je tiens Stephen pour responsable. Il a une attitude trop désinvolte. Et il est difficile à contenter.

— Comme tous les hommes, commenta Grand-Maman, sentencieuse.

Angeline rougit et fixa le tapis. Même Celeste parut mal à l'aise. Caroline décida alors de réagir.

— Je comprends ce que vous voulez dire : le Dr Shaw aurait dû être présent au moment du décès de Mr. Worlingham. Clemency a dû être bouleversée de trouver son père...

Angeline recouvra ses esprits et poussa un soupir de soulagement.

— Oui, bien sûr. Notre frère était alité depuis quelques jours, mais nous ne pensions pas que son état fût si sérieux. Stephen ne s'est pas alarmé.

Elle fronça les sourcils et poursuivit sur le ton de la confidence :

— Mon frère n'était guère en bons termes avec son gendre. Il désapprouvait certaines de ses idées.

— Comme nous tous, reprit Celeste d'un ton cassant. Mais il s'agissait de problèmes politiques et religieux. Du point de vue médical, Stephen est très compétent. Tout le monde est d'accord là-dessus.

— Oh oui ! Il a une très nombreuse clientèle, ajouta Angeline, en tripotant les perles de son collier. La jeune Miss Lutterworth n'irait pas chez un autre médecin.

— Flora Lutterworth ? Ce n'est pas la vertu qui l'étouffe, remarqua Celeste avec aigreur. Elle va le consulter à tout bout de champ, mais, à mon avis, elle le verrait moins souvent s'il avait une verrue sur le nez ou un œil qui louche !

— Personne ne sait de quelle maladie elle souffre, murmura Angeline. Elle respire la santé. Mais, bien sûr, ce sont de nouveaux riches, avança-t-elle en guise d'explication. Malgré tout son argent, Alfred Lutterworth est un parvenu. Il a fait fortune dans les filatures de coton du Lancashire et il est venu s'installer ici après les avoir vendues. Il essaie de se faire passer pour un gentleman, mais tout le monde sait...

— Tout le monde sait quoi ? s'enquit Charlotte, singulièrement agacée, alors qu'étant issue du même milieu qu'Angeline elle aurait tenu les mêmes propos quelques années auparavant.

— Eh bien, que c'est un petit industriel, voyons, répondit Angeline, un peu étonnée. Cela s'entend à sa façon de parler. Il a fait donner des cours de diction à sa fille, mais s'exprimer sans accent ne suffit pas à faire de vous une vraie lady.

— Certainement, acquiesça Charlotte, de plus en plus irritée. Mais beaucoup de celles qui s'expriment comme des ladies n'en sont pas.

Angeline ne comprit pas le sous-entendu. Elle se laissa aller dans son fauteuil d'un air satisfait, arrangea ses jupes et saisit la théière en argent au bec en col de cygne.

— Encore un peu de thé, mesdames ?

À ce moment, la servante vint annoncer que le pasteur et son épouse demandaient à être reçus. Celeste jeta un coup d'œil en direction de Grand-Maman et comprit aussitôt que celle-ci n'avait pas la moindre intention de s'en aller.

Elle omit de consulter sa sœur, qui ne se rendait compte de rien, et ordonna, en haussant un sourcil :

— Faites-les entrer. Et apportez encore du thé.

Le révérend Hector Clitheridge était un homme massif, qui avait dû être relativement beau garçon dans sa jeunesse, au visage marqué par l'inquiétude. Mal à l'aise, le regard fuyant, il s'avança dans la pièce, décidé à présenter à nouveau ses condoléances aux demoiselles Worlingham, puis s'arrêta, embarrassé par la présence de trois inconnues.

Son épouse avait des traits ingrats : plus jeune, ses seuls atouts avaient dû être la fraîcheur de son teint et la brillance de ses cheveux. Mais elle marchait la tête haute, le dos bien droit, et paraissait sûre d'elle. Son regard était direct, sa voix basse et posée.

— Chère Celeste, chère Angeline... Nous sommes déjà venus vous offrir notre aide, mais le révérend s'est dit que nous devions revenir, pour que vous compreniez bien que nous sommes très désireux de vous rendre service. Les gens vont souvent visiter les familles endeuillées par obligation ; de ce fait, on ne croit pas à la sincérité de leur démarche. Certaines personnes hésitent même à faire cette visite, ce qui est à mon avis une attitude fort peu chrétienne.

— En effet, en effet, acquiesça son mari, soulagé. Si vous avez besoin de quoi que ce soit...

Son regard allait de l'une à l'autre, comme s'il attendait une suggestion de leur part.

Celeste fit les présentations et tout le monde se salua aimablement.

Clitheridge sourit à Grand-Maman, tout en ajustant avec maladresse le nœud de sa cravate.

— Visiter une famille en deuil est un signe de véritable amitié. Connaissez-vous Celeste et Angeline depuis longtemps ? Je ne me souviens pas de vous avoir déjà vue ici...

— J'ai connu les Worlingham voilà quarante ans, répondit la vieille dame.

— Oh, c'est extraordinaire ! Vous deviez être très liées.

— Oui, mais nous ne nous étions pas revues depuis trente ans, souligna Celeste, qui commençait à se départir de son calme.

En effet, si la présence de Grand-Maman l'amusait un peu, les paroles mielleuses et les gestes emphatiques du pasteur l'exaspéraient.

— C'est très aimable à Mrs. Ellison de revenir nous voir juste au moment où nous sommes frappées par cette tragédie...

Charlotte décela le sarcasme contenu dans sa voix et comprit que Celeste n'était pas dupe : le motif de la visite de la vieille dame ne lui avait pas échappé. Celle-ci eut un reniflement indigné.

— Si j'avais pris connaissance du décès de Theophilus dans les journaux, je serais venue vous voir. C'eût été la moindre des choses, tout de même !

— Et à la mort de Papa aussi, je suppose, fit Celeste avec un léger sourire. Mais peut-être ne l'avez-vous pas lue non plus dans la presse ?

— Oh, Celeste, ne sois pas ridicule ! dit Angeline en ouvrant de grands yeux. Tout le monde a entendu parler du décès de l'évêque Worlingham. Il était connu et respecté de toute la paroisse.

— La disparition d'un homme dans la force de l'âge frappe davantage les esprits que le décès d'une personne arrivée à la fin de son existence, intervint Caroline, tentant, une fois encore, de venir au secours de sa belle-mère.

Celle-ci lui décocha un regard furibond. Caroline rougit, plus par contrariété que par embarras.

Le révérend, qui se dandinait d'un pied sur l'autre, faillit intervenir, puis, réalisant qu'il s'agissait là d'une querelle familiale, se ravisa promptement.

Charlotte se décida à briser le silence.

— Je suis venue parce que j'ai entendu parler de l'œuvre admirable entreprise par Clemency Shaw pour améliorer les conditions de logement des plus démunis. Beaucoup de mes amis la tenaient en haute estime et pensent que sa disparition est une grande perte pour la communauté. C'était une femme exceptionnelle.

Un silence impressionnant s'installa dans la pièce. Le pasteur se racla la gorge, gêné. Angeline étouffa un petit cri dans son mouchoir. Grand-Maman se retourna sur son siège dans un froissement de taffetas et foudroya Charlotte du regard.

— Je vous demande pardon ? fit Celeste d'une voix rauque.

Charlotte comprit alors, non sans tristesse, que la famille ignorait tout des activités de Clemency Shaw. Elle devint rouge comme une pivoine, mais il lui était impossible de retirer ses paroles. Il ne lui restait donc qu'à continuer, en espérant que la suite se passe pour le mieux.

— Oui, une femme exceptionnelle, répéta-t-elle avec un sourire forcé. Ses efforts pour améliorer les conditions de vie des plus pauvres étaient grandement admirés.

— Je crains que vous n'ayez été mal informée, Mrs. Pitt, répondit Celeste, après s'être ressaisie. Clemency ne faisait rien de ce que vous dites. En bonne chrétienne, elle participait, comme nous toutes d'ailleurs, à des œuvres de charité et distribuait de la soupe et des confitures aux pauvres méritants de la paroisse. Prenez Angeline, par exemple : personne n'en fait davantage qu'elle pour les nécessiteux. Elle est toujours occupée à faire le bien. De mon côté, je suis membre d'associations d'aide aux jeunes femmes déshonorées qui se retrouvent dans une situation... délicate. Vous devez confondre Clemency avec quelqu'un d'autre, mais je ne vois pas qui.

— Moi non plus, renchérit Angeline.

— Vouloir améliorer les conditions de logement des indigents est une tâche très courageuse, qui demande beaucoup d'abnégation, intervint timidement Lally Clitheridge.

Le pasteur secoua la tête.

— Mais tout à fait inconvenante, ma chère. Je suis certain que Clemency n'aurait jamais fait une chose pareille !

— Moi aussi, conclut sèchement Celeste, qui lança un regard glacial en direction de Charlotte. Néanmoins, c'est très aimable à vous d'être venue. Vous êtes certainement de bonne foi.

— Tout à fait, l'assura Charlotte. Mes sources d'information sont sûres : la fille d'un duc et un parlementaire m'ont assuré...

— Ah ? l'interrompit Celeste, interdite. Vous avez d'éminentes relations...

Charlotte inclina la tête, comme si elle prenait la remarque pour un compliment.

— Merci.

— Il se peut que Mrs. Shaw ait un homonyme, suggéra le révérend d'un ton apaisant. Cela paraît improbable, mais je ne vois pas d'autre explication.

Son épouse lui toucha le bras d'un geste approbateur.

— Vous avez raison, mon ami. C'est la seule explication possible.

— De toute façon, cela n'a aucune importance, décréta Grand-Maman, désireuse de se réapproprier la conversation. Vous connaissant, mesdemoiselles, depuis votre jeunesse, j'aimerais venir vous présenter mes condoléances lors de l'enterrement, si vous avez l'amabilité de m'en communiquer la date.

— Volontiers, répondit le pasteur avant que les deux

sœurs n'aient eu le temps de réagir. Les obsèques auront lieu à St. Anne, jeudi à deux heures.

— Je vous remercie infiniment, fit la vieille dame, fort aimable.

La porte s'ouvrit à nouveau sur la servante annonçant l'arrivée de Mr. et Mrs. Hatch. La femme qui la suivait avait à peu près la taille et la stature d'Angeline et lui ressemblait de façon frappante, bien que plus jeune, avec un nez plus fort, des cheveux et des yeux plus brillants. Elle aussi était entièrement vêtue de noir.

Son mari, un homme de taille moyenne au visage sévère, marchait sur ses talons. Il rappela à Charlotte les portraits de jeunesse de William Gladstone, Premier ministre aux idées progressistes. On lisait dans son regard la même assurance, la même rectitude morale. Il avait seulement des favoris plus courts et moins fournis et un nez moins proéminent. Toutefois, la ressemblance était saisissante.

Celeste s'avança vers Mrs. Hatch, les bras tendus.

— Chère Prudence...

Les deux femmes s'embrassèrent, puis Mrs. Hatch se tourna vers Angeline qui l'étreignit longtemps dans ses bras.

Josiah salua ses tantes par alliance avec plus de réserve, mais ses condoléances étaient néanmoins sincères. Pâle et tendu, il paraissait dominer son émotion avec difficulté.

— La situation générale est dramatique, déclara-t-il à la cantonade. Nous assistons à un délabrement des valeurs morales. La confusion règne parmi la jeunesse qui ne sait plus quels hommes ou quelles idées admirer. Les femmes ne sont plus protégées...

Sa voix se fit lourde d'inquiétude.

— Voyez par exemple ce qui se passe à Whitechapel où un être bestial se rit de la police. C'est la preuve du chaos qui règne dans ce pays. L'anarchie nous guette :

la reine vit en recluse à Osborne[1], le prince de Galles gaspille sa fortune au jeu et s'adonne à la luxure ; quant aux turpitudes de son fils, le duc de Clarence, mieux vaut ne pas en parler...

Immobile, tel un animal sauvage à l'affût prêt à bondir, il poursuivit, toujours sans regarder personne. comme possédé par une sorte de vision intérieure :

— On assiste à la propagation d'idées vulgaires et absurdes qui vont de pair avec une succession d'événements tragiques. La situation s'est aggravée après la disparition de notre cher évêque. Sa perte a été pour nous un choc terrible.

Une expression angoissée se peignit sur ses traits, comme s'il entrevoyait la fin d'un âge d'or auquel succéderaient les ténèbres de l'ignorance. Il serrait convulsivement ses mains puissantes, aux articulations épaisses.

— Aucun homme possédant son charisme n'est apparu pour apporter la lumière de Dieu parmi les hommes.

— Mon frère Theophilus... commença Angeline d'une toute petite voix, puis elle se tut, glacée par le regard de son neveu.

— C'était un brave homme, intervint Prudence, pour faire bonne mesure.

— Bien sûr, bien sûr. Mais jamais il n'a pu égaler son père. Si je peux me permettre la comparaison, c'était un Lilliputien face à Gulliver.

Un étrange mélange fait de chagrin et de mépris se lisait sur le visage de Josiah Hatch, soudain remplacé par une expression de ferveur mystique.

— Monseigneur Augustus Worlingham était un saint ! Sa sagesse était incommensurable. Il comprenait l'ordre de l'Univers, il connaissait les desseins de Dieu et la façon dont nous devons suivre Sa parole.

1. Résidence favorite de la reine Victoria, construite en 1845, sur l'île de Wight. (*N.d.T.*)

Il sourit.

— Je l'ai souvent entendu prodiguer à des hommes — ou à des femmes — des conseils d'une grande élévation morale et spirituelle.

Angeline poussa un soupir d'aise et sortit de sa manche un mouchoir de batiste orné de dentelle.

— Que les hommes soient probes, poursuivit Josiah Hatch. Qu'ils se montrent honnêtes dans leurs relations avec leur prochain, qu'ils veillent sur leur famille, en inculquant à leurs épouses et à leur progéniture les enseignements du Seigneur. Que les femmes soient vertueuses, obéissantes et zélées. Accomplissez votre devoir et vous serez récompensés.

Charlotte se tortilla sur son siège, mal à l'aise. Elle ne pouvait nier la sincérité de cet homme, mais ses propos la révoltaient et elle se sentait d'humeur à réfuter ses arguments.

— Aimez vos enfants, poursuivait le prêcheur, montrez-leur l'exemple, demeurez chastes et surtout loyaux et fidèles envers votre famille. Votre bonheur et celui de tous reposent sur ces préceptes.

— Amen, conclut Angeline avec un doux sourire, en levant les yeux vers le ciel, comme si elle sentait la présence de son père planer dans la pièce. Merci, Josiah, de nous avoir rappelé nos raisons d'exister. Je ne sais pas ce que nous ferions sans vous. Malgré tout le respect que je dois à la mémoire de mon frère Theophilus, j'ai toujours pensé que vous étiez l'héritier spirituel de Papa.

Le compliment fit rougir Josiah Hatch. Charlotte crut même voir ses yeux se mouiller de larmes.

— Merci, chère Angeline. Aucun homme ne peut espérer plus beau compliment. Je ferai toujours en sorte de le mériter.

En guise de réponse, elle lui adressa un sourire lumineux.

— Et ce vitrail ? intervint Celeste d'une voix douce. Où en sont les travaux ?

— Il sera bientôt terminé, répondit-il en hochant la

tête. Il est très émouvant de voir que les paroissiens de Highgate, et bien d'autres, souhaitent se souvenir de lui. Nous avons de nombreux donateurs. Ils réalisent sans doute que nous vivons une époque bien sombre, pleine d'interrogations, où de prétendus philosophes nous font croire à une certaine liberté. Si nous ne montrons pas avec force le droit chemin, de nombreuses âmes s'égareront dans de sombres traverses, entraînant avec elles une multitude d'innocents.

— Vous avez tout à fait raison, Josiah, affirma Celeste.

— Tout à fait raison, renchérit Angeline.

— Ce vitrail aura une influence majeure, reprit Hatch, refusant de se laisser interrompre même par des commentaires élogieux. En le regardant, les gens se souviendront de l'être exceptionnel que fut Monseigneur Worlingham et continueront à révérer ses enseignements. L'un des buts de mon existence, si je puis dire, est de permettre à sa mémoire et à ses œuvres d'être perpétuées.

— Nous vous en sommes reconnaissantes ! s'écria Angeline avec enthousiasme. Tant que vous vivrez, le souvenir de notre père demeurera vivace.

— Oui, très reconnaissantes, répéta Celeste. Et Theophilus, s'il était encore en vie, dirait exactement la même chose.

— La disparition de votre frère... est une grande perte, bredouilla le révérend Clitheridge, dont les joues avaient rosi.

Son épouse serra son bras avec force.

Un rictus désapprobateur et jaloux déforma la bouche de Josiah Hatch, qui cligna des yeux à plusieurs reprises, avant de répondre :

— Ah ! J'aurais tant souhaité que Theophilus fût l'initiateur de ce projet de vitrail ! Pardonnez-moi, mais je ne peux m'empêcher de penser que votre frère n'a jamais vraiment apprécié à leur juste valeur les qualités exceptionnelles de votre père. Il était peut-être trop proche de lui pour comprendre à quel point ses pensées, ses idéaux, sa profondeur de vue dépassaient de loin ceux de ses contemporains.

Personne ne trouva rien à répondre. S'ensuivit un silence assez pénible. Finalement, le révérend Clitheridge s'éclaircit la gorge.

— Si vous n'y voyez pas d'inconvénient, nous allons nous retirer. Nous avions promis à Mrs. Hardy de lui rendre visite pour la réconforter dans des moments pénibles.

Il s'inclina devant ces dames et ajouta :

— Au revoir, Josiah. Vous venez, Eulalia ?

Et, prenant son épouse par le bras, il l'entraîna précipitamment vers le vestibule.

— Hector est un homme si bon... si bon vraiment, soupira Angeline. Et cette chère Lally ! Quelle force de caractère ! Elle le soutient, que dis-je, elle nous soutient tous !

Charlotte songea que, sans son épouse, le brave pasteur ne tarderait pas à sombrer dans le gâtisme, mais elle s'abstint de tout commentaire.

— Il prêche très bien en chaire, ajouta Celeste en souriant. C'est un grand érudit, vous savez. Cela ne se remarque pas toujours dans sa conversation, mais c'est peut-être mieux ainsi. À quoi bon écraser les autres par votre science ? Cela ne les instruit pas et ne les soulage en rien.

— Vous avez tout à fait raison, acquiesça Prudence. J'avoue ne pas toujours comprendre le sens de ses paroles, mais Josiah m'assure qu'il tient des propos sensés. N'est-ce pas, Josiah ?

— En effet, approuva celui-ci en hochant légèrement la tête, mais son ton n'était guère convaincu. Le révérend Clitheridge est toujours au courant des dernières publications des docteurs en théologie, et cite souvent leurs écrits avec exactitude. Je me suis permis de vérifier ses sources.

Il lança un bref coup d'œil aux trois visiteuses.

— Je possède de nombreux ouvrages de théologie et je fais en sorte de lire des périodiques spécialisés, qui éclairent et élargissent l'esprit.

— Très louable, commenta Grand-Maman, qui rongeait son frein. J'imagine que Theophilus avait hérité de la bibliothèque de son père ?

— Non, corrigea aussitôt Celeste. C'est à moi qu'il l'a léguée.

— Vous comprenez, ma sœur consignait tous les sermons de Papa et mettait son travail à jour, expliqua Angeline. Notre frère n'était pas un grand lecteur, ajouta-t-elle en jetant un regard inquiet vers Prudence. Il préférait la peinture et possédait une magnifique collection de tableaux, des paysages champêtres, pour l'essentiel.

— Tout à fait intéressant, commenta Caroline, qui n'avait pas ouvert la bouche depuis longtemps. Des aquarelles ou des huiles ?

— Des aquarelles, je crois. Il avait beaucoup de goût, d'après ce que l'on dit. Sa collection a une grande valeur.

Charlotte aurait bien aimé savoir qui, de Prudence ou d'Angeline, avait hérité de ces tableaux. Mais elle s'était déjà fait suffisamment remarquer, et ne voulait ajouter aux bévues qu'avait accumulées sa grand-mère. En outre, elle ne croyait pas que le mobile du meurtre de Clemency fût d'ordre financier. Il était d'ailleurs curieux de constater que tous avaient soigneusement évité d'en parler. Il était beaucoup plus probable qu'on ait cherché à l'éliminer à cause des idées radicales et dangereuses qu'elle défendait, avec d'ailleurs une très grande discrétion : pourquoi n'en avait-elle jamais parlé à ses tantes et à sa sœur ? Pourtant, c'était une chose dont elle pouvait être fière, elle dont le grand-père avait rendu de tels services à la communauté.

Ses réflexions furent interrompues par le retour de la servante, annonçant cette fois l'arrivée du Dr Shaw. Il la suivait de si près qu'elle faillit se cogner contre lui en repartant.

C'était un homme de taille moyenne, solidement bâti, sans être trapu ; il émanait de lui une vitalité qui rendait les autres personnes présentes bien ternes à ses côtés. Même la souffrance qui creusait ses traits et cernait ses yeux ne le privait pas de son énergie.

— Bonjour, tante Celeste, tante Adeline... Josiah...

Il possédait une belle voix, aux inflexions chaudes et riches, sans être théâtrale.

— Prudence...

Il déposa un léger baiser sur la joue de sa belle-sœur — ce qui eut le don d'irriter Josiah Hatch —, puis se tourna vers les trois visiteuses d'un air intrigué. Celeste fit à nouveau les présentations.

— Mrs. Ellison. Nous étions amies il y a une quarantaine d'années. Elle est venue nous présenter ses condoléances.

Shaw eut un petit sourire ironique.

— Je vois. Pour la mort de l'évêque, de Theophilus, ou celle de Clemency ?

— Stephen ! Il ne faut pas plaisanter avec ces choses-là, répliqua Celeste. C'est indécent. Vos propos pourraient être mal interprétés.

Sans y avoir été convié, Shaw prit place dans le plus confortable des fauteuils.

— Ma chère Celeste, je ne peux rien faire pour empêcher les gens de mal interpréter mes propos, s'ils en ont envie.

Il se tourna vers Grand-Maman.

— C'est très gentil à vous d'être venue. Vous devez avoir beaucoup de choses à vous dire, depuis tout ce temps...

Le sous-entendu n'échappa pas à la vieille dame, qui esquiva la réponse en lui présentant Caroline et Charlotte.

— Ma belle-fille, Mrs. Ellison, et ma petite-fille, Mrs. Pitt.

Shaw inclina la tête avec courtoisie en direction de Caroline, puis, en regardant Charlotte, prit une expression intéressée, comme s'il devinait en elle une personnalité sortant de l'ordinaire.

— Enchanté de vous connaître, Mrs. Pitt. Vous n'êtes pas une amie de la famille, je suppose ?

Josiah Hatch ouvrit la bouche, mais Charlotte le coupa avant qu'il ait pu prononcer un mot.

— Je n'avais jamais rencontré Celeste et Angeline. Mais la réputation de l'évêque Worlingham n'est plus à faire.

— Vous savez choisir vos mots avec discernement, Mrs. Pitt. L'avez-vous connu ?

— Bien sûr que non, voyons ! s'exclama Hatch. Monseigneur Worlingham est décédé voilà dix ans. Pour notre plus grand malheur.

Shaw, le dos tourné à son beau-frère, sourit à Charlotte.

— C'est peut-être lui qui a eu le malheur de ne pas vous rencontrer...

— Comment osez-vous !

Les joues de Hatch se marbrèrent de petits points rouges. Il darda sur Shaw un regard haineux.

— Nous en avons par-dessus la tête d'entendre vos critiques irrévérencieuses. Vous vous imaginez peut-être que vos misérables jeux de mots, que vous vous plaisez à appeler « humour », excusent tout, mais vous vous trompez. Vos moqueries perpétuelles encouragent les gens à railler des valeurs qu'ils devraient respecter. Le fait que vous n'appréciiez pas les qualités de l'évêque Worlingham en dit plus sur votre superficialité que sur sa grandeur d'âme.

— Josiah, ne soyez pas injuste, intervint Prudence d'un ton conciliant. Stephen ne voyait pas de mal à dire...

— Bien sûr que si ! gronda Hatch, qui n'avait pas l'intention de se calmer. Il ne cesse de faire des remarques qu'il s'imagine amusantes.

Sa voix monta d'un cran lorsqu'il s'adressa à Celeste.

— Il a refusé de faire un don pour le vitrail ! Vous rendez-vous compte ? Alors qu'il apporte sa contribution financière à la feuille de chou de Lindsay, qui met en péril les fondements mêmes de notre civilisation !

— Où allez-vous chercher cela ? riposta Shaw. Ce journal traite de réformes qui permettraient de répartir les richesses du royaume avec plus d'équité.

— Plus d'équité reviendrait à renverser le gouvernement et donc à déclencher une révolution.

— Vous n'y êtes pas du tout ! s'exclama Shaw exaspéré, en pivotant sur son fauteuil pour lui faire face. Ces gens-là croient à une transformation progressive de la société, au moyen de réformes législatives, vers un système collectiviste de contrôle des moyens de production, de plein emploi et...

— Stephen, je ne comprends pas de quoi vous parlez, dit Angeline, qui réfléchissait, sourcils froncés.

— Moi non plus, renchérit Celeste. Faites-vous allusion à George Bernard Shaw et à ces horribles Webb[1] ?

— Il parle d'anarchie, de chaos et du bouleversement de tout votre univers ! tonna Hatch.

Cette dispute allait plus loin qu'une querelle de famille. On touchait là à des sujets brûlants. Le regard de Charlotte se détourna de Hatch pour se porter vers Shaw. Elle lut dans ses yeux la même flamme fiévreuse que chez son beau-frère, même s'il avait l'air de plaisanter. Son humour n'était qu'un masque destiné à cacher un esprit passionné.

— De nos jours, les gens ont le droit de dire et d'écrire ce qu'ils veulent, intervint Grand-Maman, ajoutant de l'huile sur le feu. Ils savent qu'il ne leur en coûtera rien. De mon temps, George Bernard Shaw et Sydney Webb auraient été jetés en prison avant d'avoir pu exprimer leurs idées stupides. Aujourd'hui, on les

1. Sydney et Beatrice Webb, membres de la Société Fabienne, écrivains et précurseurs du mouvement travailliste anglais. (*N.d.T.*)

cite ouvertement. Quant à l'égérie de Mr. Webb, son comportement est inadmissible.

— Belle-Maman, je vous en prie, chuchota Caroline, n'aggravez pas les choses !

— Elles sont déjà graves ! la contrecarra la vieille dame, suffisamment haut pour que tout le monde l'entende.

Angeline, affolée, se tordait les mains en regardant tour à tour ses deux neveux.

Charlotte tenta d'apaiser les esprits.

— Mr. Hatch, croyez-vous que les gens liront ces pamphlets sans réfléchir ? Si leur contenu est vraiment aussi diabolique que vous le prétendez, ils s'en apercevront et les rejetteront. Après tout, ne vaut-il pas mieux qu'ils se forgent leur propre opinion ? La vérité ne pourra que bénéficier de la comparaison.

Hatch resta bouche bée. L'argument était imparable ; pourtant, s'il ne le contredisait pas, Shaw aurait marqué un point. Un lourd silence s'installa dans la pièce. On entendit un attelage remonter bruyamment Highgate Hill ; à l'étage, une jeune bonne qui fredonnait une chanson se fit aussitôt rabrouer.

— Vous êtes très jeune, Mrs. Pitt, dit enfin Hatch. Je crains que vous ne connaissiez pas les faiblesses de l'humanité. La convoitise, l'ignorance, la jalousie peuvent pousser certaines gens à épouser des causes qui sont inacceptables pour ceux qui ont reçu une véritable éducation morale. Hélas, un nombre croissant de personnes confondent liberté et licence et, par conséquent, se comportent de façon irresponsable.

Il lança un regard étincelant en direction de Shaw.

— Un dénommé John Dalgetty, libraire à Highgate, vend des livres, des revues où sont publiés des pamphlets dont certains atteignent le comble de l'indécence ; d'autres incitent des esprits fragiles à réfléchir sur des sujets auxquels ils ne peuvent rien comprendre : des questions de philosophie qui perturbent à la fois l'individu et la société.

Shaw se tourna vers Charlotte, bras écartés, sourcils levés.

— En clair, Josiah voudrait mettre un censeur derrière chacun de nous, afin qu'il nous dise ce qu'il faut lire ou ne pas lire ! Si tel avait été le cas, depuis que le monde est monde, personne n'aurait imaginé de nouveaux concepts, ni remis en question les précédents. Il n'y aurait jamais eu d'inventeurs, aucun explorateur de l'esprit, pour mettre au défi et exciter l'imagination, ou élargir les limites de la pensée. Il n'y aurait jamais eu d'innovations d'aucune sorte. L'Empire britannique n'existerait pas !

— Sornettes ! se récria Charlotte. On ne peut empêcher les gens d'avoir des idées nouvelles, ni de les exprimer !

Elle regretta aussitôt son audace. Lady Cumming-Gould aurait eu le droit de se montrer aussi directe, mais Charlotte ne possédait ni son âge, ni son titre, ni sa distinction. Hélas, elle ne pouvait revenir sur ses paroles.

Shaw partit d'un rire joyeux, chaleureux, qui tranchait avec l'atmosphère endeuillée du grand salon aux miroirs garnis de crêpe noir et avec les mines lugubres des personnes présentes.

— Comment pourrais-je vous contredire ? Vous êtes la preuve vivante de ce que vous avancez, puisque, même en présence d'un censeur, vous dites tout haut ce que vous pensez !

— Veuillez m'en excuser, répondit Charlotte qui se demandait si elle devait s'offenser de ces propos ou au contraire s'en réjouir.

Grand-Maman prit un air scandalisé, sans doute parce qu'elle n'était plus au centre de l'attention générale. Caroline paraissait mortifiée, Celeste et Angeline demeurèrent muettes. Josiah Hatch, pris entre des sentiments contradictoires, ne trouvait plus ses mots.

— Je me suis montrée très incorrecte, ajouta Charlotte. Quelles que soient mes opinions, je n'avais pas à les exprimer avec autant de véhémence.

— Tu n'aurais pas dû les exprimer du tout ! lança sa grand-mère avec raideur. J'ai toujours pensé que ton mariage ne t'apporterait rien de bon. Tu étais déjà sur la mauvaise pente avant de te marier, mais aujourd'hui, tu ne sais même plus te comporter en société. Je regrette de t'avoir amenée.

Charlotte faillit lui rétorquer qu'elle non plus n'aurait jamais dû venir, mais le moment était inopportun.

— Quant à moi, j'en suis enchanté, Mrs. Ellison, dit Shaw en souriant. Je suis las des platitudes proférées par les gens qui viennent vous présenter leurs condoléances ; aucun mot n'est assez fort pour combler le fossé qui sépare ceux qui viennent de perdre un être aimé et les autres. C'est donc un grand soulagement de pouvoir aborder d'autres sujets.

Soudain, le souvenir de l'expression peinée de Somerset Carlisle apprenant le décès de Clemency Shaw revint à l'esprit de Charlotte.

— Docteur Shaw, pourrais-je vous parler quelques instants en privé ?

Prudence Hatch poussa une exclamation de surprise, Angeline épousseta une poussière imaginaire sur son bras, Caroline adressa à sa fille un regard d'avertissement.

— Certainement, fit Stephen Shaw avec un sourire amusé. Allons dans la bibliothèque. Rassurez-vous, nous laisserons la porte ouverte, ajouta-t-il à l'intention de Celeste.

Celle-ci pinça les lèvres, contrariée, mais préféra garder le silence. Elle se couvrirait de ridicule en expliquant qu'elle n'avait pas pensé à mal.

Shaw se dirigea vers la porte, s'effaça pour laisser passer Charlotte qui sortit, la tête haute, puis il la précéda dans la bibliothèque, une pièce aussi vaste et impressionnante que le vestibule. Des livres reliés de maroquin brun, rouge bordeaux et vert foncé, aux titres gravés en lettres d'or, garnissaient les étagères. Sur un mur étaient exposés des écrits pieux encadrés d'acajou.

Un tableau représentant un haut dignitaire de l'Église trônait au-dessus de la tablette de marbre de la cheminée, soutenue par des jambages de granit. De lourds fauteuils de cuir occupaient presque toute la surface de l'immense tapis vert foncé. Un bronze représentant un lion rampant trônait sur un guéridon. De lourdes tentures à franges, retenues par des embrasses à torsades, identiques à celles du salon, encadraient les hautes fenêtres et tombaient impeccablement.

— Brrr... Ce n'est pas le genre d'endroit où l'on se sent à l'aise, n'est-ce pas ? remarqua Shaw en regardant Charlotte droit dans les yeux. Mais ce n'était certes pas le but recherché, ajouta-t-il en souriant. Êtes-vous impressionnée ?

Elle lui rendit son sourire.

— Est-ce le but recherché ?

— Assurément. Eh bien ?

L'honnêteté de cet homme exigeait une totale franchise de la part de son interlocuteur.

– L'évêque Worlingham devait posséder une immense fortune, répondit-elle spontanément. Regardez toutes ces reliures. Elles doivent avoir coûté des milliers de livres sterling ! De quoi subvenir aux besoins d'une famille entière pendant deux ans : nourriture, éclairage, vêtements, charbon, bœuf tous les dimanches et oie rôtie à Noël. Et elle pourrait même s'offrir les services d'une bonne !

— En effet, mais notre bon évêque ne voyait pas les choses sous cet angle. Les livres sont une source de savoir, mais leur étalage est le symbole même de ce savoir.

Shaw eut un haussement d'épaules désabusé, se dirigea vers la cheminée, fit demi-tour et revint vers Charlotte, déplaçant au passage la statuette de bronze.

— Vous ne l'aimiez guère... remarqua Charlotte.

Il plongea son regard dans le sien. Chez un autre homme, cela aurait pu paraître cavalier, mais la hardiesse faisait tellement partie de sa nature que seule une femme très vaniteuse aurait mal interprété ce regard.

— Nous étions en désaccord à peu près sur tout, dit-il avec un petit geste de la main. Non, pas de faux-fuyants, je m'en excuse. Je ne l'aimais pas. Certaines prises de position déterminent de façon définitive ce qui fait la personnalité d'un homme.

— Ou d'une femme.

Un brusque sourire illumina le visage du médecin.

— Excusez-moi encore. Il est très audacieux de supposer que les femmes ont un cerveau. Je suis surpris de cette réflexion. Vous devez avoir des relations qui sortent de l'ordinaire... À propos, auriez-vous un lien de parenté avec l'inspecteur Pitt, qui enquête sur... l'incendie ?

Il n'avait pas dit « sur la mort de Clemency ». L'éclair de chagrin qui traversa son visage n'échappa pas à Charlotte, qui l'en apprécia d'autant plus.

— Oui, c'est mon mari.

C'était la première fois qu'elle admettait, au cours d'une enquête, être l'épouse de Pitt. En général, elle préférait se présenter sous son nom de jeune fille, ce qui offrait de nombreux avantages. De surcroît, la femme d'un policier pas plus que celle d'un commerçant ne pouvait être reçue dans la bonne société. Le négoce était considéré comme une activité vulgaire ; quant au commerce de détail, on n'en parlait même pas. La simple nécessité de travailler pour vivre n'était jamais évoquée dans les salons, où l'on s'imaginait que l'argent tombait du ciel, ou plutôt sortait de terre, et se reproduisait tout seul. Le travail était certes considéré comme un bienfait pour l'âme et l'esprit, mais le statut social se mesurait à l'importance des loisirs.

Shaw demeurait immobile, sa façon à lui de montrer son chagrin, alors qu'il était d'ordinaire sans cesse en mouvement.

— Voilà donc l'explication de votre présence dans

cette maison. Vous avez amené votre mère et votre grand-mère afin de pouvoir nous observer à votre aise !

La seule réponse possible était la vérité. Shaw aurait aussitôt décelé un mensonge ; même bien maquillé, celui-ci les aurait abaissés l'un et l'autre.

— Non. C'est la curiosité qui a poussé ma grand-mère jusqu'à Highgate. Ma mère, elle, s'est sentie obligée de la suivre pour l'empêcher de dire trop de bêtises.

Ils se tenaient chacun de part et d'autre du guéridon où trônait le lion de bronze.

— De mon côté, je suis venue parce que deux de mes amis, Lady Vespasia Cumming-Gould et Mr. Somerset Carlisle, m'ont affirmé que Mrs. Shaw était une femme remarquable qui consacrait sa vie à la lutte contre les propriétaires de taudis et tenait à ce que leurs noms soient rendus publics.

Shaw l'écoutait avec la plus grande attention.

Mr. Carlisle l'a décrite comme une femme passionnée et altruiste qui ne cherchait pas à s'attirer des louanges ni à occuper son temps parce qu'elle s'ennuyait. Je pense que les circonstances de son décès doivent absolument être éclaircies. Il faut que les gens qui ont prémédité sa mort afin de préserver leurs misérables activités soient traînés en justice et punis comme ils le méritent. Le scandale provoqué par ce procès pourrait même inciter à la poursuite de son combat. Mais vos tantes prétendent tout ignorer de ses activités. Il doit donc y avoir erreur sur la personne.

— Non. Il s'agit bien de ma femme, dit Shaw d'une voix paisible.

Il se détourna pour regarder le feu qui brûlait dans la cheminée.

— Clemency ne souhaitait pas que ses activités fussent connues de la famille. Elle avait ses raisons.

— Mais vous-même étiez au courant ?

— Bien entendu. Elle avait confiance en moi. Nous étions...

Il hésita, cherchant le mot juste.

— ... très amis, depuis longtemps.

Charlotte se demanda pourquoi il avait choisi ce terme. Voulait-il dire par là qu'ils étaient plus que mari et femme, ou moins... ou les deux ?

Shaw se retourna et la regarda sans chercher à masquer son chagrin. Elle pensa qu'il avait simplement voulu dire « amis », rien de plus.

— Oui, Clemency était une femme remarquable, dit-il, reprenant les termes utilisés par Charlotte. Elle possédait un courage extraordinaire et était capable d'affronter des situations auxquelles beaucoup de gens n'auraient pu faire face.

Il prit une profonde inspiration et expira lentement.

— Le vide laissé par son absence est terrible. C'était un être profondément humain.

Charlotte aurait voulu s'approcher de lui, poser son bras sur le sien en signe de réconfort, lui dire qu'elle comprenait sa souffrance, mais un tel geste eût été trop intime, une telle familiarité inconcevable entre un homme et une femme qui venaient de se rencontrer pour la première fois quelques minutes plus tôt. Elle demeura donc immobile et se contenta de murmurer :

— Je suis sincèrement désolée.

Il ouvrit grands les bras et recommença à faire les cent pas dans la pièce, sans prendre la peine de la remercier : ils se comprenaient à demi-mot. Il arrangea machinalement le pli d'un rideau, puis se retourna pour lui faire face.

— Je vous serais très reconnaissant de m'informer de tout ce que vous pouvez apprendre au sujet de l'incendie. D'ailleurs, si je peux vous aider, n'hésitez pas à faire appel à moi.

— C'est promis.

Il sourit à nouveau.

— Merci. À présent, retournons au salon. Josiah et mes tantes doivent être scandalisés par notre escapade. À moins que vous n'ayez autre chose à me demander ?

— Non. Je tenais simplement à m'assurer qu'il n'existait pas deux Clemency Shaw.

— Alors, quittons ce charmant endroit et retournons dans un lieu plus convenable ! Vous savez, nous aurions dû aller bavarder dans le jardin d'hiver. On y voit de superbes jardinières de fer forgé regorgeant de fougères et de plantes exotiques. Un endroit idéal pour un rendez-vous galant ! Ces demoiselles auraient eu matière à être choquées !

Charlotte l'observa avec intérêt.

— Vous adorez les choquer, n'est-ce pas ?

Un mélange d'agacement et de pitié se peignit sur le visage de Shaw.

— Mrs. Pitt, je suis médecin. Chaque jour, je suis confronté à la véritable souffrance. Je ne supporte pas ces hypocondriaques qui n'ont rien d'autre à faire que de se perdre en méchantes spéculations et faire souffrir inutilement les autres. Oui, je hais l'imbécillité prétentieuse et n'hésite pas à la brocarder quand je le peux.

— Mais vos tantes ignorent tout de la réalité, telle que vous la vivez.

— C'est vrai, admit-il avec une petite grimace. Elles ont grandi ici et n'ont jamais quitté cette maison, sauf pour rendre visite à leurs voisines, ou aller au patronage pour assister à des réunions charitables où l'on parle des problèmes des pauvres sans les connaître. Après la mort de leur mère, elles sont restées auprès de l'évêque. Celeste rédigeait son courrier, lui faisait la lecture, préparait ses sermons et lui tenait compagnie quand il était d'humeur bavarde. Pour le distraire, elle jouait du piano — plutôt mal d'ailleurs, elle frappe sur les touches comme un forgeron sur une enclume, surtout quand elle est mal lunée, mais son père ne s'en apercevait pas. Il aimait la musique par principe, mais la qualité de l'interprétation lui importait peu. Angeline veillait à son confort et s'occupait de la bonne marche de la maison ; elle lisait aussi des romans d'amour, qu'elle recouvrait de vulgaire papier marron, afin que personne ne s'en rende compte. Augustus refusait d'employer une gouvernante. Il considérait que les femmes s'épanouissent en s'occupant des hommes et en faisant de leur foyer un havre de paix et de sécurité.

Il agita ses mains puissantes.

— Une maison d'où la vulgarité, l'influence néfaste du monde extérieur sont absentes. On ne peut donc blâmer Angeline de son ignorance et parfois de sa fatuité. J'ai eu tort de parler d'elle aussi durement. Elle n'en est pas responsable.

— Elle a dû avoir des soupirants ?

Shaw, qui arrangeait le pli d'un rideau, se redressa pour la regarder.

— Bien sûr, mais l'évêque se débrouillait pour les décourager au plus vite et s'assurait que ses filles étaient suffisamment occupées par leurs tâches domestiques pour ne pas avoir le temps de s'intéresser à autre chose.

Charlotte entrevit un monde de déceptions, de passions étouffées par des discours pieux, de pressions intolérables supportées par ignorance, peur ou culpabilité ; un monde où le sens du devoir primait tout. Quoi qu'aient pu faire les deux sœurs pour s'occuper l'esprit et justifier l'aridité de leur existence, il fallait les prendre en pitié et non les blâmer.

— Je crois que je n'aurais pas beaucoup aimé l'évêque, fit Charlotte avec un sourire crispé. Mais il n'est pas seul dans son genre. Je connais plusieurs femmes qui ont sacrifié leur vie pour s'occuper de leurs parents.

— Moi aussi.

La conversation aurait pu se poursuivre si Caroline Ellison et sa belle-mère, apparues dans l'encadrement de la porte du petit salon, ne les avaient aperçus.

— Ah, tu es là, dit Caroline, soulagée. Nous avons pris congé des demoiselles Worlingham. Mr. et Mrs. Hatch sont déjà partis.

Elle regarda le médecin.

— Veuillez accepter nos condoléances, docteur Shaw, et nous excuser d'avoir dérangé une réunion de famille. Vous avez été très aimable. Tu viens, Charlotte ?

— Au revoir, docteur Shaw, fit cette dernière en lui tendant la main.

Il la prit aussitôt et la serra avec une telle force qu'elle sentit la chaleur de sa paume à travers son gant.

— Encore merci d'être venue, Mrs. Pitt. J'espère vous revoir bientôt. Bon retour.

— Je devrais peut-être aller saluer... suggéra Charlotte en jetant un coup d'œil en direction du salon.

— Inutile ! s'exclama Grand-Maman. Nous leur avons dit au revoir. Il est temps de partir.

Elle se dirigea d'un air auguste vers la porte d'entrée qu'un valet tenait grande ouverte.

— Eh bien ? demanda-t-elle dès qu'elles eurent pris place dans l'attelage.

Charlotte fit mine de ne pas avoir compris.

— Je vous demande pardon ?

— De quoi avez-vous parlé ? s'impatienta la vieille dame. Ne fais pas semblant d'être stupide ! Tu es certainement très maladroite et tu manques de subtilité, mais tu n'es pas dépourvue de jugeote. Alors, que t'a-t-il raconté ?

— Que Clemency était bien celle que je pensais, mais elle préférait ne parler à personne, même à sa famille, du travail social qu'elle accomplissait. Shaw m'a dit qu'il serait heureux si je pouvais obtenir plus de renseignements sur l'incendie de sa maison.

La vieille dame eut une moue dubitative.

— Il lui a fallu bien longtemps pour dire si peu de choses... Je ne serais pas étonnée d'apprendre qu'il a mis lui-même le feu à son domicile. La famille Worlingham est immensément riche. Theophilus étant le seul héritier mâle, sa part d'héritage a dû revenir à ses deux filles, à égalité. Donc Shaw va à son tour hériter la fortune de sa défunte femme.

Elle lissa les plis de ses jupes avec soin.

— Et si l'on en croit Celeste, cela ne lui suffit pas ! Il a jeté son dévolu sur la jeune Flora Lutterworth, qui n'est d'ailleurs pas un modèle de vertu : elle lui court après et va le voir chez lui je ne sais combien de fois par mois. Son père est furieux. Il nourrit de grandes ambitions pour elle et ne voudrait certainement pas pour gendre d'un veuf de basse extraction et qui a deux fois l'âge de sa fille ! Caroline, pourriez-vous vous pousser vers la gauche ? Vous tenez toute la place. Merci. Bref, le père et la fille se sont apparemment querellés à ce sujet. J'imagine que Mrs. Clitheridge a sermonné Miss Lutterworth. C'est le devoir d'un pasteur de veiller à la moralité de ses ouailles.

— Qu'est-ce qui vous fait penser que le Dr Shaw lorgne sur l'argent des Lutterworth ? demanda Caroline en fronçant les sourcils.

— Réfléchissez un peu, que diable ! Vous avez entendu comme moi Angeline dire que Lally Clitheridge et Flora Lutterworth s'étaient disputées et ne s'adressaient quasiment plus la parole. Point besoin d'être détective pour deviner que c'était à propos du Dr Shaw.

Elle lança un regard torve en direction de sa petite-fille.

— Et voilà ! Ton cher docteur avait toutes les raisons de vouloir se débarrasser de sa femme. C'est lui qui a mis le feu à sa maison. Vous verrez que j'ai raison.

5

Charlotte appréhendait de voir sa grand-mère se rendre aux obsèques de Clemency Shaw, mais elle avait beau réfléchir, elle n'imaginait aucun moyen de l'en empêcher. Elle retourna à Cater Street et suggéra timidement que, étant donné les circonstances tragiques du décès, mieux valait laisser l'enterrement se dérouler dans l'intimité.

L'aïeule écarta cette suggestion avec mépris.

— Ne sois pas stupide, ma fille, lâcha-t-elle en la regardant de haut, ce qui n'était pas chose facile, car, bien qu'assises toutes deux, elle était beaucoup plus petite que Charlotte. Parfois, je désespère de ton intelligence, ajouta-t-elle pour faire bonne mesure. Tu n'as pas une once de bon sens ! Tout le monde sera là. Crois-tu que les gens vont laisser passer une telle occasion de bavarder et de s'interroger sur l'identité du criminel ? C'est le moment pour les amis de montrer aux proches du défunt qu'ils sont à leurs côtés, qu'ils croient à leur innocence et qu'ils les soutiennent dans ces moments pénibles.

L'argument était si stupide que Charlotte ne prit pas la peine de répondre. Cela ne servirait à rien, sinon accentuer la mauvaise humeur de sa grand-mère.

Emily avait décidé de ne pas assister à la cérémonie ; sa motivation aurait été de pure curiosité et elle jugeait cela indécent. Mais plus elle pensait à Clemency Shaw, plus elle était déterminée à continuer son combat. C'était le meilleur hommage qu'elle puisse lui rendre, aussi ne le gâcherait-elle pas en se laissant aller à un acte aussi gratuit.

Charlotte la bénit de lui avoir prêté un ensemble, datant de la saison précédente mais néanmoins très seyant, coupé dans un velours surpiqué de motifs de feuillages et de fougères sur les revers de la veste et au bas de la jupe. La robe portait la griffe de la maison Worth, l'un des couturiers les plus en vogue de toute l'Europe.

Emily lui avait aussi proposé son attelage, afin de lui éviter de louer un cab ou de prendre l'omnibus jusqu'à Cater Street, ce qui l'aurait obligée à se rendre au cimetière en compagnie de sa mère et de sa grand-mère.

À son retour, Charlotte trouva Pitt dans le salon, assis devant la cheminée, les pieds posés sur le garde-feu. Il observait à travers ses paupières mi-closes les flammes qui dansaient dans l'âtre.

Elle lui fit part des impressions que lui avait laissées sa visite chez les demoiselles Worlingham et son entrevue avec le Dr Shaw.

— J'ai l'intention d'aller à l'enterrement...

Elle marqua une pause tactique pour lui laisser le temps de réagir, sachant qu'il ne chercherait pas à l'en dissuader.

Pitt leva la tête ; elle crut voir briller dans son regard une flamme d'indulgence mêlée de complicité.

— À certains égards, je suis mieux placée que vous pour observer ces gens, poursuivit-elle. À leurs yeux, je serai une personne quelconque venue rendre hommage à Clemency Shaw, dont je regrette d'ailleurs profondément la disparition, bien que ne l'ayant pas connue. Alors que la présence d'un policier leur rappellerait toutes les choses désagréables que l'enquête criminelle ne manquera pas de provoquer.

— Vous prêchez un convaincu, dit-il avec un sourire moqueur.

Elle se détendit, se laissa aller contre le dossier de son fauteuil et tendit sa jambe vers la sienne, jusqu'à la frôler.

— Merci, Thomas.

— Attention, soyez prudente, la prévint-il. N'oubliez pas qu'il y a eu meurtre.

— C'est promis. À propos, Emily me prête son attelage.

Il sourit à nouveau, amusé.

— Je m'en doutais...

Charlotte ne fut pas la première à arriver à l'église St. Anne. Alors que le valet d'Emily l'aidait à descendre de la voiture, elle vit Prudence et Josiah Hatch, en grand deuil, passer les grilles du cimetière et remonter l'allée qui menait à la sacristie. Hatch, cheveux au vent, tenait son chapeau à la main. Ils marchaient côte à côte, très raides, regardant droit devant eux. Même sans voir leur visage, Charlotte devina qu'ils venaient de se disputer et qu'ils restaient très en colère l'un contre l'autre.

Tandis qu'elle traversait la rue, un homme, seul, entrait dans le cimetière. Charlotte se douta, d'après la description que lui en avait faite Pitt, qu'il s'agissait d'Alfred Lutterworth. Sa fille Flora avait peut-être décidé de ne pas assister aux obsèques ou bien de venir accompagnée d'autres personnes.

À la porte de la sacristie, elle fut accueillie par le vicaire, un homme d'une trentaine d'années, aux traits un peu ingrats, mais pleins de vivacité. Il saluait les arrivants avec un intérêt si marqué qu'elle le jugea d'emblée sympathique.

— Bonjour, madame, dit-il d'une voix douce, dénuée de cette obséquiosité révélatrice d'un manque de sincérité. Où voulez-vous vous asseoir ? Êtes-vous seule, ou attendez-vous quelqu'un ?

Charlotte faillit dire qu'elle était seule, mais résista à la tentation et lui expliqua qu'elle attendait sa mère et sa grand-mère.

— Dans ce cas, dit-il en la précédant dans l'église, vous préférerez peut-être vous asseoir sur ce banc, là-bas, sur la droite. Connaissiez-vous Mrs. Shaw ?

Il demanda cela en toute innocence, d'un air peiné, ce qui ôtait à la question une familiarité déplacée.

— Non, répondit-elle honnêtement. Je ne la connaissais que de réputation, mais ce que l'on m'en a dit me laisse supposer que c'était une femme admirable.

Sa réponse déconcerta visiblement le vicaire. Pour clarifier son propos, Charlotte se hâta d'ajouter, à sa propre surprise :

— Mon mari est chargé de l'enquête sur l'incendie de la maison. Je me suis intéressée à cette affaire et j'ai appris, de la bouche d'un parlementaire de mes amis, que Mrs. Shaw œuvrait pour l'amélioration des conditions de vie des plus défavorisés. Elle ne s'en vantait pas, mais c'était une femme pleine de compassion et de courage. Je tenais à venir à ses obsèques pour lui rendre hommage...

Elle s'interrompit devant l'expression bouleversée du jeune homme. Manifestement, il éprouvait un chagrin bien plus vif que celui des tantes ou même de la sœur de Clemency, d'après ce qu'elle avait pu remarquer au cours de sa visite, deux jours plus tôt.

Il recouvra son sang-froid avec difficulté et ne chercha pas à s'excuser. Elle l'en apprécia d'autant plus. Pourquoi cacher sa peine, lors d'un enterrement ? Il la conduisit en silence vers son banc, puis lui lança un regard de connivence chagrine et retourna se poster à la porte de l'église, juste à temps pour accueillir Somerset Carlisle et Lady Cumming-Gould. Le député paraissait fatigué. Vespasia était coiffée d'une capeline ornée d'une plume de balbuzard, inclinée à un angle extravagant, et vêtue d'une robe noire du dernier chic, dont la coupe asymétrique soulignait l'élégance. Elle tenait à la main une canne au pommeau d'argent, sans toutefois s'en servir. Elle déclina son titre, adressa quelques mots aimables au vicaire, puis passa devant lui d'un air digne, prit son lorgnon et examina longuement l'assistance. Au bout d'un moment, elle aperçut Charlotte et, prenant le bras de Carlisle, le pria de la mener jusqu'à elle. En conséquence, Caroline Ellison et sa belle-mère, qui venaient d'arriver, ne purent s'installer à ses côtés.

Charlotte, qui craignait que sa grand-mère ne fît un scandale, se contenta de sourire, l'air de rien, puis pencha la tête dans une attitude de prière. Au bout de quelques minutes, elle leva les yeux et vit devant elle Amos Lindsay et Stephen Shaw, assis côte à côte. Elle devina l'exaspération du médecin devant l'attitude du pasteur Clitheridge qui s'agitait en tous sens, comme un corbeau blessé. Son épouse Eulalia, assise au premier rang, tentait de le rassurer discrètement, d'un air à la fois affable et compassé.

L'église se remplissait. Quinton Pascoe remonta l'allée, de façon à s'éloigner le plus possible de John Dalgetty et de son épouse. Nulle part, sous la forêt de chapeaux emplumés et de larges capelines, Charlotte n'aperçut les visages des demoiselles Worlingham.

L'organiste jouait en sourdine. Considérait-elle que les circonstances lui imposaient de jouer ainsi, ou ne parvenait-elle pas à trouver le bon ton ? Toujours est-il que le résultat donnait une impression d'hésitation et de mollesse.

Mais soudain la musique changea de registre, indiquant le début du service funèbre. Le révérend Clitheridge, nerveux, se mit à psalmodier d'une voix de fausset. Par deux fois, il oublia son texte et trébucha sur des passages qui devaient pourtant lui être familiers. Il s'interrompait, cherchait ses mots, ce qui rendait sa maladresse plus flagrante. Charlotte avait pitié de lui, mais Vespasia, à ses côtés, poussait des soupirs exaspérés. Somerset Carlisle cachait son visage dans ses mains ; on ne pouvait donc savoir s'il cherchait à masquer son émotion ou son agacement.

Le jeune vicaire semblait si malheureux que Charlotte n'osait pas le regarder. Elle laissa son regard errer sur les veines des pierres, sur les plaques apposées en mémoire de notables depuis longtemps décédés, puis leva enfin les yeux vers le fameux vitrail encore inachevé représentant le prophète Jérémie sous les traits du défunt évêque Worlingham, entouré d'anges et de patriarches. Bien que la matière du vitrail rendît indistincts les détails du visage, Charlotte reconnut l'évêque à son épaisse auréole de cheveux blancs illuminée par les rayons du soleil filtrant au travers du verre coloré. L'artiste avait pris pour modèle le portrait accroché dans le vestibule de la maison des Worlingham. Cette œuvre commémorative avait dû coûter une somme considérable. Il n'était pas étonnant que Josiah Hatch en fût très fier.

Quand le service s'acheva, l'assistance prononça l'amen final avec soulagement. Tous se levèrent et partirent en procession derrière le cercueil, jusqu'au cimetière. Là, ils formèrent un demi-cercle autour de la tombe, serrés les uns contre les autres pour se préserver de la morsure du vent.

En frissonnant, Charlotte se rapprocha de Vespasia, espérant la protéger des bourrasques, qui, si le ciel avait été moins clair, auraient certainement apporté de la neige. Le révérend Clitheridge, debout de l'autre côté du trou béant, la soutane lui battant les chevilles, arborait toujours la même expression embarrassée et inquiète. Un peu plus loin, Alfred Lutterworth, les pieds solidement plantés dans le sol, le visage sombre et impénétrable, semblait indifférent au froid. Stephen Shaw, lui, paraissait en proie au chagrin et à la colère : son émotion était si visible que seul un individu grossier aurait osé le déranger. Amos Lindsay se tenait silencieux à ses côtés.

Josiah Hatch donnait des ordres aux porteurs du cercueil. En qualité de bedeau, il présidait au cérémonial de l'inhumation. La mine sévère, il accomplissait sa tâche avec méticulosité : pas un mot, pas un détail du rituel n'était omis. Tout était réglé avec une précision destinée à honorer la défunte, en respectant la tradition de l'Église anglicane.

De toute évidence, Clitheridge était soulagé de pouvoir se décharger d'une partie de son travail ; le jeune vicaire, en revanche, paraissait mécontent. Ses traits reflétaient un agacement qui semblait creuser un peu plus son visage émacié.

Une cinquantaine de personnes assistaient aux obsèques, en majorité des hommes. Charlotte ne s'était pas trompée : les sœurs Worlingham et Flora Lutterworth brillaient par leur absence.

— Je me demande pourquoi Celeste et Angeline ne sont pas venues, chuchota-t-elle à l'oreille de Vespasia, alors que, transies, elles se dirigeaient vers leurs voitures qui allaient les emmener au traditionnel buffet qui suit un enterrement — elles n'y étaient d'ailleurs pas officiellement invitées, mais avaient bien l'intention de passer outre.

Elles aperçurent Pitt, debout près des grilles, si discret qu'on aurait pu le prendre pour l'un des porteurs du cercueil ou un employé des pompes funèbres ; seul un œil averti remarquait ses poches volumineuses et ses bottes marron. Charlotte lui adressa un petit sourire et vit son regard s'éclairer, puis elle continua son chemin vers sa voiture.

— L'évêque devait juger inconvenant que ses filles assistent aux enterrements, suggéra Vespasia. Beaucoup de gens sont de cet avis. C'est idiot, bien sûr. Les femmes supportent la douleur autant que les hommes, et même mieux ! Il le faut bien, sinon, nous ne mettrions jamais au monde plus d'un enfant et nous ne soignerions pas les malades.

— Mais l'évêque est mort depuis dix ans, lui fit remarquer Charlotte.

— Ma chère, pour ses filles, il est immortel ! Elles ont vécu sous son toit durant plus de quarante ans et continuent à obéir aux règles qu'il avait édictées. Et j'imagine qu'il avait des idées très arrêtées sur tout. Ce n'est pas aujourd'hui qu'elles vont changer leurs habitudes. En période de deuil, on désire avant tout se raccrocher à des valeurs familiales.

Charlotte se souvint en effet de familles où l'on considérait que le fait d'assister à un enterrement pouvait traumatiser certaines âmes sensibles. Défaillir au milieu d'une cérémonie funèbre gâchait la solennité du moment.

— Pensez-vous que Flora Lutterworth n'est pas venue pour la même raison ? s'enquit-elle, dubitative. Ce n'est pas impossible, puisque son père nourrit de grandes ambitions et souhaite l'introduire dans la bonne société.

— Sans doute, répondit Vespasia avec un léger sourire.

Elles arrivaient devant leurs voitures. Charlotte jeta un coup d'œil par-dessus son épaule et vit sa grand-mère darder sur elle un regard furibond, tandis que sa mère conversait avec Josiah Hatch.

— Voulez-vous les attendre ? demanda Vespasia en levant un sourcil.

— Certainement pas !

Charlotte fit signe au cocher d'Emily d'avancer.

— Elles ont leur propre équipage ! ajouta-t-elle en haussant la voix, avec une satisfaction un peu puérile. Je vous suis. Pensez-vous que les demoiselles Worlingham assisteront au buffet ?

— Bien entendu ! L'enterrement n'était que le préambule à cette réception.

Vespasia accepta la main de son valet et monta dans sa voiture, non sans avoir tendu une piécette au balayeur de rue, un garçonnet d'une dizaine d'années, qui la remercia bien fort avant de recommencer à balayer le crottin. Le valet referma la portière et l'attelage s'ébranla. La voiture de Charlotte le suivait de près. Elles arrivèrent bientôt devant l'imposante demeure des Worlingham, dont, en signe de deuil, les rideaux étaient tirés et la porte principale entourée de crêpe noir qui voletait au vent. On avait étalé de la paille dans l'allée pour étouffer le bruit des sabots, par respect pour la défunte. Le cocher déposa Charlotte devant l'entrée et alla garer la voiture un peu plus loin.

Dans la maison, la réception avait été préparée avec soin, dans les moindres détails. L'immense salle à manger était aussi festonnée de crêpe noir : on aurait dit qu'une énorme araignée, descendue par le conduit d'une cheminée mal ramonée, s'était déplacée le long des murs en laissant partout des traces de suie. Des bouquets de lis, qui avaient dû coûter une fortune, étaient artistement disposés dans des vases de porcelaine, sur la table et les jardinières. Le buffet était composé de plats variés somptueusement agencés : pièces de viandes rôties, canapés, fruits, pâtisseries, confiseries. Les étiquettes et la mince couche de poussière recouvrant les bouteilles de vin présentées couchées dans des paniers indiquaient qu'elles avaient été choisies parmi les meilleurs crus de la cave, pour satisfaire les plus exigeants des connaisseurs. On voyait en particulier des portos hors d'âge que l'évêque avait dû oublier dans son cellier.

Les demoiselles Worlingham se tenaient côte à côte, en grand deuil. Celeste portait une robe à la volumineuse tournure, un peu trop ajustée au niveau de la poitrine, rehaussée sur le devant par un pan de velours brodé de perles de jais. Celle d'Angeline était ornée aux épaules d'une lourde dentelle retenue par une broche de deuil en jais serti de perles minuscules. La dentelle se retrouvait au-dessus de la taille et sous la tournure ; seul un œil averti remarquait que le plissé du tissu n'était pas du dernier cri. Les deux sœurs avaient-elles porté ces mêmes toilettes à l'enterrement de leur frère et de leur père ? Une habile couturière peut faire des miracles et, comme beaucoup de gens aisés, les demoiselles Worlingham semblaient assez près de leurs sous.

Celeste recevait les arrivants avec une affectation de duchesse, le dos droit, la tête légèrement inclinée, répétant le nom de chacun comme s'il revêtait la plus haute importance. Angeline, un mouchoir de batiste à la main, se tamponnait les joues, répétant en écho les dernières paroles de sa sœur.

Celeste tendit la main vers Charlotte, comme si elle avait affaire à une vague connaissance dont elle ne connaissait pas exactement le rang social.

— Bonjour, Mrs. Pitt.

— Mrs. Pitt, fit Angeline, avec un sourire hésitant.

— C'est très aimable à vous d'être venue nous présenter vos condoléances.

— Très aimable, reprit Angeline.

Celeste aperçut Lady Vespasia et resta un instant ébahie.

— Lady Cumming-Gould ! Comme c'est généreux de votre part d'être venue... Notre cher père aurait été très touché..

— Très touché, renchérit Angeline.

Leur statut de filles d'évêque ne parut guère impressionner Vespasia.

— Je ne vois pas pourquoi, répondit-elle avec un sourire glacial. Je suis venue honorer la mémoire de Clemency Shaw. Une femme remarquable, à la fois intelligente et courageuse — deux qualités que l'on trouve rarement réunies chez la même personne. L'annonce de son décès m'a beaucoup affligée.

Celeste resta bouche bée. À sa connaissance, sa nièce ne méritait pas un tel hommage. Angeline étouffa un petit cri et porta son mouchoir à sa joue pour essuyer une larme.

— Pauvre Clemency, chuchota-t-elle d'une voix presque inaudible.

Vespasia ne s'attarda pas en lieux communs et s'avança vers la salle à manger, suivie de près par Somerset Carlisle, qui, habitué à ces réceptions où les gens ne savent pas quoi dire, murmura quelques gentilles banalités.

Une trentaine de personnes se trouvaient déjà dans la place. Charlotte en reconnut quelques-unes et devina l'identité des autres d'après la description qu'en avait faite Pitt.

Elle faisait mine d'être absorbée dans la contemplation du buffet, quand sa mère et sa grand-mère firent leur entrée. Cette dernière agitait sa canne ferrée en ronchonnant, risquant à tout moment de blesser les personnes se trouvant sur son passage. Elle n'avait pas particulièrement envie de rejoindre Charlotte, furieuse que celle-ci soit arrivée avant elle, ce qui, à son avis, était un manque évident de respect à son égard.

La salle à manger était une pièce vaste et élégante, aux fenêtres ornées de lourdes tentures. Au fond se dressait une cheminée de marbre noir ; un buffet de chêne massif et une desserte occupaient l'un des murs. Une jolie crédence supportait un service à thé en porcelaine de Derby, reconnaissable à son liseré bleu, rouge et or.

Sur la table étaient disposés de grands verres à pied en cristal armorié. Les pendeloques des lustres se reflétaient sur les plats d'argent étincelant, qui portaient un monogramme représentant un W gothique ; les serviettes et la nappe de lin étaient brodées de blanc aux armes de la famille, elles aussi surmontées du W des Worlingham. En examinant les assiettes de porcelaine cerclée de bleu et d'or, Charlotte reconnut les motifs caractéristiques de la porcelaine Minton ; sa mère, lorsqu'elle espérait encore lui voir faire un beau mariage, lui avait appris à reconnaître la signature des différents services de table.

Soudain, elle entendit la voix de Shaw, tout près d'elle.

— Mes tantes ne sortaient jamais les cristaux et l'argenterie pour Clemency, de son vivant... Mais bien entendu, nous n'avions jamais l'occasion d'inviter tout le voisinage...

— Faire quelque chose qui sort de l'ordinaire aide parfois à surmonter son chagrin, répondit Charlotte d'un ton apaisant. Comme organiser un grand buffet. Tout le monde ne porte pas le deuil de la même façon.

— Quel charitable point de vue ! dit-il d'un ton grinçant. Si, lors de notre précédente rencontre, vous n'aviez pas fait preuve d'une telle franchise, je vous aurais prise aujourd'hui pour une parfaite hypocrite.

— Cela aurait été injuste de votre part. Je pense sincèrement ce que je dis. Si je voulais me montrer critique, je trouverais d'autres sujets...

Une étincelle amusée s'alluma dans le regard du médecin.

— Ah ? Lequel, par exemple ?

Elle se pencha vers lui et lui murmura à l'oreille :

— La robe de Celeste est un peu trop ajustée, vous ne trouvez pas ? Elle aurait dû la faire élargir au niveau de la poitrine. Et ce gentleman, là-bas — j'imagine qu'il s'agit de Mr. Dalgetty —, a bien besoin d'une coupe de cheveux. Quant à Mrs. Hatch, elle porte des gants dépareillés ; c'est sans doute pour cette raison qu'elle en garde un à la main.

Shaw sourit.

— Quelle fine observatrice ! Est-ce un don naturel, ou l'avez-vous appris et perfectionné au fil des années en côtoyant votre inspecteur de mari ?

— Une jeune fille de bonne famille apprend à observer, Mr. Shaw. Avant mon mariage, j'avais si peu à faire que l'observation de mes contemporains constituait mon principal passe-temps. C'était plus réjouissant que de broder ou de peindre de mauvaises aquarelles.

— Je pensais que ces demoiselles et leurs mères consacraient leur temps aux bonnes œuvres et aux papotages de salon, chuchota-t-il.

— En effet. Mais pour cancaner dans les salons, il faut d'abord trouver matière à ragots, pour que cela soit amusant. Quant aux bonnes œuvres... Elles font cela pour se donner bonne conscience plutôt que pour aider leur prochain. Il faudrait vraiment que je sois dans une situation désespérée pour que la venue d'une dame patronnesse m'apportant un pot de miel ne me donne d'autre envie que celle de le lui jeter à la figure.

Elle exagérait, bien entendu, mais le sourire qu'il lui adressa fut comme une récompense. Il savait que la réalité était à la fois moins extrême et plus complexe.

Avant qu'il ne puisse lui répondre, leur attention fut attirée par Celeste, qui, à quelques mètres d'eux, continuait à jouer les duchesses. Alfred Lutterworth se présenta devant elle, accompagné de sa fille ; Celeste les regarda puis s'éloigna comme s'ils étaient de vulgaires domestiques à qui l'on n'adresse même pas la parole. Les joues de Lutterworth s'enflammèrent ; Charlotte crut que Flora allait se mettre à pleurer.

— La garce... siffla Shaw entre ses dents. Quelle vieille bique !

Il abandonna Charlotte pour foncer vers Lutterworth, marchant au passage sur le bas de la robe d'une invitée auprès de laquelle il ne s'excusa même pas.

— Bonjour, Lutterworth, dit-il à haute et intelligible voix. C'est très aimable à vous d'être venu. Sachez que j'apprécie le geste. Bonjour, Miss Lutterworth. Encore merci. Je sais que vous êtes avec nous ce soir par amitié.

Flora eut un sourire incertain, puis, voyant qu'il était sincère, reprit un peu d'assurance.

— C'est la moindre des choses, docteur Shaw. Nous partageons votre douleur.

Shaw fit signe à Charlotte de s'approcher et la présenta.

— Connaissez-vous Mrs. Pitt ?

La tension s'évanouit tandis qu'ils se saluaient poliment, mais Celeste, qui, comme la plupart des personnes présentes, avait tout entendu, pinça les lèvres et se raidit. Shaw l'ignora superbement et continua de bavarder à bâtons rompus, d'une voix forte, faisant de Charlotte son alliée, volontaire ou non.

Dix minutes plus tard, la conversation prit un autre tour, car Caroline Ellison et sa belle-mère les avaient rejoints. Charlotte écoutait une très belle femme d'environ quarante-cinq ans, aux magnifiques yeux noirs, coiffée d'un chignon haut, comme le voulait la mode, surmonté d'un petit chapeau ravissant, un peu désuet. Sa beauté de femme mûre, née sous le soleil méditerranéen, contrastait avec la pâle carnation des habitantes de Highgate. Elle attirait tous les regards. Il s'agissait de Maude Dalgetty, l'épouse du critique littéraire. Charlotte l'apprécia aussitôt. Heureuse et sûre d'elle, elle ne semblait porter aucun jugement mesquin ou méchant sur les autres.

Charlotte fut surprise de voir Josiah Hatch se joindre à leur petit groupe. Il lui jeta un regard indifférent, teinté d'agressivité, la soupçonnant sans doute d'être venue par pure curiosité ; à moins que le fait qu'elle s'entendît bien avec Shaw lui fût intolérable. En revanche, à la vue de Maude Dalgetty, ses traits s'adoucirent, sa tension s'évanouit. Manifestement, il la tenait en haute estime.

— Chère Mrs. Dalgetty, comme je suis heureux que vous ayez pu venir...

Il voulut ajouter quelque chose de plus personnel, mais ne trouva pas les mots. Elle lui sourit et, chose extraordinaire, il lui rendit son sourire.

— C'est bien normal, Mr. Hatch. J'aimais beaucoup Clemency. C'était l'une des femmes les plus exceptionnelles que j'aie jamais rencontrées.

Hatch pâlit.

— En effet, dit-il d'une voix rauque.

Il s'éclaircit la gorge avant de reprendre .

— Une femme admirable, en effet, très vertueuse, modeste, dévouée, consciencieuse et pourtant toujours gaie et souriante. Quel malheur que sa vie ait été.

Ses traits se durcirent. Il jeta un regard dépourvu d'aménité en direction de Shaw, qui, la tête penchée, écoutait les propos d'une grosse dame coiffée d'un minuscule chapeau.

— ... ait été ainsi gâchée. Elle aurait pu...

Il n'acheva pas sa phrase, laissant subsister un doute : accusait-il Shaw ou parlait-il de la mort prématurée de Clemency ?

Maude Dalgetty choisit la deuxième hypothèse.

— En effet, acquiesça-t-elle en hochant tristement la tête. Pauvre Stephen. Quelle terrible épreuve ! Hélas, je ne vois pas ce que nous pouvons faire pour l'aider. Quelle tristesse de partager la douleur de quelqu'un sans pouvoir lui offrir un peu de réconfort !

— Votre compassion vous honore, répondit Hatch avec vivacité. Mais ne vous faites pas de souci pour Shaw. Il ne le mérite pas.

Il retrouva une attitude tendue et compassée. Les coutures de sa redingote noire parurent sur le point de craquer.

— Je ne peux répéter certains propos devant vous, chère madame, mais croyez-moi, je parle en connaissance de cause... dit-il d'une voix frémissante, dont on ne pouvait deviner si c'était de colère ou de lassitude.

« Cet homme raille et insulte tout ce qui mérite respect et déférence. Il calomnierait les meilleurs d'entre nous, si des gens comme votre mari n'étaient pas là pour l'en empêcher. Voyez-vous, je ne partage pas les goûts de Mr. Dalgetty en matière d'édition, comme vous le savez, mais je le soutiens quand il s'agit de défendre la réputation d'une dame...

Maude Dalgetty haussa ses fins sourcils et le dévisagea avec intérêt.

— La réputation d'une dame ? Ciel ! Le Dr Shaw aurait-il dit du mal de quelqu'un ? Vous m'étonnez.

— Parce que vous ne le connaissez pas ! s'emporta Hatch. Et vous êtes trop bonne pour penser du mal d'autrui.

Il avait rougi.

— Je l'ai vite remis à sa place, croyez-moi, et votre mari m'a soutenu, avec beaucoup de chaleur, mais je me flatte d'avoir rabattu le caquet de Shaw.

— John a fait cela ? remarqua-t-elle d'un ton surpris. Comme c'est curieux ! J'avais cru comprendre que j'étais le sujet de votre altercation...

Hatch devint cramoisi, sa respiration s'accéléra et il serra les poings.

Charlotte était également persuadée que la dame en question était bien Maude Dalgetty. Elle aurait aimé savoir ce que Shaw avait pu dire d'elle.

Ne voulant pas paraître suivre la conversation avec trop d'intérêt, elle se dirigea vers Celeste et Lally Clitheridge, mais avant qu'elle ne les ait rejointes, les deux femmes se séparèrent. Mrs. Clitheridge accosta alors Flora Lutterworth, d'un air à la fois prudent et déterminé.

— Comme c'est aimable à vous d'être venue, ma chère Flora... lui dit-elle avec une aimable condescendance, telle une comtesse s'adressant à une belle-fille potentielle. Vous avez le cœur tendre, ce qui est une grande vertu chez une jeune fille, si elle ne l'entraîne pas à commettre certaines imprudences...

Flora la dévisagea, ouvrit la bouche pour répondre mais ne trouva pas ses mots.

— Et modeste aussi, poursuivit Lally Clitheridge. Je suis heureuse que vous ne cherchiez pas à me contredire. L'imprudence peut mener une jeune fille à compromettre son avenir. Combien d'entre elles ont perdu leur réputation... Mais je suis sûre que votre père vous aura mise en garde.

Flora rougit. Manifestement, leur différend n'était pas apaisé.

— Il faut écouter votre père, reprit Lally sur le ton de la confidence, en la prenant par le bras. Il a votre intérêt à cœur. Vous êtes très jeune, vous n'avez pas l'expérience de la bonne société, et de la façon dont elle vous juge. Un seul faux pas et vous cesserez d'être considérée comme une personne vertueuse, ce qui gâcherait vos chances de faire un beau mariage. J'espère que vous me comprenez, ma chère... conclut-elle en hochant la tête.

Flora la regarda droit dans les yeux.

— Non, je ne comprends pas, dit-elle d'une voix tendue, les doigts crispés sur son mouchoir.

Lally se pencha vers elle.

— Je m'explique : le Dr Shaw est un homme charmant, mais il a parfois des opinions tranchées qu'il exprime un peu trop crûment au goût de ses interlocuteurs. C'est une attitude acceptable chez un homme, en particulier chez un médecin...

— Je le trouve très agréable, le défendit aussitôt Flora. Il s'est toujours montré aimable avec moi. C'est votre droit de ne pas être d'accord avec lui, Mrs. Clitheridge. Vous n'avez qu'à le lui dire. Mais ne me mêlez pas à vos querelles.

— Vous m'avez mal comprise, fit Lally, agacée. Je me fais du souci pour votre réputation, laquelle, pour tout dire, est quelque peu ternie.

— Alors il vous faut en parler à ceux qui disent du mal de moi, rétorqua Flora Je n'ai rien fait qui puisse justifier ces critiques.

— Bien sûr que non, ma chère. Je le sais. Il ne s'agit pas de vos actes à proprement parler, mais de la légèreté apparente de votre comportement. Je vous parle au nom du pasteur. Il lui est difficile de discuter de ces choses-là avec une jeune fille, mais je vous assure qu'il s'inquiète à votre sujet.

— Remerciez-le de ma part, répondit Flora, les joues en feu, le regard étincelant. Et dites-lui bien que ni mon corps ni mon âme ne sont en danger. Vous pouvez considérer que vous vous êtes acquittée de votre tâche.

Sur ces mots, elle inclina la tête et s'éloigna, plantant Lally Clitheridge au beau milieu de la pièce, furieuse, les lèvres pincées.

Charlotte recula d'un pas et se retourna vivement, de crainte que Mrs. Clitheridge ne s'aperçoive qu'elle avait tout entendu. Ce faisant, elle se retrouva nez à nez avec Vespasia, qui attendait, sourcils levés, le sourire aux lèvres.

— Eh bien ? On espionne ? chuchota-t-elle.

— Oui, avoua Charlotte. J'ai appris des choses très intéressantes : Flora Lutterworth et l'épouse du pasteur ont encore eu une prise de bec à propos du Dr Shaw.

— Ah ? Laquelle le défend et laquelle l'attaque ?

— Oh, elles le défendent toutes les deux, c'est bien cela le problème !

Le sourire de Vespasia s'élargit.

— Très intéressant... et très inconvenant ! Pauvre Mrs. Clitheridge. Elle mérite mieux que son triste époux. Je ne suis pas surprise d'apprendre qu'elle est attirée par un autre homme, même si sa vertu l'empêche de se laisser aller.

Elle prit Charlotte par le bras, l'entraîna hors de portée de voix de deux femmes qui se trouvaient derrière elles, et reprit :

— Avez-vous appris autre chose ? J'imagine mal l'épouse du pasteur allant mettre le feu à la maison du bon Dr Shaw par dépit amoureux — quoiqu'en la matière rien ne soit impossible.

— Ni Flora Lutterworth, d'ailleurs, remarqua Charlotte. Dans son cas, l'intérêt qu'elle porte au Dr Shaw est peut-être payé de retour. Elle héritera d'une belle fortune, à la mort de son père.

— Vous croyez que l'argent des Worlingham ne suffira pas à Shaw et qu'il a des vues sur la fortune de Lutterworth ?

Charlotte repensa à la conversation qu'elle avait eue avec Stephen Shaw dans la bibliothèque des Worlingham. Elle gardait le souvenir d'un homme énergique, plein d'humour, de vitalité, mais surtout très honnête. L'idée qu'il fût intéressé lui était très déplaisante. Elle préférait ne pas penser que Clemency ait pu vivre avec un homme cupide. Celle-ci s'en serait rendu compte.

— Non, répondit-elle enfin. Il est fort possible que la mort de Mrs. Shaw soit liée à son combat contre les propriétaires de taudis. Mais Thomas pense que le criminel vit ici à Highgate et que la victime désignée était le Dr Shaw. Par conséquent, j'écoute et j'observe tout, afin de pouvoir lui rapporter ce que j'ai vu et entendu.

— Excellente initiative, fit Vespasia sans chercher à cacher son amusement. Après tout, Shaw a peut-être incendié sa propre maison ! Si cette hypothèse ne vous était pas venue à l'esprit, j'imagine que Thomas, lui, y a déjà pensé.

— Et pourquoi n'y aurais-je pas pensé ? fit Charlotte, vexée.

— Parce que vous aimez bien Shaw. Et que ce sentiment est partagé. Tiens, quand on parle du loup...

Stephen Shaw s'approchait d'elles. Il salua Vespasia avec courtoisie, mais son attention était centrée sur Charlotte.

Encore piquée au vif par la réflexion de Vespasia, celle-ci sentit ses joues se colorer. Shaw inclina la tête.

— Lady Cumming-Gould... Je suis heureux que vous soyez venue. Clemency...

Il tressaillit, comme si le seul fait de prononcer le prénom de son épouse touchait un nerf sensible.

— Clemency aurait été heureuse de vous savoir ici. Vous êtes l'une des rares personnes à n'être pas venue par curiosité ou pour vous montrer en société, ou encore par pure gourmandise, à l'idée d'assister au plus grand banquet jamais offert par les Worlingham depuis la mort de Theophilus.

Amos Lindsay surgit soudain à ses côtés.

— Vraiment, Stephen, parfois vous vous faites du tort en exprimant le fond de votre pensée. Certaines personnes sont ici pour des raisons très louables.

Il n'avait pas dit cela pour le vexer, mais pour l'excuser auprès de Charlotte et Vespasia.

— Néanmoins, nous devons nous restaurer, répliqua Shaw avec humeur. Mrs. Pitt, puis-je vous offrir une portion de faisan en gelée ? À première vue, c'est assez répugnant, mais ce doit être excellent.

Charlotte déclina son offre.

— Non, merci. Je n'ai ni l'envie ni le désir de manger.

— Pardonnez-moi, fit-il aussitôt avec un sourire si désarmant que l'irritation de la jeune femme s'évapora.

Quelle que fût la nature des sentiments qui unissaient

Shaw à son épouse, Charlotte compatissait à sa détresse. Il aurait certainement préféré être seul que d'avoir à garder le sourire devant toutes sortes de gens. Certains pleuraient la défunte, comme Prudence, mais d'autres étaient venus par obligation parce qu'ils étaient voisins, comme Lutterworth ; sans compter ceux qui étaient là par simple curiosité et qui avaient du mal à le dissimuler. Il était même possible que l'incendiaire se trouvât parmi eux.

— Inutile de vous excuser, lui répondit-elle en lui rendant son sourire. Vous avez de bonnes raisons de nous trouver importuns. C'est nous qui devrions nous excuser.

Il tendit la main vers elle, en signe de remerciement, puis, se rendant compte que le geste aurait paru déplacé, laissa tomber son bras. Son regard exprimait une infinie gratitude. Un instant, il s'était senti moins seul.

— C'est très aimable à vous, Mrs. Pitt. Lady Cumming-Gould, puis-je vous offrir quelque chose ?

Vespasia lui tendit son verre.

— Auriez-vous l'obligeance de m'apporter encore un peu de cet excellent bordeaux ? dit-elle aimablement. J'imagine qu'il doit vieillir dans la cave de l'évêque depuis de nombreuses années.

— Très volontiers, répondit Shaw en s'éloignant, le verre à la main.

Celeste, suivie d'Angeline en dame d'honneur, veillait à la bonne marche de la réception. Prudence Hatch fermait la marche, pâle, les yeux rougis. Charlotte se souvint tout à coup que cette dernière était la sœur de Clemency. Elle songea que si Emily avait péri dans l'incendie de sa maison, elle aurait été bien incapable d'assister à une telle cérémonie : elle serait restée cloîtrée chez elle pour pleurer. L'idée de faire des risettes à des gens qui lui étaient presque étrangers lui aurait été intolérable. Elle sourit gentiment à Prudence et ne reçut en retour qu'un regard hébété. Sans doute était-elle encore sous le choc de la mort de sa sœur. La douleur viendrait plus tard, dans des moments de solitude, lorsqu'elle comprendrait que Clemency n'était plus.

Celeste était décidée à prouver que la fille d'un évêque savait maîtriser un banquet funéraire. La conversation devait y être d'un niveau élevé et adapté aux circonstances. Elle rappela donc à l'ordre Maude Dalgetty, qui était en train de parler d'un petit livre romantique et sans prétention.

— Que mes domestiques lisent ce genre de roman à deux sous, une fois leur travail terminé, ne me dérange pas, lui fit-elle remarquer, mais cette littérature-là ne présente aucun intérêt.

À ces mots, Prudence, qui se tenait à côté d'elle, parut tour à tour inquiète, embarrassée, puis obscurément satisfaite.

— Une dame de qualité ne devrait pas lire ces livres, poursuivit Celeste. Ils sont d'une banalité confondante et flattent les sentiments les plus superficiels.

Angeline rougit.

— Tu es un peu trop sévère, Celeste. Tous ne sont pas aussi mauvais que tu le prétends. Récemment, j'ai... j'ai entendu parler d'un roman intitulé *Le Secret de Lady Pamela*, qui, paraît-il, est très émouvant et fort bien écrit.

Celeste haussa un sourcil méprisant.

— Que dis-tu ?

— Certains de ces romans reflètent les sentiments... commença Angeline, qui se tut devant le regard glacial de sa sœur.

— Je ne connais aucune femme dont ces livres puissent refléter le sentiment, affirma Celeste, bien décidée à en découdre. Ce sont de pures fictions.

Ignorant Prudence qui la dévisageait en rougissant, Celeste se tourna vers Maude.

— Je suis sûre que vous êtes d'accord avec moi. Vous et votre mari êtes si cultivés, si férus de littérature... Qu'une personne comme Flora Lutterworth lise ce genre d'histoires, je veux bien... Elle est installée depuis si peu de temps à Highgate, et avec un père négociant, la pauvre... cela n'arrange rien, bien entendu.

Maude Dalgetty soutint son regard sans ciller.

— Voyez-vous, ces livres me rappellent ma jeunesse, Miss Worlingham. J'ai beaucoup apprécié *Le Secret de Lady Pamela*. Moi aussi, je l'ai trouvé bien écrit, sans prétention, mais avec beaucoup de sensibilité.

Prudence, rouge comme une cerise, baissa les yeux vers le tapis.

— Ah, vraiment ! lâcha Celeste, qui de toute évidence aurait souhaité exprimer son désaccord avec plus de virulence.

Shaw revint auprès de Lady Vespasia et lui tendit le verre de vin, qu'elle accepta avec un léger signe de tête. Il observa toutes ces dames, intrigué, et nota l'embarras de sa belle-sœur.

— Tout va bien, Prudence ? demanda-t-il avec plus de sollicitude que de tact.

Elle sursauta, lui lança un regard affolé et rougit de plus belle.

— Tout va bien ? répéta-t-il. Désirez-vous aller vous reposer ?

— Non, non, je me sens très bien ! dit-elle avec un reniflement vexé.

Amos Lindsay s'approcha d'elle, jeta un coup d'œil à Shaw et la prit gentiment par le bras.

— Venez, ma chère... Un peu d'air vous fera du bien.

Sans attendre de réponse, il l'entraîna loin du bruit vers un lieu plus retiré.

— Pauvre Prudence, murmura Angeline. Elle aimait beaucoup sa sœur.

— Nous l'aimions tous, renchérit Celeste.

Un instant, elle parut se perdre dans ses souvenirs, et son visage refléta une certaine tristesse. Charlotte se demanda si ses airs condescendants et autoritaires n'étaient pas sa façon à elle de surmonter son chagrin. Pensait-elle aux amours qu'elle n'avait pas vécues ou auxquelles elle avait dû renoncer ? Elle avait sans doute beaucoup aimé et admiré ce père à qui elle devait fortune, maison, toilettes, domestiques ; mais peut-être l'avait-elle haï pour tout ce que son devoir filial lui avait coûté.

— Je parle des Worlingham, reprit enfin Celeste, en jetant à Shaw un regard plein d'aversion. Les liens du sang sont indéfectibles et restent étrangers à toute personne extérieure, en particulier dans une famille comme la nôtre, où l'héritage culturel est très riche.

Shaw frémit sous l'insulte, mais elle l'ignora et poursuivit :

— Jamais je n'oublierai cet héritage, qui implique une lourde responsabilité. Notre cher papa, le grand-père de Clemency, fut l'une des personnalités les plus marquantes de notre temps. En dehors de ses descendants directs, seul Josiah paraît se souvenir de l'être merveilleux qu'il était.

— En effet, intervint brusquement Shaw. Josiah était bien le seul à apprécier ce vieil hypocrite, cuistre et tyrannique, égoïste, imbu de lui-même...

Les joues de Celeste s'empourprèrent. Sa volumineuse poitrine se souleva à un rythme saccadé, faisant étinceler les perles de jais de son collier.

— Comment osez-vous ?... Si vous ne présentez pas des excuses sur-le-champ, je vous prierai de quitter cette maison.

Angeline se dandinait d'un pied sur l'autre.

— Stephen, vraiment, vous allez trop loin, geignit-elle. C'est impardonnable. Papa était un saint.

Charlotte songea que Shaw avait sans doute raison sur le fond, mais qu'il avait eu tort de le clamer ainsi en public. Elle cherchait quelque chose à dire pour sauver la situation quand la voix apaisante de Lady Cumming-Gould s'éleva dans le silence.

— Les saints sont souvent difficiles à vivre, du moins pour ceux qui partagent leur quotidien... Attendez ! ajouta-t-elle, voyant la mine de Shaw s'assombrir. Je ne défends pas l'idée que Monseigneur Worlingham fût nécessairement un saint.

Elle l'arrêta d'un geste et, du regard, fit taire toute protestation sur ses lèvres.

— C'était un homme aux opinions très arrêtées ; ce genre de personne suscite toujours la controverse, Dieu merci. Qui voudrait d'une nation de moutons acquiesçant sans broncher à tout ce que l'on peut lui dire ?

Ces quelques mots parvinrent à calmer Shaw. Quant à Celeste et Angeline, leur honneur était sauf. Charlotte, désireuse de dévier la conversation, s'entendit complimenter ces demoiselles sur la beauté des lis disposés sur la table.

— Ils sont superbes ! s'extasia-t-elle. Où trouvez-vous des corolles aussi épanouies en cette saison ?

— Oh, nous les cultivons dans le jardin d'hiver, se rengorgea Angeline, ravie. Ces fleurs réclament des soins constants...

Elle se lança dans une leçon sur la culture des liliacées, de la plantation du bulbe à la coupe de la hampe. Tous l'écoutaient religieusement, soulagés que la conversation ait enfin repris un tour ordinaire. Lorsqu'elle eut épuisé le sujet, chacun s'excusa poliment et s'éloigna, prétextant avoir aperçu une connaissance. Charlotte échangea quelques mots avec Maude Dalgetty, puis, en allant prendre des nouvelles de Prudence, rencontra John Dalgetty qui entreprit de lui parler du dernier article qu'il avait publié, et qui traitait de la liberté d'expression.

— C'est l'un des droits sacrés de l'homme civilisé, Mrs. Pitt, dit-il en se penchant vers elle, le visage tendu. Quel dommage que tant de personnes bien intentionnées, mais ignorantes et craintives, veuillent toujours nous enchaîner à leurs vieilles idées ! Prenez Pascoe, par exemple ..

Il eut un signe de tête en direction de ce dernier, pour s'assurer que Charlotte comprenait bien de qui il parlait.

— Un brave homme, à sa façon, mais qui redoute

toute idée nouvelle. Cela n'aurait guère d'importance, s'il se contentait de parler en son nom, mais il veut emprisonner nos esprits dans ce qu'il croit être la panacée...

Sa voix était montée d'un cran sur les derniers mots

Charlotte le jugea fort sympathique. Elle se souvenait de sa propre indignation quand son père lui avait interdit, ainsi qu'à ses sœurs, la lecture de la presse. Elle avait alors eu l'impression que la connaissance de toutes les choses passionnantes qui se passaient dans le monde lui était interdite. Elle avait dû ruser et soudoyer Maddock, le majordome, afin qu'il lui prête les journaux en cachette. Elle se plongeait alors dans les pages politiques, s'arrêtant sur chaque mot, s'imprégnant de tous les événements d'actualité. Si on lui avait supprimé ces quelques minutes de lecture quotidienne, c'eût été pour elle comme si on lui avait verrouillé tout accès au monde extérieur.

— Je suis d'accord avec vous, acquiesça-t-elle avec enthousiasme. Les gens doivent pouvoir être libres de penser ce qu'ils veulent.

— Vous avez tout à fait raison, Mrs. Pitt. Hélas, tout le monde n'est pas de votre avis. Pascoe et ses semblables prétendent décider à la place des autres. Ce n'est pas un homme désagréable, loin de là — j'imagine que vous le trouveriez charmant —, et pourtant il fait preuve d'une arrogance inimaginable.

Pascoe, ayant entendu cette dernière phrase, joua des coudes au milieu d'un groupe d'hommes qui parlaient finance et vint se planter devant son adversaire.

— Ce n'est pas de l'arrogance, Dalgetty, fit-il d'une voix lourde de colère contenue. Moi, j'ai le sens des responsabilités. Publier le premier article qui vous tombe sous la main, sans vous préoccuper de son contenu ni de ceux qu'il pourrait heurter, je n'appelle pas cela de la liberté d'expression, mais de l'abus d'impression. Le premier imbécile venu s'installant au coin de la rue pour hurler tout ce qui lui passe par la tête ne ferait pas mieux !

— Et qui peut juger s'il a raison ou tort ? s'emporta Dalgetty, les yeux étincelants. Croyez-vous pouvoir être l'arbitre définitif de ce que le monde entier doit croire ? Pour qui vous prenez-vous, pour savoir quelles sont nos espérances, nos aspirations ? Comment un simple être humain peut-il empêcher l'humanité de rêver à un monde meilleur ?

Pascoe était tout aussi furieux. Les pommettes en feu, il tremblait de rage devant la mauvaise foi évidente de Dalgetty.

— Vous vous trompez ! s'écria-t-il. Il ne s'agit pas d'empêcher les gens d'espérer ni de rêver, vous le savez parfaitement. Il s'agit de les empêcher de provoquer des cauchemars.

En disant cela, il battit l'air de ses bras, rabattant le chapeau à plumes d'une dame qui passait par là. Sans même s'excuser auprès d'elle, il reprit :

— Vous n'avez pas le droit de détruire les rêves des gens en vous moquant d'eux ! C'est vous qui êtes arrogant, pas moi.

— Espèce de... minus habens ! se vengea Dalgetty. Crétin ! Cornichon ! Vous proférez des âneries qui reflètent à merveille le bourbier de votre pensée. On ne peut construire des idées nouvelles qu'en réfutant les anciennes, cela tombe sous le sens !

— Et si ces idées nouvelles sont mauvaises et dangereuses ? s'indigna Pascoe, en fendant l'air de la main. Si elles n'ajoutent rien à la connaissance et au bonheur de l'humanité, hein ? Cornichon vous-même ! Vous n'êtes qu'un gamin ignare, prônant des idées destructrices !

La dispute avait fini par attirer l'attention de toutes les personnes présentes. Les conversations s'étaient tues. Hector Clitheridge, extrêmement embarrassé, s'approcha d'eux en agitant les bras en tous sens.

— Mr. Pascoe, s'il vous plaît ! Messieurs, voyons ! Souvenez-vous que le Dr Shaw...

Mal lui en prit ! La simple mention de ce nom revenait à agiter un chiffon rouge devant un taureau !

— Justement, parlons-en ! rugit Pascoe. L'exemple parfait de...

Dalgetty lui coupa la parole.

— Oui, l'exemple parfait de l'honnête homme, qui abhorre l'idolâtrie, surtout celle de valeurs indignes et déshonorantes...

Pascoe trépignait sur place.

— Vous prétendez donc décider des valeurs à conserver et de celles à détruire ? s'étrangla-t-il.

Dalgetty explosa.

— Espèce d'âne bâté ! hurla-t-il, écarlate. Imbécile patenté !

— Mr. Dalgetty... voyons, intervint Clitheridge, en vain. Messieurs...

Eulalia vint à son secours, le visage ferme et autoritaire, telle une gouvernante sévère s'apprêtant à morigéner des enfants. Elle lança à Dalgetty un bref regard méprisant, puis, l'ignorant complètement, s'adressa à son adversaire d'une voix sèche.

— Mr. Pascoe, votre attitude est scandaleuse. Avez-vous oublié où vous vous trouvez ? D'ordinaire, vous savez vous tenir en société. Ne réalisez-vous pas que vous pouvez heurter la sensibilité de certaines personnes, déjà douloureusement affligées ?

L'attitude de Pascoe changea du tout au tout. Il prit un air penaud et confus. Mais Eulalia n'avait pas l'intention de s'arrêter là.

— Imaginez ce que doit ressentir cette pauvre Prudence. Une tragédie ne suffit-elle pas ?

— Je suis désolé, bredouilla Pascoe, qui avait oublié sa querelle avec Dalgetty. J'ai honte de m'être emporté. Comment pourrais-je me faire pardonner ?

— Vous êtes impardonnable, répondit Eulalia, impitoyable. Mais essayez toujours...

Elle se tourna alors vers Dalgetty qui courba le dos, sentant venir l'orage.

— Je ne m'attends pas à ce que vous montriez la moindre considération à l'égard des opinions d'autrui. La liberté est votre credo et vous êtes prêt à sacrifier n'importe qui sur son autel.

— Ce que vous dites est injuste, Mrs. Clitheridge, remarqua-t-il, chagriné. Je désire libérer les hommes, c'est vrai, non les blesser. Je ne souhaite que leur bien.

— Ah ? fit-elle en haussant les sourcils. Eh bien, à première vue, vous n'y parvenez pas ! Vous devriez sérieusement reconsidérer vos hypothèses — et leurs résultats. Vous n'êtes qu'un imbécile.

Ayant là sorti la plus incroyable tirade de son existence, Eulalia rosit d'émotion, ce qui la rendit plus jolie qu'elle n'avait jamais été. L'audace de ses propos l'affolait, et le fait d'avoir seule sauvé l'assistance d'une situation embarrassante venait seulement de lui apparaître. Elle rougit de plus belle en voyant tous les regards rivés sur elle et battit précipitamment en retraite. Pour une fois, il aurait été ridicule de prétendre qu'elle était simplement venue au secours de son mari. Celui-ci levait les bras au ciel, la bouche ouverte, à la fois soulagé, inquiet et un peu contrarié.

— Bravo, Lally, fit Shaw à voix basse. Vous avez été magnifique. Nous avons tous été dûment remis à notre place.

Il s'inclina légèrement devant elle et alla se placer près de Charlotte.

Pour le coup, Eulalia devint cramoisie. Son émotion était si grande qu'elle faisait peine à voir.

— Vraiment... protesta Clitheridge.

Personne ne sut ce qu'il s'apprêtait à dire — si tant est qu'il le sût lui-même — car Shaw l'interrompit.

— J'ai l'impression de me retrouver au jardin d'enfants, mais c'est peut-être là où nous devrions tous être...

Il regarda Dalgetty et Pascoe d'un air plus amusé que coléreux. Il ne leur tenait pas rancune d'avoir perturbé la réception. Charlotte eut l'impression qu'au fond il était plutôt satisfait de cet esclandre, qui lui avait permis d'oublier quelques instants son chagrin. Il paraissait même décidé à maintenir la tension, voire à raviver la dispute.

— Il y a bien longtemps que nous avons quitté les bancs de l'école, docteur Shaw, dit-elle en le prenant par le bras. Les chamailleries sont parfois très amusantes, mais l'endroit n'est vraiment pas indiqué. Si nous étions suffisamment adultes, nous cesserions d'être égoïstes. Je suis sûre que vous êtes d'accord avec moi.

Elle n'en était pas certaine, mais n'avait pas l'intention de se laisser contredire.

— Vous m'avez dit que les demoiselles Worlingham possédaient un magnifique jardin d'hiver. J'ai pu admirer sur la table les lis qui proviennent de leur serre. Auriez-vous l'amabilité de me le faire visiter ?

— Bien entendu. Vous m'en voyez ravi, acquiesça-t-il avec enthousiasme. Rien ne me ferait plus plaisir.

Il lui offrit son bras et lui fit traverser toute la salle à manger. Charlotte se retourna et vit par-dessus son épaule Lally Clitheridge qui fixait sur elle un regard tellement chargé de haine qu'il resta toute la soirée gravé dans sa mémoire. Elle y pensait encore en arrivant chez elle, prête à raconter à Pitt les impressions que lui avait laissées cette journée.

6

Pitt fut réveillé au beau milieu de la nuit par des coups sourds et répétés frappés à sa porte. Tout ensommeillé, il finit par s'extraire de son lit. À ses côtés, Charlotte bougea dans son sommeil.

— Il y a quelqu'un en bas, marmonna-t-il en attrapant ses vêtements.

Il n'avait aucun espoir de retourner se coucher : si l'on frappait à sa porte avec autant d'obstination, c'est que l'on avait absolument besoin de ses services. Il enfila son pantalon, y fourrant maladroitement les pans de sa chemise, descendit l'escalier en chaussettes — il laissait toujours ses bottes au chaud, devant la cuisinière — puis alluma la veilleuse du vestibule et déverrouilla la porte.

Le froid de la nuit le fit frissonner. Il aperçut, dans la brume, le visage blafard de l'agent Murdo ; celui-ci tenait haut sa lanterne sourde qui jetait une lumière jaunâtre sur le pavé. Pitt distingua, quelques mètres plus loin, les contours d'un cab et la silhouette du cocher, enveloppé dans son grand manteau ; les flancs du cheval fumaient.

La pâleur inhabituelle de Murdo faisait ressortir ses taches de rousseur, ce qui donnait à ses traits une expression juvénile.

— Un autre incendie ! expliqua-t-il, bouleversé, omettant, dans son émotion d'ajouter « monsieur ». La maison d'Amos Lindsay.

— C'est grave ? demanda Pitt.

La question était de pure forme.

Murdo eut peine à contenir le tremblement de sa voix.

— Terrible. Je n'ai jamais rien vu de pareil. On sent la chaleur à plus de cent mètres, dans la rue. Il faut se protéger les yeux pour pouvoir regarder la scène. Mon Dieu, comment peut-on faire une chose pareille ?

— Entrez, dit Pitt. Il fait froid. Je vais chercher mes bottes dans la cuisine.

Il tourna le dos à Murdo, le laissant libre d'attendre dehors ou de le suivre.

Celui-ci referma la porte et s'engagea dans le couloir derrière lui, sur la pointe des pieds.

Une fois dans la cuisine, Pitt alluma la lampe à gaz, s'assit sur une chaise, enfila ses bottes et entreprit de les lacer. Murdo tendit ses mains au-dessus du poêle, heureux de pouvoir se réchauffer. Son regard glissa sur la table de bois ciré, les tasses de porcelaine alignées sur le buffet, puis remonta vers le linge séchant sur l'étendoir à poulie. Ses traits se détendirent imperceptiblement.

Charlotte apparut dans l'encadrement de la porte, pieds nus, en chemise de nuit. Pitt lui adressa un petit sourire triste.

— Que se passe-t-il ? demanda-t-elle en regardant les deux hommes tour à tour.

— Un incendie.

— Où cela ?

— Chez Amos Lindsay. Retournez vous coucher, ajouta Pitt avec douceur. Vous allez attraper froid.

Charlotte demeura immobile, très pâle. La cascade de ses cheveux cuivrés brillait à la lueur de la lampe.

— Qui se trouvait dans la maison ? demanda-t-elle à Murdo.

— Je ne sais pas, madame. Nous ne sommes pas sûrs... Quand je suis parti, les pompiers essayaient de sauver les domestiques ; le brasier est si violent...

Il s'interrompit, pensant qu'il ne fallait peut-être pas évoquer une telle scène devant une dame.

— Eh bien ? reprit-elle.

— Il vous brûle le visage et vous roussit les cils et les sourcils, conclut-il, gêné, en lançant un regard malheureux en direction de Pitt.

Celui-ci était prêt. Il embrassa Charlotte sur la joue et la poussa gentiment vers l'escalier.

— Retournez au lit, répéta-t-il. Si vous restez là, vous allez prendre froid et cela ne nous avancera à rien.

— Pouvez-vous me faire savoir... commença-t-elle.

Puis elle se tut, se rendant compte qu'elle lui demandait de lui envoyer un messager, simplement pour dissiper son angoisse, ou au contraire la confirmer. Un agent serait obligé de se déplacer, alors qu'on risquait de manquer d'hommes sur place pour accomplir des tâches plus urgentes, comme s'occuper des blessés et des personnes commotionnées.

— Pardonnez-moi.

Pitt lui sourit avec tendresse, comprenant son inquiétude, puis quitta la cuisine avec Murdo et referma la porte d'entrée derrière eux.

— Des nouvelles de Shaw ? demanda-t-il en montant dans le cab, qui s'ébranla aussitôt la portière refermée.

Le cheval passa rapidement du trot au petit galop. Ses sabots ferrés résonnaient sur la chaussée. La voiture oscillait dangereusement, projetant ses deux passagers l'un contre l'autre, ou contre les parois du véhicule, selon les tournants que prenait le cocher.

— Honnêtement, je ne sais pas, monsieur. Nous ne l'avons pas vu, dans cette fournaise. C'est mauvais signe.

— Et Lindsay ?

— Nous ne l'avons pas vu non plus.

— Mon Dieu, quelle histoire ! grommela Pitt entre ses dents.

À cet instant, le cab fit une embardée : Pitt sentit deux des roues se soulever et retomber lourdement sur les pavés inégaux avec une secousse qui résonna dans tout son corps.

Durant le long et pénible trajet jusqu'à Highgate, les deux hommes demeurèrent silencieux, chacun plongé dans ses pensées, imaginant le cauchemar qu'ils allaient bientôt affronter. Le souvenir des pompiers sortant le corps calciné de Clemency Shaw était gravé dans leur mémoire.

Ils aperçurent le sinistre rougeoiement dès qu'ils quittèrent Kentish Town Road pour tourner dans Highgate Road. Arrivé au début de Highgate Rise, le cab stoppa brutalement et le cocher sauta à terre pour leur ouvrir la portière.

— Je peux pas aller plus loin !

Dès que Pitt descendit de voiture, il fut enveloppé par une chaleur ardente et une âcre fumée qui piquait les yeux et la gorge ; le ronflement du feu était assourdissant. Le ciel tout entier semblait embrasé. Des gerbes d'étincelles jaunes et blanches fusaient dans la nuit à des dizaines de mètres de hauteur, puis retombaient en pluie de cendres incandescentes. La rue grouillait de voitures de pompiers et les chevaux hennissaient de terreur chaque fois que des débris enflammés tombaient autour d'eux. Les hommes s'agrippaient aux rênes pour tenter de les calmer, dans la confusion la plus totale.

Les tuyaux des lances d'incendie étaient reliés aux étangs de Highgate. Les hommes se passaient des outres de cuir de main en main, essentiellement dans le but de protéger les maisons environnantes, car on ne pouvait plus rien pour celle de Lindsay. Pitt et Murdo, debout au milieu de la chaussée, virent un pan du dernier étage s'effondrer et les poutres voler en l'air. Une gigantesque flamme d'une quinzaine de mètres de haut s'éleva dans le ciel ; sa chaleur les obligea à reculer sur le trottoir opposé et à se réfugier derrière une haie.

Un cheval poussa un hennissement terrifié lorsqu'une poutre enflammée s'abattit sur son encolure. Aussitôt, une odeur de crin et de chair brûlés emplit l'air. Fou de douleur, il s'élança en avant, arrachant les rênes des mains du conducteur. Un pompier eut le réflexe de s'emparer d'un seau d'eau et de le jeter sur son dos. Pitt se précipita sur l'animal et tira sur la bride de toutes ses forces pour l'arrêter. Murdo ôta sa veste, la plongea dans un seau d'eau et la maintint sur l'encolure.

Le capitaine des pompiers s'avança vers eux, le visage noirci et égratigné, les sourcils roussis, les yeux rougis par la fumée. Ses vêtements étaient déchirés, maculés de boue et de charbon de bois.

— Nous avons sauvé les domestiques ! cria-t-il avant d'être pris d'une quinte de toux incontrôlable.

Il leur fit signe de le suivre vers un endroit retiré où l'air était à peu près respirable, le grondement des flammes, le bris des pierres et l'éclatement des poutres moins assourdissants.

— Mais nous n'avons pas réussi à sauver les deux gentlemen, dit-il d'une voix brisée.

Il n'ajouta pas qu'il n'y avait plus d'espoir de les retrouver vivants. Aucun être humain n'aurait pu survivre dans une telle fournaise.

Pitt s'en doutait, mais l'entendre dans la bouche d'un homme qui luttait depuis des années contre le feu pour sauver des vies humaines était d'autant plus terrible. Il se rendit compte à quel point il appréciait Shaw, même si l'idée l'avait effleuré qu'il pût être l'assassin de sa femme. Quant à Lindsay, Pitt ne l'avait jamais soupçonné, et il avait même éprouvé pour lui un élan de sympathie en apprenant qu'il connaissait Nobby Gunne. Pour l'instant, il était sous le choc de l'événement. L'heure de la colère viendrait plus tard.

Il se tourna vers Murdo, visiblement très choqué lui aussi. Engagé depuis peu dans la police, il venait d'assister, en l'espace de quelques jours, à deux incendies entraînant mort d'hommes.

— Venez, dit-il en lui prenant le bras. Nous n'avons pu empêcher l'incendiaire de récidiver, mais il faut l'arrêter avant qu'il — ou elle — ne mette le feu à tout le quartier. Après tout, il peut s'agir d'une femme.

— Quelle femme ferait une chose pareille ? se récria Murdo, stupéfait, en retirant vivement son bras.

— Une femme consumée par la haine est tout aussi capable d'avoir recours à la violence, vous savez.

— Oh, non, monsieur... C'est impossible !

Pour Murdo, une femme pouvait avoir une langue de vipère, vous rebattre les oreilles de ses critiques, mener son monde à la baguette, faire preuve de cupidité, de froideur, d'aigreur, de mauvaise foi évidente, mais de là à incendier une maison...

Une foule de souvenirs revint à la mémoire de Pitt.

— Certains des crimes les plus affreux sur lesquels j'ai enquêté ont été commis par des femmes. Et j'avoue les avoir parfois comprises, et prises en pitié... Nous savons si peu de choses sur cette affaire, du moins rien des passions qui la sous-tendent.

Murdo réfléchit.

— Voyons... Les Worlingham sont très riches. Alfred Lutterworth aussi. Pascoe et Dalgetty se détestent. Mais je ne vois pas là de lien avec la mort de Mrs. Shaw...

Il chercha des arguments plus pertinents.

— Lindsay écrit des pamphlets révolutionnaires qu'approuvait le Dr Shaw. Là encore, je ne vois pas de rapport avec le décès de Mrs. Shaw.

— Ce n'est pas une raison pour faire brûler vif ses voisins ! souligna Pitt, amer. Non, Murdo. Nous ne savons rien. Il nous faut chercher encore.

Il tourna les talons et repartit voir le capitaine des pompiers, qui envoyait ses hommes protéger les maisons les plus proches du sinistre.

— Savez-vous si le feu a été allumé de la même façon que chez les Shaw ? cria-t-il.

L'homme tourna vers lui un regard malheureux.

— Probablement. Il a pris très vite. Deux personnes nous ont prévenus. L'une a vu les flammes s'élever côté rue, l'autre de l'arrière de la maison. Cela fait au moins deux endroits de mise à feu. Mais vu la vitesse à laquelle il s'est propagé, à mon avis, il devait y en avoir d'autres.

— Vous avez sauvé les domestiques, mais non Lindsay et Shaw. Le feu est donc parti du bâtiment principal.

— Apparemment, oui. Mais lorsque nous sommes arrivés, il avait déjà gagné presque toute la surface de la maison. L'un de mes hommes est sérieusement brûlé, et un autre s'est cassé la jambe, en aidant les domestiques à s'échapper.

— Où sont-ils, à présent ?

— Je l'ignore. Un bonhomme en soutane courait partout en leur proposant de l'aide, il nous embêtait plutôt qu'autre chose. La femme qui l'accompagnait paraissait plus efficace. Deux autres personnes présentes ont pensé à apporter des couvertures. Je ne me suis plus occupé des domestiques, dès lors qu'ils étaient hors de danger. Je pourrai répondre à ces questions demain.

— Avez-vous sauvé le cheval ? demanda Pitt subitement, sans trop savoir pourquoi il posait cette question.

Le capitaine fronça les sourcils.

— Quel cheval ?

— Le Dr Shaw possédait un buggy.

Le capitaine héla un pompier qui passait non loin, en boitant.

— Charlie !

Celui-ci s'arrêta et se dirigea vers eux. Lui aussi avait les cheveux et les sourcils roussis, les yeux rougis. Il paraissait exténué.

— Monsieur ?

— Quand vous êtes passé derrière, avez-vous sorti le cheval ?

— Il y avait pas de cheval, monsieur. J'ai bien regardé partout. Je peux pas supporter de voir un animal brûler vif.

— Mais si, il y avait une jument, insista Pitt. Le Dr Shaw possédait un cabriolet, dont il se servait pour aller visiter ses patients.

— J'ai pas vu de voiture non plus, affirma le pompier. L'écurie était encore debout quand nous sommes arrivés. Pas de jument, pas de buggy. Ou bien il était garé ailleurs, ou bien le médecin était sorti.

Sorti ! Était-il possible que Shaw ait été appelé par un patient ? C'eût été un miracle. Ne retrouverait-on que les restes calcinés de ce pauvre Lindsay ?

Qui pouvait être au courant ? À qui poser la question ? Pitt scruta le ciel embrasé : partout s'élevaient de longues flammes et des gerbes d'étincelles ; les déflagrations continuelles et le grondement du feu ne faiblissaient pas. Soudain, il aperçut, au bout de la rue, derrière l'écran de fumée et la masse confuse de voitures, de chevaux, de seaux, d'échelles, d'hommes épuisés et blessés, les silhouettes de Prudence et Josiah Hatch. Ils se tenaient un peu à l'écart l'un de l'autre, chacun plongé dans son chagrin et sa souffrance. Le révérend Clitheridge arpentait la chaussée, soutane au vent, une flasque à la main. Lally enveloppait d'une couverture les épaules d'une petite bonne qui tremblait de la tête aux pieds. Le valet de Lindsay, l'homme aux cheveux noirs et lisses, seul, hébété, regardait le spectacle avec des yeux de somnambule.

Pitt fit le tour des voitures et se fraya un chemin parmi les pompiers en direction du petit groupe. Alors qu'il traversait la chaussée, il entendit un bruit de sabots qui se rapprochait ; machinalement il tourna la tête dans sa direction. Il ne pouvait s'agir d'une voiture de secours puisque l'on n'entendait pas le carillon des cloches.

C'était un cabriolet, lancé au grand galop, dont les roues tressautaient et semblaient voler au-dessus des pavés. Pitt sut avant de le reconnaître qu'il s'agissait de celui du médecin. Il ressentit un immense soulagement, aussitôt suivi d'un sombre pressentiment. Si Shaw était vivant, il se pouvait qu'il ait mis le feu aux deux maisons. Mais pourquoi à celle de Lindsay ? Au cours des quelques jours qu'il venait de passer chez son ami, il s'était peut-être trahi par un mot, une phrase ou même un silence. L'hypothèse lui répugnait et pourtant, par honnêteté intellectuelle, Pitt ne pouvait la laisser de côté.

— Pitt ! cria Shaw en sautant du cabriolet.

Il ne prit même pas la peine d'attacher sa jument, la laissant libre d'errer à sa guise. Il s'empara du bras du policier, manquant de lui faire perdre l'équilibre.

— Que s'est-il passé ? Où est Amos ? hurla-t-il, horrifié. Et les domestiques ?

Pitt tenta de le calmer.

— Ils sont sains et saufs. Hélas, les pompiers n'ont pas pu sortir Mr. Lindsay. Je suis désolé.

— Non !

Shaw poussa un grand cri et s'élança tête baissée vers la maison en flammes, bousculant tout sur son passage. Pitt demeura un instant sans réaction, puis courut derrière lui. En sautant par-dessus un tuyau d'incendie, il heurta par inadvertance un pompier qui tomba à la renverse. Il rattrapa Shaw au moment où celui-ci s'apprêtait à se jeter dans la fournaise et le plaqua au sol, lui coupant la respiration.

— Vous ne pouvez rien faire ! s'égosilla-t-il pour se faire entendre. Vous y resterez vous aussi !

Shaw se mit à tousser, se débattit pour se relever et se retrouva à quatre pattes.

— Mais Amos est dedans ! vociféra-t-il d'une voix proche de l'hystérie. Je dois y aller !

Soudain, il comprit que toute tentative de sauver son ami était vaine. Quelque chose se brisa en lui : il n'opposa aucune résistance quand Pitt l'aida à se remettre debout.

— Venez, si vous ne voulez pas brûler vif.

— Pardon ? dit Shaw, indifférent, fasciné par les flammes.

La chaleur leur brûlait la peau. Il plissa les yeux pour se protéger de la lumière aveuglante.

— Reculez, vite ! cria Pitt au moment où une poutre enflammée s'écrasait sur le sol dans une gerbe d'étincelles.

Il saisit Shaw par le bras et le tira comme il l'aurait fait avec un animal terrorisé. Un instant, il crut que le médecin allait s'écrouler, mais celui-ci lui obéit enfin et le suivit en trébuchant, sans regarder où il marchait. Pitt aurait voulu trouver des paroles de réconfort, mais à quoi bon ? Le seul homme qui comprenait Shaw, qui ne s'offusquait pas de ses réflexions blessantes, qui savait lire ses pensées, était mort. En quelques jours, Shaw venait de perdre deux êtres aimés. Que lui dire qui ne fût vain ou offensant ? Prononcer des mots creux ne servirait qu'à montrer son incapacité à comprendre sa véritable douleur. Le silence, lui, au moins, la respectait, mais laissait à Pitt un triste sentiment d'impuissance.

Le pasteur avançait vers eux d'une démarche hésitante, à la fois effrayé et désireux d'offrir ses services. Visiblement, il ne savait quel soutien moral apporter, mais il était déterminé à ne pas fuir ses obligations. La jument du médecin lui donna l'occasion de se rendre utile : des débris enflammés tombèrent juste à côté d'elle, elle se cabra et chercha à se débarrasser de son harnachement. Clitheridge, comprenant aussitôt la situation, agrippa les rênes au niveau du mors et pesa de tout son poids contre la bête pour la stopper dans son élan.

— Là, là, du calme, du calme, tout va bien, ma fille.

Par miracle, il parvint pour une fois à ses fins. La jument s'arrêta et se tint tranquille, frissonnante, roulant des yeux effarés.

— Calme, répéta-t-il posément

La prenant par la bride, il s'éloigna pour l'emmener loin du bruit et de la foule, et surtout loin de Shaw

Celui-ci se détourna en vacillant.

— Les domestiques, dit-il enfin. Où sont-ils ? Y a-t-il des blessés ?

— Aucun n'est sérieusement atteint, expliqua Pitt. Ne vous inquiétez pas.

Alors que Clitheridge s'éloignait avec le buggy, Pitt vit, à la lueur des flammes, un jeune homme au visage émacié s'avancer vers eux : il reconnut Matthew Oliphant, le vicaire. Il portait un manteau trop large pour ses maigres épaules, ce qui lui donnait l'air d'un épouvantail. Il s'adressa à Shaw d'une voix calme et posée.

— Docteur Shaw, il ne sert à rien de rester ici. Je suis logé chez Mrs. Turner, là-haut, à West Hill. Elle a des chambres libres, vous pouvez vous y installer aussi longtemps que vous le souhaiterez. Une tasse de thé bien chaud et un brin de toilette vous feront le plus grand bien. Demain, vous y verrez plus clair.

Shaw ouvrit la bouche pour protester, puis se rendit compte qu'Oliphant, loin de lui prodiguer des mots banals de réconfort, lui proposait une aide concrète. Il lui rappelait aussi que, dès le lendemain, il aurait des visites à faire et des patients à recevoir, des blessés à soigner.

— Je n'ai plus rien, murmura-t-il. J'ai tout perdu.

— Vous trouverez le nécessaire chez moi, le rassura le jeune homme. Rasoir, savon, chemise propre, tout ce qui m'appartient est à vous.

Shaw essaya de se raccrocher à l'illusion que rien ne s'était passé, qu'il pouvait remonter le temps, alors que, s'il partait, tout deviendrait irrémédiable, comme si accepter la réalité la rendait tangible. Pitt connaissait ce sentiment irrationnel, si fort que les gens préféraient s'attarder sur les lieux du drame ; s'en aller revenait pour eux à accepter son existence, à lui donner une réalité.

— Les domestiques, répéta Shaw. Que vont-ils devenir ? Où vont-ils dormir ? Je dois...

Il s'agitait, cherchant désespérément à offrir son aide.

Oliphant hocha la tête et expliqua d'une voix calme :

— May et Mrs. Wiggins dormiront chez Mr. et Mrs. Hatch. Jones restera chez les Clitheridge.

Shaw le dévisagea en silence. Deux pompiers passèrent à côté d'eux, en soutenant un troisième.

— Nous leur chercherons du travail dès demain, poursuivit le vicaire. Beaucoup de gens ici ont besoin d'un personnel de confiance, et qualifié. Ne vous faites pas de souci pour eux. Ils ont eu très peur, mais ils sont sains et saufs. Ils ont surtout besoin d'être sûrs de ne pas dormir dans la rue et de passer une bonne nuit de sommeil.

Shaw le regardait avec incrédulité.

— Venez, répéta Oliphant. Vous n'aiderez personne en restant ici.

— Mais je ne peux pas partir comme ça ! Mon ami est là-dedans !

Impuissant, il regardait les derniers pans de murs s'effondrer et les madriers finir de se consumer. Il cherchait des mots pour expliquer le tumulte d'émotions qui l'envahissait, mais en vain. Des larmes coulaient sur ses joues. Il agitait ses bras raidis, comme s'il voulait bouger, sans savoir vraiment où aller.

— Il faut partir, insista Oliphant. Il n'y a plus personne ici. Demain, de nombreux malades auront besoin d'un médecin, des gens qui vous font confiance et comptent sur vous.

L'horreur qui se peignait sur le visage du médecin se mua peu à peu en une sorte d'hébétude. Enfin, sans un mot, il suivit le vicaire en traînant les pieds, les épaules voûtées, comme un homme meurtri et complètement exténué.

Pitt le regarda s'éloigner, déchiré entre différentes émotions : pitié pour la douleur de Shaw, fureur devant ce gâchis et colère contre lui-même de ne pas savoir qui blâmer, qui réconforter, qui poursuivre et qui punir. Il avait l'impression d'avoir accumulé en lui un torrent de sentiments contradictoires qui ne pouvaient se libérer que dans l'action.

Il laissa Shaw et Oliphant et partit à la recherche de Murdo. Ils devaient aller interroger les voisins pour savoir s'ils avaient remarqué, avant le début de l'incendie, une silhouette, une lueur, un mouvement près de la maison de Lindsay.

À l'idée d'accompagner Pitt chez les Lutterworth, Murdo sentit un grand émoi naître dans son cœur. Même loin de la chaleur du brasier, son visage continuait de le brûler, ses yeux et sa gorge picotaient, la fumée le faisait pleurer. Il avait une grosse cloque sur la main, là où un brandon brûlant était tombé. Mais il avait froid et frissonnait, en dépit du manteau qu'Oliphant lui avait procuré.

Il pensa à la splendeur de la demeure des Lutterworth, à ses tapis, ses tableaux, ses lourdes tentures de velours. Il n'avait vu pareille magnificence que chez les sœurs Worlingham, où le luxe avait un petit côté vieillot, alors que chez les Lutterworth tout était neuf. Mais plus intense encore était la vision des grands yeux noirs de Flora, si francs, si directs. La demoiselle se tenait toujours la tête haute, le menton relevé. Il aimait particulièrement ses mains, les plus belles mains qu'il ait jamais vues, longues et fuselées, aux ongles parfaits, pas comme les mains grassouillettes des femmes oisives qui ne font jamais rien de leurs dix doigts.

Plus il pensait à Flora, plus il marchait d'un pas léger sur le trottoir givré. Cependant, il redoutait le moment où Pitt abattrait le heurtoir à tête de lion sur la grande porte de chêne jusqu'à ce que tout le monde soit réveillé. Un valet furieux et méprisant viendrait leur ouvrir la porte. Ils devraient patienter longtemps, leurs manteaux dégouttant sur le beau tapis, que Lutterworth veuille bien descendre. Ensuite Pitt lui poserait des questions déplacées, qui ne les mèneraient à rien et qui, de toute façon, auraient pu attendre le lendemain.

Ils étaient déjà arrivés sur le perron quand il se décida à parler.

— Ne devrions-nous pas attendre demain pour les déranger ? demanda-t-il, tout essoufflé.

Il continuait à se méfier de Pitt, déchiré entre sa loyauté envers ses collègues, qui estimaient encore qu'on les avait dépossédés de l'affaire sans leur demander leur avis, et son propre acharnement à vouloir démasquer l'incendiaire. Il éprouvait pour Pitt une admiration grandissante ; sa patience et son sens de l'observation forçaient le respect. Certaines de ses conclusions avaient échappé à Murdo qui, par exemple, ignorait comment Pitt avait appris que Pascoe et Dalgetty s'étaient disputés ; mais Pitt n'avait pas hésité à lui expliquer que son épouse, ayant assisté aux obsèques et au buffet qui avait suivi, lui avait ensuite fait part de ses impressions. À ce moment, Murdo avait cessé de lui garder rancune : comment en effet en vouloir à un homme qui vous livrait ses sources de renseignements en toute franchise ? Il aurait pu arguer de ses plus grandes compétences — Murdo connaissait nombre d'inspecteurs qui lui auraient caché l'origine de leurs informations, pour se mettre en valeur.

Pitt ne jugea pas utile de répondre à la question, puisque Murdo en connaissait d'avance la réponse. Il actionna le heurtoir. Les lumières du vestibule s'allumèrent et la porte s'ouvrit aussitôt sur Lutterworth en personne, déjà tout habillé, sans cravate, portant un pantalon et un manteau mal assortis. Avait-il fait partie de la foule de curieux qui s'était attroupée devant la maison en flammes pour offrir leur aide, ou pour jouir du spectacle ?

— Ah, vous venez à cause de l'incendie. Pauvre Lindsay. C'était un brave type, marmonna-t-il. Et Shaw ? Ont-ils réussi à l'avoir, cette fois ?

— Pensez-vous que c'est lui qui était visé, monsieur ? s'enquit Pitt en entrant dans la maison, Murdo sur les talons.

Lutterworth referma la porte derrière eux.

— Vous me prenez pour un imbécile ? Après qui d'autre en aurait-on ? On brûle sa maison et ensuite celle de l'ami qui l'héberge. Bon, ne restez pas là. Venez dans le salon. Mais je ne vois pas ce que je pourrais vous apprendre.

Sous le coup de l'émotion, son fort accent du Lancashire était encore plus appuyé que d'ordinaire.

— Si j'avais vu quelque chose, je vous aurais prévenu avant que vous ne veniez chez moi.

Pitt et Murdo le suivirent dans le petit salon. Flora se

tenait debout près de la cheminée, bien que le feu fût éteint. Elle portait une robe de laine grise. Son visage était pâle, ses cheveux tirés en arrière, retenus par un petit foulard de soie. Murdo, soudain très gauche, se dandina d'un pied sur l'autre, sa main endolorie enfoncée dans sa poche.

— Bonsoir, inspecteur, dit-elle aimablement à l'adresse de Pitt, avant de se tourner vers Murdo, qui crut voir un léger sourire naître sur ses lèvres. Bonsoir, agent Murdo.

Celui-ci sentit son cœur bondir dans sa poitrine. Elle se souvenait de son nom ! Et il n'avait pas rêvé ! Elle lui avait souri !

— Bonsoir, Miss Lutterworth, répondit-il d'une voix voilée par l'émotion.

— Pouvons-nous vous être utiles, inspecteur ? Quelqu'un a-t-il besoin d'être... logé ?

Du regard, elle le suppliait de répondre à la question qu'elle n'osait formuler.

Murdo ouvrit la bouche pour répondre, mais Pitt le devança.

— Votre père pense que le feu visait le Dr Shaw, dit-il, guettant sa réaction.

Murdo vit le sang refluer des joues de la jeune fille. S'il avait osé, il se serait précipité vers elle pour l'empêcher de défaillir. À cette minute, il détesta Pitt pour sa brutalité et son manque de discernement, et aussi Lutterworth, dont c'était le devoir et le privilège de père de protéger sa fille !

Flora se mordit la lèvre pour l'empêcher de trembler et détourna la tête afin de cacher les larmes qui lui montaient aux yeux.

— Inutile de pleurer pour lui, ma fille, bougonna gentiment Lutterworth. Ce n'était pas un type assez bien pour toi, ni pour sa pauvre femme, d'ailleurs. Un rapace, sans aucun sens moral. Garde tes larmes pour Lindsay. Un brave homme, dans son genre. Un peu brusque, mais pas méchant, au fond. Ne t'en fais pas. Vous, vous auriez pu mieux choisir votre moment ! s'écria-t-il en se tournant soudain vers Pitt. Et montrer un peu plus de tact ! Espèce de maladroit !

Murdo, désespéré, ne savait que faire. Devait-il tendre son mouchoir à Flora ? Tous les matins, il prenait un mouchoir propre, mais à présent celui-ci devait empester la fumée. En outre, ne trouverait-elle pas le geste trop familier ?

La jeune fille sanglotait en silence, les épaules secouées de frissons. On aurait dit un oiseau blessé. Murdo, n'y tenant plus, sortit son mouchoir de sa poche, faisant tomber ses clés et son crayon, et s'avança vers elle pour le lui tendre. Il se moquait bien de la réaction de Pitt et de sa façon de mener l'interrogatoire. Il se prit aussi à détester Shaw, parce que Flora avait le cœur brisé à cause de lui. Jamais il n'avait éprouvé une telle jalousie.

— Il est pas mort, Miss. Il était parti visiter un malade. Il est en état de choc, mais il est même pas blessé. Mr. Oliphant, le vicaire, lui a proposé de l'héberger chez sa logeuse. Faut pas pleurer comme ça.

La mine de Lutterworth s'assombrit.

— Mais... je croyais qu'il était mort ! lança-t-il à Pitt d'un ton accusateur.

— Je n'ai rien dit de tel, monsieur. C'est vous qui l'avez supposé. Mr. Lindsay est décédé, en effet, mais le Dr Shaw est bien vivant.

— Il était sorti, hein ? Encore une fois ?

Il regarda sa fille, sourcils froncés, lèvres pincées.

— Je vous fiche mon billet que c'est ce butor qui a craqué l'allumette.

Flora sursauta, serrant le mouchoir de Murdo entre ses doigts, le visage ravagé par le chagrin, mais les yeux étincelants de fureur.

— Vous n'avez pas le droit de dire une chose pareille, Père ! C'est ignoble ! Et irresponsable !

— Parce que tu t'imagines avoir le sens des responsabilités ? riposta Lutterworth, les joues enflammées, la voix lourde de colère.

Les deux policiers avaient cessé d'exister à ses yeux.

— Toi qui te faufiles hors de la maison à n'importe quelle heure du jour et de la nuit pour aller le voir, en t'imaginant que je ne m'en aperçois pas ! Bon sang de bon sang, la moitié de Highgate est au courant ! Et je peux t'assurer qu'on jase sur ton compte dans les salons, comme si tu étais une vulgaire putain !

Murdo étouffa un cri, comme s'il venait de recevoir un coup de poing. Il aurait préféré se faire rouer de coups par un voleur ou un pochard, plutôt que d'entendre un tel mot utilisé à propos de sa Flora. Si Lutterworth n'avait pas été le père de la jeune fille, il se serait jeté sur lui !

— Et moi, je n'ai aucun moyen de leur clouer le bec ! poursuivit Lutterworth, rageant de sa propre impuissance.

À le voir, un autre que Murdo aurait eu pitié de lui.

— Mon Dieu, si ta pauvre mère était encore de ce monde, elle pleurerait toutes les larmes de son corps. C'est bien malheureux à dire, mais je suis content qu'elle ne soit pas là pour voir ce qu'est devenue sa fille !

Flora releva le menton et le fixa droit dans les yeux. Elle prit une profonde inspiration, prête à se défendre, les joues en feu, les yeux brûlants de colère. Puis son visage se décomposa, aucun mot ne sortit de sa gorge.

— Tu n'as donc rien à me dire ? Aucune excuse à me faire ? Non. Ah, si seulement je connaissais Shaw aussi bien que toi, je l'apprécierais, c'est cela que tu penses, hein ?

— Vous êtes injuste envers moi, Père, dit-elle avec raideur. Et envers vous-même, aussi. Je suis désolée que vous pensiez du mal de moi, mais après tout, vous avez le droit de croire ce que vous voulez.

— Oh, ne prends pas de grands airs avec moi, ma fille ! s'écria Lutterworth, partagé entre colère et chagrin.

Si Flora l'avait regardé plus attentivement, elle aurait pu lire la fierté qui brillait dans ses yeux, ainsi que la fin des espoirs qu'il avait placés en elle. Mais il ne sut pas choisir les mots justes.

— Je suis ton père, et non le premier jeune imbécile venu. Je suis encore capable de t'envoyer dans ta chambre, si besoin est. Et si un homme a l'idée de te faire la cour, il devra d'abord obtenir mon consentement, et je déciderai s'il te convient. Sinon, tu n'auras même pas le temps de lui dire l'heure qu'il est, car il aura déjà débarrassé le plancher. Tu m'entends ?

— Tout le monde vous entend, Père, même la bonne qui dort dans le grenier, dit-elle d'une voix tremblante.

Le teint de Lutterworth vira au cramoisi.

— Si quelqu'un me fait l'honneur de me courtiser, reprit-elle avant qu'il n'ait eu le temps de protester, je chercherai certainement à obtenir votre approbation. Toutefois, si je l'aime, je l'épouserai, avec ou sans votre accord.

Elle se tourna alors vers Murdo et, d'une voix qui tremblait à peine, le remercia de l'avoir informée que le Dr Shaw était sain et sauf. Puis, tenant toujours son mouchoir, elle sortit fièrement de la pièce. Ils entendirent le bruit de ses pas s'éloigner dans le vestibule et monter l'escalier.

Lutterworth était trop malheureux et trop embarrassé pour présenter des excuses.

— Je ne peux rien vous dire que vous ne sachiez déjà, dit-il avec brusquerie, après un long silence. J'ai entendu les cloches des pompiers et je suis sorti dans la rue, comme la moitié du voisinage. Mais, auparavant, je n'avais rien vu ni entendu. À présent, messieurs, je remonte me coucher. Vous feriez bien de retourner à votre travail. Bonne nuit.

Les deux hommes prirent congé et gagnèrent la porte principale, sans que personne les raccompagnât.

L'altercation entre Lutterworth et sa fille ne fut pas la seule scène pénible à laquelle ils assistèrent cette nuit-là.

Lorsqu'ils se présentèrent à la porte de Quinton Pascoe, le valet les prévint que son maître n'était pas en état de les recevoir. Les policiers, désespérant de recueillir la moindre information, se rendirent ensuite chez les Hatch, afin de questionner la petite bonne de Lindsay, hébergée chez eux pour la nuit. Enveloppée dans une couverture, elle tremblait si violemment qu'elle n'arrivait pas à porter sa tasse de thé à ses lèvres. Elle se borna à leur dire qu'elle s'était réveillée en entendant les cloches des pompiers. Elle était restée dans sa chambre, paralysée de frayeur, jusqu'à ce qu'un pompier entre par sa fenêtre, la porte sur le toit et l'aide à descendre le long d'une échelle dressée dans le jardin ; là, elle avait été malencontreusement arrosée par une lance à incendie.

Ses dents s'entrechoquaient sur le bord de la tasse. Apitoyé, Pitt décida d'interrompre l'entretien. Il n'apprendrait rien d'intéressant, car même si elle disposait de quelques indices sur l'identité de l'incendiaire, elle était dans l'incapacité de s'exprimer.

Alors qu'on accompagnait la jeune fille à l'étage, Pitt se tourna vers Josiah Hatch : les traits tirés, le regard fixe, celui-ci semblait plongé dans une vision intérieure. Le policier le dévisagea avec inquiétude : ses paupières et les commissures de ses lèvres étaient agitées de tics. L'obliger à parler, à répondre à ses questions l'empêcherait peut-être de se replier complètement sur lui-même et atténuerait la peur de l'esprit malfaisant qui rôdait parmi eux.

— À quelle heure êtes-vous monté vous coucher, Mr. Hatch ?

Hatch eut peine à s'extraire du cauchemar qui l'habitait.

— Pardon ? Euh... tard. Je n'ai pas regardé l'heure. Je réfléchissais à ce que je venais de lire.

— Je vous ai entendu monter vers deux heures moins le quart, intervint Prudence.

Il tourna vers elle un visage inexpressif.

— Vous ai-je dérangée ? Pardonnez-moi, ce n'était pas dans mon intention.

— Oh, non ! Pas du tout. J'avais été réveillée par Elizabeth, qui pleurait. Je n'étais pas encore rendormie.

— Comment va-t-elle, ce matin ?

Prudence se détendit imperceptiblement.

— Très bien. Ce n'était qu'un mauvais rêve. Les enfants font souvent des cauchemars. Elle avait simplement besoin d'être rassurée.

Hatch fronça les sourcils, comme si le sujet lui tenait à cœur.

— L'une de ses sœurs n'aurait-elle pas pu s'en occuper, sans avoir à vous déranger ? Nan a quinze ans ! Dans quelques années, elle pourra être mère.

— Avoir quinze ans et avoir vingt ans, ce n'est pas la même chose, Josiah, fit Prudence avec un petit sourire triste. Moi, à quinze ans, je m'imaginais tout savoir... Or j'étais ignorante et naïve. Je n'avais aucune expérience de la vie.

À quoi pensait-elle en disant cela ? Au mariage, avec, les premiers mois d'euphorie retombés, son cortège de responsabilités, de devoirs vis-à-vis de son mari, grossesse, maternité... ? Mais peut-être Pitt se trompait-il. Elle pouvait songer à des événements d'actualité, des drames auxquels elle aurait été confrontée en dehors du cocon familial.

Apparemment, son mari ignorait aussi à quoi elle faisait référence. Il fronça à nouveau les sourcils en la regardant, puis se tourna vers Pitt.

— Je n'ai rien vu d'important. J'étais dans mon bureau, à lire les écrits de saint Augustin.

Ses mâchoires se crispèrent, sa nuque se raidit, tandis qu'il poursuivait :

— Les œuvres des théologiens des siècles passés nous éclairent et nous réconfortent. Les forces du mal sont et seront encore puissantes tant que l'homme sera faible et succombera à la tentation. Je crains de ne pouvoir vous être utile. Mon esprit était totalement absorbé par la contemplation et l'étude.

— C'est incroyable, murmura Prudence, que vous ayez justement été éveillé dans votre bureau à réfléchir sur le conflit du bien et du mal à l'heure où...

Elle frissonna et enveloppa sa poitrine de ses bras.

— ... à quelques centaines de mètres, quelqu'un mettait le feu à la maison de ce pauvre Mr. Lindsay. Si un hasard miraculeux n'était pas intervenu, Stephen aurait lui aussi trouvé la mort.

— Les forces du mal sont considérables, à Highgate, commença Hatch en regardant droit devant lui, comme si elles lui apparaissaient entre le vase de chrysanthèmes jaunes et l'échantillon de tapisserie où était brodée une phrase du vingt-troisième Psaume. Le Malin a été invité à élire domicile dans notre communauté.

— Savez-vous par qui, Mr. Hatch ? demanda Pitt.

La question était certainement inutile, mais Pitt se sentait poussé à la poser.

Hatch regarda autour de lui, surpris.

— Par Lindsay lui-même — que Dieu lui pardonne et lui offre la paix de l'âme. Il répandait des idées de révolution et d'anarchie. Il parlait d'une société nouvelle, dans laquelle la propriété privée n'existerait plus, où les hommes seraient rémunérés à salaire égal, et non en fonction de leurs capacités et de la quantité de travail qu'ils fournissent. Une thèse qui abolirait toute notion de responsabilité, d'autonomie, de zèle, d'application, vertus qui sont à l'origine de la grandeur de notre empire, que tout le monde chrétien nous envie.

Un rictus rageur décomposa ses traits, à l'idée de l'abandon de telles valeurs.

— Quant à John Dalgetty, honte à lui ! Il publie les écrits de ce profanateur. Cet imbécile aspire à ce qu'il croit être la justice et une certaine forme de liberté d'esprit ; ces lubies altèrent son sens du jugement. Mais, dans sa frénésie, il entraîne et trompe les autres ! Ce pauvre Pascoe fait tout ce qu'il peut pour le dissuader de propager ces idées, en alertant l'opinion et même en saisissant la justice, mais il ne peut rien contre la curiosité malsaine et le besoin de désobéissance et de nouveauté de l'être humain. Ah, la nouveauté ! Parlons-en !

Son corps tout entier frémissait de colère.

— La nouveauté à tout prix ! Nouvelles sciences, nouvel ordre social, art nouveau... Nous sommes insatiables. À la minute même où nous voyons quelque chose, nous ne pensons qu'à l'oublier et nous voulons du neuf. Nous adorons la liberté, comme s'il s'agissait d'un droit illimité. Mais l'on ne peut échapper à la moralité, et croire que l'on n'a pas à faire face aux conséquences de nos actes est la plus grande des illusions...

Il écarta les bras.

— Elle est à la base de ce désir frénétique de liberté et d'irresponsabilité ! Depuis Ève, l'humanité a soif de connaissances interdites et, pour cela, elle est prête à dévorer le fruit du péché. Dieu a ordonné à nos ancêtres de pratiquer l'abstinence, mais ils n'ont pas suivi son commandement. Alors quelle chance peut avoir ce malheureux Pascoe ?

Une expression de douloureuse défaite envahit son visage.

— Ce médecin arrogant soutient Dalgetty et raille les tentatives de Pascoe de protéger les plus faibles d'entre nous contre la propagation d'idées corruptrices, offensantes et dangereuses ! Se moquer de la vérité, rire des aspirations à plus de bonté est l'une des armes les plus redoutables du Malin, et, que Dieu lui vienne en aide, Stephen Shaw s'est toujours montré plus que disposé à s'en servir.

— Josiah, protesta faiblement Prudence, vous vous montrez trop dur. Stephen parle peut-être parfois crûment, mais il n'y a aucune méchanceté en lui...

Il tourna vers elle un visage sombre.

— Vous le connaissez fort peu, ma chère. Vous voyez toujours le bon côté des choses, ce qui est à votre honneur et, je l'espère, durera. Mais croyez-moi, je l'ai entendu prononcer des paroles cruelles et dégradantes que je n'oserais jamais vous répéter. Il méprise les valeurs que vous admirez le plus.

— Josiah, en êtes-vous sûr ? N'auriez-vous pas mal interprété ses propos ? Il a un sens de l'humour très particulier, parfois malheureux...

— Pas du tout ! Je sais distinguer les moments où il essaie d'être amusant de ceux où il est sérieux, même s'il cherche à couvrir le fond de sa pensée par de la légèreté. Le principe même de la raillerie, Prudence, consiste à faire rire les braves gens de sujets graves et donc de tourner en dérision la pureté morale, le travail, l'espoir et la foi.

Prudence ouvrit la bouche pour le contredire, puis rougit, embarrassée, et regarda ses pieds. Pitt sentit sa gêne, sans pouvoir en deviner la cause. Elle s'apprêtait à défendre Shaw, mais pour quelle raison ? Par affection, par compassion devant les souffrances qu'il endurait, ou pour un autre motif connu d'elle seule ? Qu'est-ce qui l'avait empêchée de parler ?

— Je suis navré, mais nous ne pouvons vous aider, reprit Hatch poliment.

Pitt vit qu'il était épuisé et crut même qu'il allait s'évanouir. Il était presque quatre heures du matin, aussi décida-t-il d'abréger l'entretien.

— Merci de nous avoir si aimablement consacré une partie de votre temps. Nous ne vous retiendrons pas plus longtemps. Au revoir, monsieur. Bonne nuit, Mrs. Hatch.

Dehors, il faisait nuit noire, et le vent soufflait en rafales sur les ruines fumantes et rougeoyantes de la maison de Lindsay. La rue était encore pleine de voitures de pompiers ; les hommes promenaient les chevaux pour les empêcher de prendre froid.

— Rentrez chez vous, dit Pitt à Murdo, et essayez de dormir. Rendez-vous demain matin à dix heures.

— Bien, monsieur. Croyez-vous que Shaw soit l'incendiaire ? demanda l'agent d'un air malheureux. Pour masquer le meurtre de sa femme ?

Pitt devina ses pensées.

— À cause de Flora Lutterworth ? Ce n'est pas impossible. C'est une jolie fille et elle héritera d'une coquette fortune. Mais je doute qu'elle soit complice. Allez dormir et faites soigner votre main. Il ne faut pas que cette cloque s'infecte. Dieu sait ce qui pourrait vous arriver. Bonne nuit, Murdo.

— Bonne nuit, monsieur.

Murdo traversa la rue et s'éloigna rapidement vers le centre de Highgate.

Au bout d'une demi-heure de marche, Pitt aperçut un cab à l'arrêt. Le cocher était en train de s'époumoner après son client, sans doute un fêtard qui avait oublié de régler la course. Lorsque Pitt lui demanda de l'emmener, il commença par refuser, arguant qu'il était pressé d'aller se coucher, puis accepta de le prendre, moyennant supplément : Bloomsbury étant sur son trajet, il n'aurait pas de détour à faire et la course serait tout bénéfice.

En entendant le bruit de la porte d'entrée, Charlotte sortit de sa chambre et dévala les premières marches de l'escalier, pieds nus, les épaules enveloppées d'un châle. Puis elle s'immobilisa et le dévisagea en silence.

— Amos Lindsay est mort, annonça-t-il en ôtant ses bottes.

Il remua ses orteils glacés pour rétablir la circulation, en songeant qu'il lui faudrait suspendre ses chaussettes au-dessus du poêle pour les faire sécher.

— Shaw était parti visiter un patient. Il est arrivé peu de temps après nous.

Il accrocha son manteau à la patère, mais celui-ci tomba par terre. Il n'eut même pas le courage de le ramasser.

— Les domestiques sont sains et saufs.

Charlotte réfléchit puis descendit les dernières marches, l'entoura de ses bras et posa la tête sur son épaule.

Les mots étaient inutiles. Seul comptait le soulagement de le voir là, sale, exténué, glacé, mais indemne. Elle aurait voulu le bercer comme un enfant, le réchauffer et le mettre au lit, pour lui faire oublier ce cauchemar.

— Venez, le lit est tiède, dit-elle enfin.

— Je suis couvert de cendre et j'empeste la fumée, murmura-t-il en caressant ses cheveux.

— Tant pis. Je laverai les draps.

— Il faudra les faire tremper longtemps !

— Aucune importance. À quelle heure devez-vous vous lever ?

— J'ai donné rendez-vous à Murdo à dix heures.

— Alors ne restez pas ici à grelotter, dit-elle en reculant d'un pas pour lui tendre la main.

En silence, il la suivit à l'étage, se déshabilla et se coula dans les draps tièdes en la serrant contre lui. Il s'endormit presque aussitôt.

Lorsqu'il ouvrit les yeux, Charlotte était déjà levée. Il s'habilla en hâte ; dix minutes plus tard, il était rasé et attablé avec les enfants pour le petit déjeuner. C'était pour lui un plaisir rare de profiter de leur compagnie, car il était souvent parti au travail lorsqu'ils se levaient.

— Bonjour, les enfants !

— Bonjour, Papa !

Daniel cessa de manger son porridge, la cuillère en l'air, une goutte de lait au menton. Il avait des traits doux et encore poupons, des dents de lait régulières, une chevelure noire et frisée, comme celle de son père, alors que la chevelure cuivrée de Jemima rappelait celle de sa mère. Pour les faire boucler, Charlotte devait les entortiller, le soir, mèche par mèche, dans des papillottes.

— Mange ton porridge, ordonna Jemima à son petit frère d'un ton protecteur. Sinon tu attraperas froid à l'école.

C'était une enfant curieuse, autoritaire et bavarde. Pitt dissimula un sourire, se demandant qui lui avait appris une chose pareille.

Daniel obéit sans protester. Il avait compris, au cours de ses quatre courtes années d'existence, qu'au bout du compte il était plus simple d'obéir que de se disputer. Il n'était pas de nature querelleuse, sauf sur des sujets qui lui tenaient à cœur, comme la quantité de pudding distribuée à chacun, le fait que la voiture de pompiers en bois lui appartenait, ainsi que le cerceau et le bâton. Il affirmait haut et fort qu'il avait le droit de sortir jouer dehors, puisque c'était lui le garçon.

Jemima lui concédait volontiers ces prérogatives, sauf sur le fait d'aller jouer dehors. Elle estimait qu'en tant qu'aînée ce privilège lui revenait de droit.

— Papa, est-ce que tu mènes une enquête importante ? demanda-t-elle en ouvrant de grands yeux.

Elle était très fière de lui et tout ce qu'il faisait lui paraissait important.

Pitt lui sourit, pensant que Charlotte, au même âge, devait avoir la même bouche, le même petit menton têtu et le même regard plein d'attente.

— Oui, loin d'ici, à Highgate.

— Est-ce que quelqu'un est mort ?

Elle n'avait qu'une vague idée de ce que pouvait signifier ce mot, mais elle l'avait souvent entendu. Elle avait également souvent enterré des petits oiseaux dans le jardin avec son frère. Elle se souvenait que sa mère lui avait dit que, lorsqu'on était mort, on montait au ciel.

Pitt guetta l'assentiment de Charlotte, qui se tenait debout derrière Jemima. Elle hocha la tête.

— Oui, répondit-il.

— Vas-tu résoudre l'affaire ?

— Je l'espère.

— Plus tard, je serai détective, affirma-t-elle. Et je résoudrai des affaires importantes.

— Moi aussi, renchérit Daniel.

Charlotte tendit à Pitt un bol de porridge et ils bavardèrent ainsi tous les quatre jusqu'à ce qu'il fût l'heure de partir. Il embrassa les enfants — Daniel était encore à l'âge où un garçon accepte d'être embrassé — puis

Charlotte, qui lui rendit un baiser passionné. Il enfila ses bottes, qu'elle avait pensé à faire chauffer devant le poêle, et partit travailler.

C'était un de ces matins d'automne où l'air piquant vous agace les narines, avec un beau ciel bleu et du givre craquant agréablement sous vos semelles.

Pitt passa d'abord par Bow Street, pour faire son rapport à Micah Drummond.

— Un autre incendie ? fit celui-ci en fronçant les sourcils.

Debout près de la fenêtre, il contemplait la mer de toits mouillés qui s'étendaient jusqu'à la Tamise. Le soleil matinal éclairait la ville d'une lumière grise et argentée et une légère nappe de brume couvrait le fleuve.

Drummond se tourna vers Pitt.

— Ils n'ont toujours pas eu Shaw ? Cela donne à réfléchir, non ?

— Il était bouleversé, remarqua Pitt, se souvenant, le cœur serré, du drame de la nuit précédente.

Drummond ne répondit pas. Tous deux avaient en tête toutes les hypothèses possibles.

— Je suppose que le commissariat de Highgate s'intéresse à toutes les affaires d'incendie volontaire du district, les méthodes, les façons de procéder des incendiaires... Notez les noms de tous les gens qui sont sortis pour regarder l'incendie, au cas où il s'agirait d'un pyromane qui allume des feux pour le plaisir de les regarder.

— Bonne idée, ironisa Pitt.

Drummond plissa les yeux.

— Vous croyez qu'il s'agit d'un meurtre délibéré ?

— Oui, je le crois.

— Il faut éclaircir l'affaire au plus vite, dit Drummond en retournant s'asseoir à son bureau, où il se mit à jouer avec son coupe-papier à manche de cuivre. J'ai besoin de vous ici. On a mis une demi-douzaine d'hommes supplémentaires sur les traces de l'éventreur de Whitechapel. J'imagine que vous lisez les journaux ?

Pitt acquiesça, l'air sombre.

— J'ai entendu parler de l'enveloppe contenant un rein humain censé provenir de l'enfer. L'expéditeur avait peut-être raison. Quelqu'un qui tue et mutile de cette façon doit vivre en enfer.

— La population commence à s'affoler. Whitechapel est désert à la tombée de la nuit, on réclame la démission du commissaire principal Warren, les gazettes font leur une d'articles à sensation. Une femme est morte d'une crise cardiaque en lisant son journal.

Drummond poussa un profond soupir, sans quitter Pitt des yeux.

— On ne plaisante pas au sujet de l'Éventreur, même dans les music-halls, c'est tout dire. En général, les gens aiment tourner en dérision ce qui leur fait peur — une façon de conjurer leur angoisse. Mais les crimes de ce monstre sont trop horribles pour que les chansonniers s'en emparent.

Curieusement, cette remarque impressionna davantage Pitt que tout ce que pouvaient raconter les journaux. Cela donnait une indication de l'intensité de la panique qui frappait la population.

— Voyez-vous, je n'ai guère eu le temps de courir les music-halls, ces jours-ci, persifla-t-il.

Drummond hocha la tête avec un petit sourire.

— Bon, essayez de démêler cette affaire d'incendie. Et tenez-moi informé.

— Bien, monsieur.

Cette fois, au lieu de prendre un cab, Pitt marcha jusqu'à l'Embankment et prit un train pour Highgate. Ainsi, il économisait quelques pence en vue des vacances qu'il voulait offrir à Charlotte. C'était un début ! Il marcha ensuite de la gare jusqu'au commissariat.

Toujours sur leurs gardes, les hommes le saluèrent avec gravité. Toutefois, Pitt crut déceler sur leurs figures un certain contentement.

— Bonjour, dit-il, attendant une explication. Vous avez du nouveau ?

— Oui, monsieur. Nous avons repéré un pyromane récidiviste. Par chance, il n'a jamais tué personne. Il a utilisé le même combustible, du pétrole lampant, pour allumer un feu dans Kentish Town, pas bien loin d'ici. Voyant que ça devenait trop risqué pour lui à Highgate, il est monté plus au nord.

Pitt tenta, sans succès, de dissimuler son incrédulité.

— L'avez-vous arrêté ?

— Pas encore, monsieur, mais nous avons son nom et son adresse. C'est juste une question de temps.

L'homme fixa Pitt dans les yeux en souriant.

— On avait pas besoin de nous envoyer un inspecteur de Bow Street pour nous aider... On s'est débrouillés tout seuls. Simple travail de vérification systématique ; nous, on connaît bien le quartier. Vous feriez peut-être mieux d'aller donner un coup de main du côté de Whitechapel. On dirait que l'Éventreur leur donne du fil à retordre.

— L'identité judiciaire prend des photographies des yeux des femmes assassinées, ajouta un agent. Ils pensent que la dernière chose qu'une personne a vue avant de mourir reste imprimée sur la rétine. Le problème, ici, c'est qu'il reste pas grand-chose des corps...

— Le problème, c'est que nous n'avons pas d'assassin à nous mettre sous la dent ! rétorqua Pitt.

Puis, se souvenant qu'il devait faire preuve de tact avec ces hommes, avec lesquels il serait encore amené à travailler, il reprit d'un ton radouci :

— Avez-vous retrouvé le propriétaire de l'immeuble auquel votre incendiaire a mis le feu ? Il peut s'agir d'une escroquerie à la prime d'assurance.

L'agent rougit.

— Oui, mentit-il, nous nous en occupons.

— Je l'espère bien, rétorqua Pitt en soutenant son regard sans ciller. Les incendiaires ont parfois d'autres raisons de mettre le feu que le simple plaisir de regarder une maison en flammes. De mon côté, je poursuis l'enquête. Où est Murdo ?

— Il vous attend dans la salle des permanences, monsieur.

— Merci.

Murdo l'attendait en effet. Il paraissait fatigué, et sa main bandée pendait le long de sa cuisse. Il ne savait pas trop quelle attitude adopter vis-à-vis de Pitt. Il n'oubliait pas leur arrivée chez les Lutterworth et se maudissait de n'avoir pu empêcher Pitt de rudoyer Flora.

« Ce garçon est incapable de dissimulation », songea ce dernier, qui se rendit compte, une fois de plus, à quel point Murdo était jeune et naïf.

— Du nouveau, mis à part ce fameux incendiaire ?

— Non, monsieur. Le capitaine des pompiers a simplement confirmé que les mises à feu étaient identiques à celles de la maison de Shaw. Mais vous le savez déjà.

— Du pétrole lampant ?

— Oui, monsieur. Et le feu est parti d'au moins trois endroits différents.

— Bon, eh bien, allons voir si Pascoe est en état de nous recevoir, ce matin

— Bien, monsieur

Ils trouvèrent ce dernier dans son salon, se réchauffant devant la cheminée. Les yeux cernés, les mains croisées sur ses genoux, il semblait avoir brutalement vieilli ; sa robuste silhouette s'était affaissée.

— Entrez, messieurs, dit-il sans se lever. Je suis navré de ne pas vous avoir reçus cette nuit, mais j'avais pris un peu de laudanum. Les récents événements m'ont tellement bouleversés que j'avais besoin d'une bonne nuit de sommeil.

Il regarda Pitt, cherchant à s'assurer que celui-ci le comprenait, puis secoua la tête.

— Triste époque... J'ai l'impression de m'être fourvoyé. Cela me rappelle la fin du cycle de la Table ronde, lorsque les chevaliers partent un par un à la recherche du Saint-Graal : dès lors, ils perdent insensiblement le sens de la camaraderie et de l'honneur. Leurs anciennes amitiés se brisent. Selon moi, une certaine forme de noblesse et de courage a disparu avec la fin de la chevalerie. Ces hommes étaient des idéalistes qui croyaient en la vertu, se battre et mourir pour elle était leur seule récompense.

Pitt se remémora vaguement des passages de *La Mort d'Arthur* et des *Idylles du roi*[1] et crut saisir l'allusion.

— Votre détresse, monsieur, est-elle la conséquence d'un fait précis, le décès de Mrs. Shaw, par exemple, ou d'un problème plus général ?

Pascoe hocha la tête avec lassitude, comme dépassé par les événements.

— La mort tragique de Mrs. Shaw m'a beaucoup affecté, en effet. Cependant, ajouta-t-il en fronçant les sourcils, il y a autre chose... Je sais que j'en reviens toujours à John Dalgetty, mais son attitude est inadmissible ! Il se moque de nos valeurs et veut les faire disparaître... Je ne condamne pas toutes les idées nouvelles, loin s'en faut, mais il se fait le défenseur systématique des théories les plus destructrices.

Pitt ne répondit pas, se bornant à écouter en silence.

Pascoe plissa les yeux.

— Il remet en question les fondements séculaires de notre société, il sème le doute sur l'origine de l'homme en prétendant qu'il n'a pas été créé par Dieu. Il veut convaincre la jeunesse d'adhérer à ses utopies sacrilèges et irresponsables, tout en lui retirant l'armure de la foi. Ces jacobins veulent tout détruire, tout changer sans réfléchir et tout obtenir sans effort.

Il se mordilla la lèvre.

— Que faire, Mr. Pitt ? Je n'en dors plus. Plus j'y pense, moins je trouve de réponse. Je suis allé voir Dalgetty, je l'ai supplié de retirer de la vente certaines de ses publications, de cesser de porter aux nues cette phi-

1. Références au cycle arthurien repris au XVe siècle par Sir Thomas Malory et au XIXe par le poète Tennyson. (*N.d.T.*)

losophie fabienne, mais sans résultat. Il m'a répondu que la circulation de l'information est sacrée, qu'il faut autoriser les hommes à tout lire afin qu'ils se forgent leur propre opinion, que chacun de nous a le droit de faire connaître ses idées, bonnes ou mauvaises. Aucun argument ne peut l'en dissuader. Et, bien entendu, Shaw l'encourage dans cette voie, avec son maudit sens de l'humour qu'il exerce aux dépens des autres ! Le problème, c'est que l'on ne sait jamais à quel moment il plaisante.

Murdo, peu habitué à entendre défendre des idées avec autant de passion, paraissait mal à l'aise.

— La mort de Lindsay m'a profondément touché, poursuivit Pascoe. Je n'avais rien contre lui à titre personnel, mais je pense qu'il a eu tort d'écrire ce brûlot. Il y a des imbéciles pour croire à un système politique absurde qui promet un monde plus juste grâce à l'abolition de la propriété privée, à l'instauration d'un salaire égal pour un travail égal, sans tenir compte des aptitudes, de l'intelligence et du courage des hommes. Vous n'avez pas lu les œuvres sataniques de cet Irlandais, George Bernard Shaw, je suppose ? Ses écrits sèment l'insatisfaction et la discorde, comme s'il voulait monter les gens les uns contre les autres. Il parle des affamés qui n'ont rien à manger et des nantis qui ne désirent plus rien.

Il partit d'un rire dur.

— C'est un partisan acharné de la liberté d'expression, bien entendu ! Quoi de plus normal ? Il veut pouvoir écrire tout ce qui lui passe par la tête. Lindsay le couvrait d'éloges dans ses critiques.

Il s'interrompit brusquement.

— Pardonnez-moi. Je ne veux pas dire du mal d'un mort. En outre, je ne sais rien qui puisse vous aider à découvrir celui qui a incendié son domicile. Les cloches des pompiers m'ont tiré d'un profond sommeil. Lorsque je me suis levé, la maison de ce pauvre Lindsay n'était plus qu'un gigantesque brasier.

Les deux policiers prirent rapidement congé et se rendirent, sous un vent glacial, chez les Clitheridge, qui hébergeaient le valet de chambre de Lindsay. Celui-ci ne put les renseigner : il s'était réveillé quand la fumée avait envahi sa chambre, située à l'arrière de la maison. Il avait aussitôt tenté de secourir son maître, mais, en ouvrant la porte qui séparait les quartiers des domestiques du bâtiment principal, il s'était trouvé face à un mur de flammes. L'homme portait d'ailleurs les traces évidentes de ses efforts pour sauver Lindsay : son visage était rougi et couvert de cloques, ses mains bandées reposaient, inutiles, sur ses genoux.

— Le Dr Shaw est passé tôt ce matin pour mettre de la crème sur ses brûlures et lui faire ses pansements, expliqua Lally Clitheridge, le regard brillant d'admiration. Où va-t-il puiser une telle énergie, après cette nouvelle tragédie ? Amos Lindsay était son meilleur ami. Le Dr Shaw est vraiment l'homme le plus courageux que je connaisse.

Une expression de tristesse et de défaite passa sur le visage du pasteur. Pitt songea qu'il devait vivre en état permanent de frustration et de crainte ; ce n'était pas un être de chair et de passion, mais un homme introverti rongé par une perpétuelle incertitude. Il ressentit pour lui, et pour son épouse, dont le visage reflétait une vie d'insatisfactions, une profonde pitié. Eulalia était attirée par Shaw à son corps défendant ; pour respecter les convenances, elle ne manifestait cette folle attirance qu'en usant de qualificatifs admiratifs à son égard, alors que tout son être criait son amour pour lui.

Pitt et Murdo s'en allèrent, encore une fois bredouilles. Toutefois, Lally Clitheridge leur ayant donné l'adresse du vicaire, Matthew Oliphant, ils s'y rendirent sur-le-champ, espérant y trouver le Dr Shaw. Mais la logeuse leur apprit que celui-ci était parti visiter ses patients. Les deux hommes firent donc une halte au pub le plus proche, à l'enseigne du Lion Rouge, et s'attablèrent devant une tourte à la viande et aux rognons, dont la pâte était légère et croustillante, accompagnée de légumes verts, puis commandèrent une tarte aux fruits, le tout accompagné d'une bonne bouteille de cidre.

À la fin du repas, Murdo, repu, se cala avec satisfaction contre le dossier de sa chaise, mais son bonheur fut de courte durée.

— Allons, en route ! fit Pitt en se levant. Prochaine étape : les sœurs Worlingham. À propos, savons-nous qui a donné l'alerte ? De tous les gens que nous venons de rencontrer, aucun n'a vu le feu avant l'arrivée des pompiers, excepté le valet de Lindsay, qui, lui, était occupé à essayer de sauver son maître.

— Oui, monsieur. Il s'agit d'un homme de Holly Village qui avait...

Murdo rougit légèrement, cherchant ses mots.

— ... un rendez-vous galant à Holloway. Il a aperçu un rougeoiement et, se souvenant de l'autre incendie, il a immédiatement prévenu les pompiers.

Il quitta la table à contrecœur et suivit Pitt dans la rue glaciale.

— Qu'espérez-vous apprendre des demoiselles Worlingham, monsieur ?

— Je ne sais pas, peut-être quelques renseignements sur Shaw et son épouse, et aussi sur la mort de Theophilus.

— Vous croyez... qu'il n'est pas mort de mort naturelle ? demanda Murdo d'une voix soudain altérée. Selon vous, le Dr Shaw aurait assassiné son beau-père, afin que son épouse hérite au plus vite... Et il aurait ensuite supprimé celle-ci pour hériter à son tour ? C'est épouvantable ! Mais pourquoi s'en prendre à Lindsay ? Shaw n'aurait tout de même pas cherché à cacher le meurtre de sa femme par un deuxième crime, simplement pour brouiller les pistes !

L'hypothèse lui parut tellement horrible qu'il en trébucha.

Pitt allongea le pas et resserra son écharpe pour se protéger du froid.

— J'en doute. Mais au cours de ces quelques jours passés chez Lindsay, Shaw s'est peut-être trahi. Son ami aurait donc deviné son triste secret. Même s'il n'en a rien dit sur le moment, Shaw, craignant d'être dénoncé, a pu s'affoler et décider de le faire taire à jamais.

Murdo rentra la tête dans les épaules et fit la grimace. Il se sentait glacé jusqu'à la moelle.

— Vous y croyez vraiment, monsieur ?

– C'est une hypothèse comme une autre, à ne pas négliger.

— C'est terrible.

Pitt serra les dents. La bise lui piquait la peau et s'infiltrait dans son col, ses manches et le bas de son pantalon.

— Faire brûler vif des êtres humains est terrible. Nous ne sommes pas à la poursuite d'un enfant de chœur, Murdo. Homme ou femme, c'est un monstre.

Murdo détourna les yeux. Il détestait avoir à se dire qu'il pouvait s'agir d'une femme.

— À mon avis, il doit y avoir un autre mobile, insista-t-il. Après tout, Shaw est médecin. Il a pu être témoin d'un décès suspect, d'une maladie que l'on voulait cacher à tout prix. Et si quelqu'un d'autre que Shaw avait décidé de se débarrasser de Theophilus Worlingham ?

— Qui, par exemple ?

— Mrs. Shaw, pour l'héritage.

— Et ensuite elle s'est suicidée en mettant le feu à sa maison, avant d'aller incendier celle de Lindsay ? ironisa Pitt.

Murdo réfréna une furieuse envie de répondre sur le même ton. Pitt étant son supérieur, il n'osait se montrer ouvertement impoli, mais il se sentait tellement malheureux qu'il éprouvait le besoin de lui dire tout ce qu'il avait sur le cœur ! Chaque fois que Pitt évoquait un mobile possible, il pensait à la jolie Flora, à ses pommettes enflammées lorsqu'elle s'acharnait à défendre Shaw.

La voix de Pitt interrompit ses sombres pensées.

— Vous avez raison : les mobiles sont légion. Dieu sait quels tragiques secrets nous allons découvrir. Il faut à tout prix amener Shaw à parler.

Ils arrivaient en vue de la demeure des sœurs Worlingham. Celles-ci les reçurent dans le grand salon, Angeline assise dans un fauteuil et Celeste debout derrière elle.

— Je ne vois pas ce que nous pourrions vous apprendre, Mr. Pitt, déclara cette dernière.

Elle paraissait avoir vieilli depuis leur dernière visite. La fatigue cernait ses yeux et creusait des plis amers autour de sa bouche. Elle avait tiré ses cheveux en un chignon peu flatteur, qui accentuait la puissance de ses traits. Angeline, pâle, la mâchoire affaissée, semblait plus irrésolue que jamais. Ses paupières étaient rougies et gonflées : elle semblait d'ailleurs prête à fondre en larmes, à voir le frémissement de ses lèvres.

— Nous dormions à poings fermés cette nuit... Mon Dieu, c'est épouvantable ! Que nous arrive-t-il ? Qui a pu faire une chose pareille ?

— Si nous comprenions les motifs du criminel, nous pourrions l'appréhender plus aisément, expliqua Pitt, espérant les entraîner dans le vif du sujet.

Angeline cligna des yeux.

— Mais nous n'en savons rien !

— Il se peut que vous sachiez quelque chose, Miss Worlingham, sans en être consciente. N'oubliez pas qu'il y a de l'argent en jeu...

— Notre argent ? s'enquit Celeste.

— Celui de votre frère, pour être précis, corrigea Pitt. Je sais que ma question peut paraître indiscrète, mais l'enquête doit progresser. Pourriez-vous rassembler vos souvenirs et nous dire ce que vous savez de la mort de votre frère ? ajouta-t-il en les regardant tour à tour, pour bien leur faire comprendre qu'il s'adressait à chacune en particulier.

Les traits de Celeste se durcirent. Ses lèvres ne formaient plus qu'une ligne sévère

— Tout s'est passé si soudainement... Je vous répéterai ce que vous a déjà dit ma sœur : Stephen ne s'est pas occupé de lui comme nous l'aurions souhaité. Theophilus était en excellente santé.

— Si vous l'aviez connu, renchérit Angeline, vous aussi auriez été stupéfait en apprenant son décès. Il était si... comment dire ? Si vigoureux ! Il savait toujours ce qu'il fallait faire. C'était un dirigeant-né, tout comme Papa. Pour lui, la santé mentale allait de pair avec la forme physique, aussi préconisait-il l'exercice quotidien au grand air, pour les hommes, s'entend, pas pour les dames. Theophilus avait réponse à tout. Il n'égalait pas notre père, bien sûr, mais je ne me souviens pas de l'avoir jamais pris en défaut sur des sujets d'importance...

Elle renifla et sortit de sa poche un minuscule mouchoir de batiste.

— Nous pouvons le dire aujourd'hui : nous nous sommes toujours demandé de quoi il était mort. Son décès ne peut être naturel.

— D'après Stephen, il a succombé à une crise d'apoplexie, précisa Celeste. Mais, bien entendu, nous n'avons que sa parole.

— Qui l'a trouvé ? demanda Pitt, bien qu'il connût déjà la réponse.

— Clemency.

Celeste ouvrit de grands yeux.

— Croyez-vous que Stephen ait tué notre frère ? Et qu'après avoir eu la certitude que Clemency le savait coupable, il l'ait supprimée à son tour ? Et qu'il ait ensuite fait subir le même sort à Mr. Lindsay ? Dieu du Ciel...

Elle frissonna.

— Un monstre. Cet homme est un monstre ! Jamais plus il ne franchira le seuil de cette maison !

Angeline renifla bruyamment.

— Mr. Pitt l'arrêtera et il sera jeté en prison.

— Ou plutôt pendu, corrigea Celeste avec une grimace.

— Quelle horreur ! se lamenta Angeline. Dieu merci, notre cher papa n'est plus de ce monde ! Un membre de notre famille... pendu !

Elle se recroquevilla sur son siège et se mit à pleurer.

— Stephen Shaw ne fait pas partie de notre famille, lança Celeste. Il n'a jamais été et ne sera jamais un Worlingham. Notre sang ne coule pas dans ses veines. Pour son malheur, Clemency l'a épousé...

— Tout de même, c'est affreux ! Subir pareille honte dans la famille, même du fait d'une alliance ! Le nom des Worlingham a toujours été synonyme d'honneur et de dignité. Imaginez ce que notre pauvre papa aurait ressenti s'il avait vu son nom entaché de la sorte ! Au cours de sa vie, il n'a jamais prêté le flanc à la médisance. Et voilà que son fils et sa petite-fille sont assassinés par le propre mari de celle-ci, qui va être bientôt pendu ! Oh, Papa serait mort de honte !

Pitt les laissait parler sans les interrompre, curieux de voir jusqu'où elles iraient dans leurs élucubrations. La facilité avec laquelle elles envisageaient la culpabilité de leur neveu était proprement déconcertante. À son tour de leur démontrer qu'il s'agissait d'une hypothèse parmi d'autres.

— Ne vous mettez pas dans un pareil état, Miss Worlingham. Votre frère a très bien pu succomber à une crise d'apoplexie et, jusqu'à preuve du contraire, le Dr Shaw n'est coupable d'aucun crime. Il se peut que la mort de son épouse ne soit pas liée à un problème d'héritage. En tant que médecin légiste, votre neveu a pu être amené à découvrir qu'un décès prétendument accidentel était en fait un homicide. De plus, certains malades n'hésiteraient pas à tuer plutôt que de voir divulguer le mal dont ils sont atteints.

Angeline releva vivement la tête.

— Un déséquilibré dans la clientèle de Stephen ? Dans ce cas, pourquoi ne l'a-t-il pas fait interner ? Ces gens-là doivent être enfermés avec leurs congénères ! On ne doit pas laisser les fous circuler librement ! Regardez le résultat : ils mettent le feu au quartier et vous font brûler tout vif !

Voyant Angeline au bord de la crise de nerfs et Celeste de plus en plus tendue, Pitt jugea bon de calmer les esprits.

— Simple hypothèse, Miss Worlingham. Comme je viens de vous le dire, il peut s'agir d'un décès apparemment naturel, mais suspect aux yeux d'un médecin. Et il y a d'autres mobiles que nous ne soupçonnons même pas.

— Vous me faites peur, gémit Angeline d'une petite voix affolée. Je ne comprends plus rien. Oui ou non, Stephen a-t-il tué quelqu'un ?

— Nous n'en savons rien, répondit Celeste. C'est à la police de le découvrir.

Lorsque les deux hommes quittèrent Fitzroy Park, le ciel s'était éclairci, mais le temps avait encore fraîchi. Ils marchèrent en silence jusqu'au domicile de Matthew Oliphant. Ils trouvèrent Shaw dans le salon, penché sur un petit bureau à cylindre. Pâle, les yeux cernés, l'air abattu, il rédigeait des notes, tout en pianotant nerveusement de la main gauche.

— Inutile de me demander les noms de mes patients ou les troubles dont ils souffrent, annonça-t-il avec brusquerie. Même si je connaissais celui qui veut attenter à ma vie, je ne vois pas ce qui l'aurait poussé à supprimer ce pauvre Amos. Je suppose qu'il est mort parce qu'il avait eu la bonté de m'héberger.

Sa voix se brisa.

— D'abord Clemency, ensuite Amos... Oui, si je connaissais l'identité de l'assassin, j'agirais en conséquence. Je ne vous le dirais peut-être pas, mais j'agirais.

Murdo resta discrètement debout près de la porte. Pitt

prit place sur une chaise à côté du médecin, sans que celui-ci l'ait prié de s'asseoir.

— Réfléchissez, docteur Shaw, dit-il, répugnant à rappeler à cet homme épuisé le rôle qu'il jouait dans cette tragédie. Pensez aux dernières discussions que vous avez eues avec Mr. Lindsay. Vous avez peut-être évoqué une anecdote qui, si vous l'aviez correctement interprétée, vous aurait permis de découvrir qui avait mis le feu à votre maison.

Shaw leva les yeux, intéressé.

— Vous pensez qu'Amos, lui, avait deviné l'identité du meurtrier et que celui-ci l'a tué pour l'empêcher de parler ?

— C'est possible, répondit Pitt, prudent. Vous le connaissiez bien, n'est-ce pas ? Était-il homme à prendre des risques pour découvrir des preuves ?

Les yeux de Shaw s'emplirent de larmes. Il détourna la tête et murmura d'une voix nouée, à peine audible :

— Oui, il l'aurait fait. Inspecteur, je vous jure que j'ignore ce que mon ami a pu apprendre ou entreprendre pendant que j'habitais chez lui. J'étais si enfermé dans ma douleur et ma colère que je ne me suis aperçu de rien. Je ne lui ai pas posé de questions.

Pour les besoins de l'enquête, Pitt aurait dû pousser plus loin l'entretien, mais, par respect pour ıa détresse de cet homme, il décida de l'abréger et se leva.

— Alors, s'il vous plaît, réfléchissez maintenant, docteur Shaw. Et, si vous vous souvenez de quelque chose, venez me le dire. À moi et à personne d'autre.

— C'est promis.

Shaw parut se replier sur lui-même, comme si les policiers étaient déjà partis.

Dehors, un pâle soleil jouait sur les feuilles d'automne, agitées par un vent glacial.

Murdo regarda Pitt, les yeux plissés.

— Vous pensez vraiment que Mr. Lindsay savait qui était l'assassin et qu'il avait décidé de le démasquer ?

— Dieu seul le sait, Murdo. Mais qu'a-t-il bien pu voir qui nous a échappé ?

Murdo secoua la tête. Les poings enfoncés dans leurs poches, les deux hommes remontèrent à pas lents la rue qui menait au commissariat de Highgate.

7

Charlotte fut grandement soulagée d'apprendre que le Dr Shaw était sain et sauf, mais l'annonce de la disparition de Lindsay la bouleversa. Le jour des obsèques de Clemency, elle avait apprécié sa bienveillance, en particulier à l'égard de Shaw, lorsque celui-ci s'était montré désagréable. Il était sans doute le seul à comprendre la douleur du médecin, qui s'imaginait que sa femme était morte brûlée vive à sa place, victime d'un inconnu qui avait craqué l'allumette fatale pour se venger de lui.

Que ressentait Shaw à cette minute ? Douleur, affolement, culpabilité à l'idée que son ami avait à son tour disparu dans les flammes à sa place ? Se demandait-il si ce cauchemar allait prendre fin, s'il n'y aurait pas d'autres incendies, d'autres morts tragiques avant la sienne ? Soupçonnait-il les membres de son entourage ? Fouillait-il dans sa mémoire, dans ses notes, à la recherche d'un secret si terrible qu'un homme était prêt à tuer afin qu'il ne soit pas divulgué ? À moins que, connaissant déjà le nom du criminel, il ne se sentît condamné au silence par une éthique professionnelle qu'il ne romprait à aucun prix ?

Toutes ces questions, qui se bousculaient dans la tête de Charlotte, lui donnèrent un furieux besoin de se dépenser. Elle passa une vieille robe, retroussa ses manches et noua un tablier autour de sa taille. Puis elle défit tous les lits de la maison, jeta draps, taies d'oreillers, serviettes et chemises de nuit au pied de l'escalier et en fit un ballot qu'elle porta dans la buanderie attenante à la cuisine. Là, elle remplit deux grands baquets d'eau chaude, coinça l'essoreuse à rouleaux entre eux, mit du savon dans le premier et commença sa lessive, l'esprit enfin libre de vagabonder à nouveau.

Certes, il existait une multitude de raisons pour que l'on ait voulu attenter à la vie de Shaw — argent, passion amoureuse, haine, désir de revanche, à moins qu'on ne le tînt pour responsable d'une négligence médicale. Charlotte persistait néanmoins à penser que la clé de l'énigme se trouvait dans le combat de Clemency contre les propriétaires de taudis.

Bientôt son tablier fut tout mouillé. Elle frottait le linge avec une telle énergie qu'elle en perdit les épingles de son chignon. Elle avait les bras enfoncés jusqu'aux coudes dans l'eau savonneuse, quand on sonna à la porte. « Le livreur de poissons, songea-t-elle. Gracie va s'en occuper. »

Quelques instants plus tard, elle entendit le pas précipité de la jeune fille dans le couloir. Celle-ci ouvrit la porte de la cuisine à la volée et s'immobilisa, stupéfaite, en voyant la tenue de sa maîtresse.

— C'est... Lady Cumming-Gould ! annonça-t-elle d'une voix suraiguë. Elle est là, juste derrière moi ! Elle a pas voulu attendre dans le salon !

En effet, tante Vespasia apparut dans l'embrasure de la porte, droite et élégante dans une robe bleu canard rehaussée de fils d'argent aux revers et au col, tenant à la main sa canne à pommeau d'argent, qui ne la quittait guère, ces derniers temps. Elle embrassa la pièce du regard, s'arrêtant au passage sur la table en bois impeccablement frottée, le poêle passé au noir, le buffet où s'alignaient des tasses de porcelaine blanche à liseré bleu et des assiettes en faïence marron et crème, et enfin sur les baquets fumants devant lesquels s'activait une Charlotte échevelée.

Celle-ci se figea. Vespasia passa, majestueuse, devant Gracie pétrifiée et observa l'essoreuse avec curiosité.

— Au nom du ciel, à quoi peut bien servir cet engin ? demanda-t-elle en haussant les sourcils. On dirait un instrument de torture datant de l'Inquisition !

— C'est une essoreuse, dit Charlotte en passant son bras sur ses cheveux pour les rejeter en arrière. Vous glissez le linge entre les rouleaux et, hop, le voilà essoré.

— Ah, vous m'en direz tant... fit Vespasia en s'asseyant à la table. Ce doit être très pratique.

D'un geste machinal, elle arrangea les plis de sa robe.

— Bien, parlons un peu de ce deuxième incendie. J'imagine que vous avez l'intention de mener votre petite enquête ? Clemency Shaw mérite une meilleure épitaphe que « morte à la place de son mari ».

Oubliant les draps qui trempaient dans les baquets, Charlotte s'essuya les mains et vint s'asseoir en face d'elle.

— Rien ne le prouve. Voulez-vous une tasse de thé ?

— Volontiers. Qu'est-ce qui vous fait croire cela ? Pourquoi irait-on mettre le feu à la maison de ce pauvre Lindsay, si ce n'est pour se débarrasser de Shaw, une bonne fois pour toutes ?

Charlotte jeta un coup d'œil en direction de Gracie, qui, enfin sortie de sa paralysie, se précipita sur la bouilloire.

— L'assassin craignait peut-être que Shaw, à force de déductions, ne finisse par deviner son identité ? suggéra-t-elle. N'oubliez pas qu'il était au courant des activités de sa femme. Il avait peut-être lu des documents qu'elle gardait chez elle. L'incendie aura fait disparaître non seulement Clemency, mais toutes les preuves qu'elle avait réunies contre les propriétaires de taudis.

— En effet. Je n'avais pas pensé à cela. Je sais que c'est idiot — cela ne la ramènera pas à la vie —, mais je préférerais savoir qu'elle n'est pas morte pour rien. Si Shaw connaît l'assassin, pourquoi ne le dénonce-t-il pas ? Il n'a sans doute pas de preuves tangibles. Vous n'imaginez tout de même pas qu'il puisse y avoir collusion entre lui et le meurtrier ?

— Non, bien sûr...

Gracie, nerveuse, ébouillanta la théière et versa du sucre en poudre dans le sucrier. Elle n'avait encore jamais préparé un thé pour une personne de la qualité de Lady Vespasia. Elle aurait voulu que tout fût parfait mais comment savoir ce que représentait la perfection pour une grande dame ? Tout en s'activant, elle écoutait avec attention la conversation. Le métier de Pitt était pour elle sujet de fierté et d'inquiétude, ainsi que la participation occasionnelle de Charlotte à ses enquêtes.

— J'imagine que Thomas s'est posé les mêmes questions que nous, pour arriver au même résultat, reprit Vespasia. Il est donc inutile de continuer dans cette voie.

Gracie tremblait tellement en servant le thé qu'elle en renversa quelques gouttes dans la soucoupe de Vespasia. Elle esquissa une petite révérence pour s'excuser.

— Merci, fit celle-ci aimablement.

Il n'était guère dans ses habitudes de remercier un domestique, mais elle comprenait la terreur qu'elle inspirait à cette pauvre enfant.

Gracie rougit et se hâta vers la buanderie pour terminer la lessive.

— Voici mon plan, annonça Charlotte en tendant une serviette à Vespasia afin qu'elle essuie sa soucoupe. Je vais essayer d'en apprendre davantage sur le travail de Clemency. En rencontrant les mêmes personnes et en suivant le même itinéraire qu'elle, je finirai bien par croiser le chemin de l'incendiaire ou de son commanditaire.

— Comment comptez-vous vous y prendre ? L'entreprise est risquée. Il faut que vous puissiez nous faire part de vos découvertes.

— Je n'y ai pas encore songé. En tout état de cause, j'éviterai de parler de réformes. Voyons, si je commençais par faire un tour à la paroisse de Highgate...

Elle se souvint de l'époque où, avec ses sœurs, elle

suivait sa mère aux réunions de patronage ; celle-ci visitait les malades et les personnes âgées, leur offrait de la soupe et des conserves, tout en leur prodiguant des paroles réconfortantes. Cela faisait partie des obligations des dames de la bonne société. Clemency avait dû faire comme elles, puis, devant l'immensité de la misère qu'elle rencontrait, au lieu de se résigner, elle avait décidé de la combattre.

— Je doute que cela suffise à vous protéger, objecta Vespasia.

— Si notre homme a en tête de supprimer une par une toutes les personnes qui s'occupent des indigents de la capitale, il lui faudra allumer un feu plus grand que l'incendie de Londres[1] ! De toute manière, je ne pourrai approcher directement les propriétaires. Je suivrai donc la méthode de Clemency. Et je ferai appel à vous, ainsi qu'à Emily et à Thomas, bien sûr, avant de découvrir le secret de celui qui est prêt à tuer pour éviter qu'il ne soit révélé. C'est promis.

Elle se trouva soudain un peu présomptueuse. Vespasia ne lui avait pas encore dit qu'elle tenait à participer à l'enquête. Charlotte leva vers elle un regard anxieux.

La vieille dame l'observa, les yeux brillants, et but une gorgée de thé.

— Emily et moi avons déjà un plan, annonça-t-elle en reposant sa tasse.

Son regard se porta, par-dessus l'épaule de Charlotte, vers Gracie, courbée sur la planche à laver.

— Si vous jugez préférable d'être accompagnée, laissez vos enfants pendant quelques jours aux soins de votre mère et emmenez Gracie avec vous.

Cette dernière cessa brusquement de frotter les draps et poussa un soupir de ravissement, à l'idée de jouer les détectives avec sa maîtresse. C'était l'aventure de sa vie !

1. Un tiers de la capitale avait été ravagé par un immense incendie, en 1666. (*N.d.T.*)

Charlotte dévisagea Vespasia avec incrédulité.
— Emmener Gracie ?
— Quoi de plus naturel que de se promener avec sa femme de chambre ? Je vous prêterai un attelage. Mon valet Percival le conduira. Si vous tenez, comme moi, à ce que l'enquête aboutisse, il faut vous donner les moyens de faire les choses correctement. J'éprouvais une grande admiration pour Clemency Shaw. Je veux être informée de l'avancée de vos découvertes, après Thomas, bien entendu. Je ne laisserai pas croire que la mort de Clemency n'a été que le résultat imprévisible et tragique d'un crime prémédité contre son mari.
Sa mine s'allongea soudain.
— Mon Dieu... Serait-il possible que ce pauvre Lindsay ait été assassiné précisément pour cette raison ? Pour faire croire que la mort de Clemency n'était pas préméditée ? Quelle horreur !
— Je le découvrirai, l'assura Charlotte en frissonnant. Dès que Percival arrivera avec votre voiture, j'emmènerai les enfants chez maman.
— Allez préparer leurs affaires, lui ordonna Vespasia. Je les emmènerai. J'ai toute la journée devant moi, jusqu'au début de la séance du Parlement.
Charlotte se leva.
— Un rendez-vous avec Somerset Carlisle ?
— Tout juste. Si nous devons combattre les propriétaires de taudis, il nous faut connaître la législation, de façon à savoir jusqu'où nous pouvons nous engager dans cette affaire, en respectant la légalité. J'imagine que c'est ce qu'a fait Clemency : elle a dû trouver un vide juridique lui permettant d'attaquer ces gens-là. Nous devons le découvrir.
Gracie frottait son linge avec une telle énergie que la planche vibrait contre le baquet.
— Pour l'amour du ciel, arrêtez, ma fille ! s'écria Vespasia. Je ne m'entends plus penser. Passez donc votre linge dans cet engin de torture et essorez-le. À vous entendre frotter, je suis sûre qu'il est déjà propre.

Ce ne sont que des draps ! Quand vous aurez fini, faites un brin de toilette, mettez un manteau... et un chapeau, si vous en avez un. Votre maîtresse a besoin de vous pour l'accompagner à Highgate.

— Bien, madame !

Gracie se haussa sur la pointe des pieds pour sortir le linge du baquet d'eau savonneuse, puis le fit tremper dans l'eau claire, ôta la bonde, et le passa dans l'essoreuse qu'elle fit tourner à toute vitesse, tant elle était excitée.

— Montez préparer la valise des enfants, poursuivit Vespasia sur le même ton, en s'adressant cette fois à Charlotte. Et prévoyez des vêtements de rechange pour plusieurs jours. Il ne faut pas que vous ayez l'esprit encombré par des problèmes d'intendance, pendant que vous mènerez l'enquête.

Charlotte obéit en souriant. Elle se souciait peu d'être commandée de la sorte : la familiarité autoritaire de Vespasia n'était qu'une preuve de son affection et de la confiance qu'elle mettait en elle pour résoudre une affaire qui leur tenait à cœur.

À l'étage, Charlotte trouva Jemima appliquée à faire ses pages d'écriture. Elle avait cessé de copier les lettres de l'alphabet et écrivait à présent avec aisance des mots et même des phrases qui avaient du sens. En revanche, le calcul ne lui plaisait pas beaucoup.

Le petit Daniel avait encore du mal à former ses lettres, aussi, de temps en temps, sa sœur condescendait-elle à l'aider, lui expliquant ce qu'il devait faire et pourquoi. Il supportait ses airs supérieurs avec bonne humeur, imitant son écriture ronde, cachant son ignorance et son admiration derrière une expression d'intense concentration. Cela devait être parfois difficile, pour un garçonnet de quatre ans, d'avoir une sœur aussi savante !

— Les enfants, vous allez passer quelques jours chez Grand-Maman, leur annonça Charlotte avec un sourire lumineux. Vous verrez, vous vous amuserez bien. Vous pouvez prendre vos devoirs avec vous, mais une heure ou deux d'étude chaque matin suffiront. Je préviendrai l'école de votre absence. Si vous êtes sages, vous ferez des promenades en voiture et peut-être même irez-vous au jardin zoologique !

Comme elle l'avait escompté, sa proposition obtint leur entière coopération.

— Vous partirez avec tante Vespasia, qui vous emmènera dans son bel attelage, dès que vos affaires seront prêtes. C'est une très grande dame : il faudra bien lui obéir et faire tout ce qu'elle vous dira.

— C'est qui, tante Vepsia ? zézaya Daniel, le front plissé. Je me souviens que de tante Emily.

— Eh bien, Lady Vespasia est la tante d'Emily, expliqua Charlotte, pour simplifier les choses et éviter de mentionner le nom de George devant Jemima, qui devait se souvenir de son oncle décédé.

De la mort, Jemima ne connaissait que celle des petits oiseaux, mais elle comprenait la signification de l'expression « perdre quelqu'un ».

Daniel parut satisfait. Charlotte mit quelques vêtements dans un sac de voyage qu'elle boucla rapidement. Ensuite elle débarbouilla les enfants, les peigna, leur mit leur manteau, s'assura que leurs gants étaient bien attachés aux manches, leurs souliers boutonnés et leur écharpe nouée. Puis ils descendirent à la cuisine où Vespasia les attendait.

Ils la saluèrent avec cérémonie, Daniel à moitié caché derrière sa sœur. Mais, fascinés par le lorgnon qu'elle porta à son œil pour les observer, ils en oublièrent leur timidité. Ce fut sans appréhension que Charlotte les vit monter dans la voiture, aidés par le valet de pied. Bientôt l'attelage s'ébranla et disparut au coin de la rue.

Gracie était tellement excitée qu'elle ne parvenait pas à se coiffer. Dans son énervement, elle noua son bonnet si serré qu'il lui faudrait couper le nœud aux ciseaux pour pouvoir l'enlever. Mais quelle importance ? Elle partait jouer les détectives avec sa maîtresse ! Elle n'avait qu'une vague idée des péripéties qui l'attendaient, mais l'aventure serait passionnante. Elle apprendrait peut-être des secrets concernant des événements si graves que des gens étaient prêts à tuer à cause d'eux. Elle frissonna. L'expédition pouvait être dangereuse !

Bien sûr, elle marcherait derrière sa maîtresse et ne parlerait que lorsqu'on l'y inviterait. Mais si elle ouvrait grands les yeux et les oreilles, elle remarquerait peut-être quelque chose de très important auquel personne n'avait prêté attention.

Deux heures plus tard, elles descendirent de l'attelage, aidées par Percival, à la grande joie de Gracie, qui n'avait jamais voyagé dans une si belle voiture et à qui aucun domestique n'avait jamais prêté une main secourable !

Ensemble, elles remontèrent l'allée qui menait à l'église St. Anne. Charlotte avait insisté pour que la jeune fille marchât à ses côtés. Elles espéraient y trouver quelqu'un pour leur expliquer qui s'occupait des indigents dans la paroisse, afin de remonter l'une des pistes suivies par Clemency Shaw.

Charlotte avait beaucoup réfléchi à la façon dont elle allait s'y prendre. Comme elle ne voulait pas révéler ouvertement ses intentions, il lui fallait inventer une histoire plausible. Elle désespérait de trouver une anecdote qui tienne debout quand Gracie, toute gênée de sa hardiesse, lui proposa de dire qu'elles étaient à la recherche d'une de ses tantes qui, venaient-elles de l'apprendre, n'avait eu d'autre solution, après la mort de son mari, que de chercher refuge auprès de la paroisse, car elle ne pouvait plus payer son loyer.

Au départ, Charlotte jugea l'idée un peu tirée par les cheveux et se dit que le révérend Clitheridge ne la croirait pas, mais Gracie lui fit remarquer que c'était précisément ce qui était arrivé quinze jours plus tôt à sa tante Bertha. Charlotte songea alors que l'idée n'était peut-être pas si mauvaise !

— Évidemment, tante Bertha habitait pas Highgate, souligna Gracie. Elle vivait à Clerkenwell, mais ça, ils sont pas obligés de le savoir.

Aussi, après avoir appris qu'il n'y avait personne au presbytère, elles se rendirent directement à l'église, où elles trouvèrent Lally Clitheridge en train d'arranger des bouquets de fleurs dans la sacristie. Elle se retourna en entendant la porte s'ouvrir, le visage avenant. Mais son sourire se figea sur ses lèvres lorsqu'elle reconnut Charlotte. Elle garda les asters qu'elle tenait à la main et ne bougea pas de son banc.

— Bonjour, Mrs. Pitt. Vous cherchez quelqu'un ?

— J'espérais que vous auriez la gentillesse de m'aider, répondit Charlotte en s'efforçant de donner à sa voix une chaleur qu'elle était loin de ressentir.

Lally haussa légèrement les sourcils et regarda Gracie.

— Cette jeune dame est avec vous ?

— C'est ma femme de chambre, expliqua Charlotte d'un ton qu'elle jugea un peu prétentieux, mais elle ne voyait pas comment justifier la présence de Gracie.

— Oh ! s'exclama Lally. Seriez-vous souffrante ?

— Je vais très bien, merci, répondit Charlotte en s'efforçant de garder un ton aimable.

Elle aurait volontiers dit à Lally de se mêler de ce qui la regardait, mais cela aurait desservi ses objectifs. Elle avait besoin de s'en faire une alliée, à défaut d'une amie.

— Voilà ce qui nous amène : Gracie a appris que l'un de ses oncles était décédé, laissant sa femme dans une situation financière si dramatique qu'elle a dû chercher secours auprès de la paroisse. Auriez-vous l'amabilité de me dire quelles dames du voisinage s'occupent de bonnes œuvres ? Elles pourraient peut-être nous aider à la retrouver.

Lally était visiblement déchirée entre son animosité envers Charlotte et la compassion qu'elle éprouvait pour Gracie. Celle-ci la fixait d'un air agressif, que la femme du pasteur prit pour une douleur bien contrôlée.

— Vous ne savez pas où habite votre tante ? lui demanda-t-elle, sans un regard pour Charlotte.

Gracie avait l'esprit vif.

— Je connaissais son ancienne adresse, madame. Mais mon oncle Albert est parti si subitement, le pauvre homme. Et comme il avait pas d'argent, ma tante a dû se retrouver à la rue. Vers où vouliez-vous qu'elle se tourne, à part la paroisse ?

Les traits de Lally s'adoucirent.

— Depuis plus d'un an, nous n'avons enterré aucun homme prénommé Albert, mon enfant. Je suis bien placée pour le savoir, puisque c'est moi qui note les décès. Cela fait partie de mon devoir de chrétienne. Êtes-vous sûre qu'ils habitaient Highgate ?

— Oh, oui, madame, répondit Gracie, très sérieuse. Si vous nous donniez les noms des dames qui aident ceux qui sont dans le besoin, elles pourraient peut-être nous renseigner.

Elle lui adressa un sourire suppliant, songeant que le travail de détective consistait à faire avouer aux gens ce qu'ils ne tenaient pas à vous dévoiler.

Malgré elle, Lally fut séduite par cette adorable enfant. Ignorant toujours Charlotte, elle répondit :

— Bien sûr. Mrs. Hatch pourrait vous aider, ou Mrs. Dalgetty, ou encore Mrs. Simpson, Mrs. Braithwaite ou Miss Crombie. Voulez-vous leur adresse ?

— Oui, je veux bien, si c'est pas trop vous demander.

L'épouse du pasteur chercha une feuille de papier dans son réticule, mais n'y trouva pas de crayon. Charlotte en sortit un de son sac et le lui tendit. Lally le prit en silence, nota les noms et les adresses, puis donna le papier à Gracie, qui fit une petite révérence.

— Merci bien, madame. C'est très gentil à vous de m'avoir renseignée.

— De rien, voyons, répondit Lally, dont le visage s'assombrit dès qu'elle se tourna vers Charlotte pour lui rendre son crayon. Au revoir, Mrs. Pitt. J'espère que vos recherches porteront leurs fruits. À présent, si vous voulez bien m'excuser, il faut que je termine ces bouquets. J'ai plusieurs visites à faire.

Elle leur tourna le dos et se remit à piquer les asters dans leur vase.

Charlotte et Gracie quittèrent la sacristie, côte à côte, les yeux baissés. Sitôt dehors, la jeune fille brandit la feuille de papier et la tendit à Charlotte d'un air triomphant.

— Bravo, Gracie ! Vous vous êtes bien débrouillée ! Je ne sais pas ce que j'aurais fait sans vous !

La jeune fille rosit de plaisir.

— Qu'est-ce qu'elle a écrit, madame ? J'arrive pas à lire son écriture.

Charlotte déchiffra le griffonnage hâtif de Lally.

— Exactement ce dont nous avons besoin : le nom et l'adresse de plusieurs dames qui pourraient savoir par où Clemency a commencé ses recherches. Nous irons d'abord chez Maude Dalgetty. Je l'ai rencontrée aux obsèques de Mrs. Shaw. C'est une femme sympathique et pleine de bon sens, aux idées généreuses. C'était une amie de Clemency. Je pense qu'elle n'hésitera pas à nous venir en aide.

En effet, Maude Dalgetty se montra tout à fait désireuse de les aider. Elle les accueillit dans son petit salon, une pièce ensoleillée, élégamment meublée, fleurie de roses d'automne. Les franges des abat-jour et des embrasses de rideaux étaient un peu effilochées, et il manquait quelques pendeloques au lustre, mais l'atmosphère y était très chaleureuse. Les livres qui couvraient les étagères avaient été lus ; il y avait un volume ouvert sur un guéridon. Un grand panier à ouvrage débordait de pièces à broder et à repriser. On pouvait admirer, au-dessus de la cheminée, une toile représentant Maude, assise dans un jardin, l'été, éclairée par des jeux de lumière changeants. Le tableau devait dater d'une dizaine d'années. Cette femme avait dû être d'une exceptionnelle beauté, songea Charlotte.

Deux chats dormaient profondément, devant la cheminée, lovés l'un contre l'autre jusqu'à ne former qu'une seule boule de fourrure.

— Comment puis-je vous aider ? demanda Maude, en s'adressant à ses deux visiteuses. Asseyez-vous. Vous prendrez bien une tasse de thé ?

Ce n'était pas à proprement parler l'heure du thé, mais, parties de Bloomsbury en fin de matinée, elles n'avaient pas eu le temps de se restaurer. Gracie devait être affamée. Charlotte accepta la proposition d'autant plus volontiers qu'elle avait été faite en toute sincérité.

Maude donna des instructions à sa bonne, puis leur demanda à nouveau ce qu'elle pouvait faire pour elles. Charlotte hésita. Cette femme intelligente méritait qu'on lui dise la vérité. Mais en pensant à la mort de Clemency et de Lindsay, Charlotte songea qu'il valait peut-être mieux continuer à mentir, par prudence. Une phrase innocemment rapportée pouvait déclencher une nouvelle explosion de violence. La perte de confiance en autrui est l'un des changements les plus affreux susceptibles de survenir après un meurtre. On voit la trahison partout : une phrase innocente est interprétée comme un mensonge ; derrière chaque mot prononcé par inadvertance sous le coup de la colère, on croit deviner la haine ; derrière ce qui est tu, on soupçonne l'envie.

— Gracie a appris que l'une de ses tantes, domiciliée à Highgate, a récemment perdu son mari. Elle craint que, étant donné ses faibles revenus, cette femme ne se retrouve à la rue. Si par hasard elle avait cherché assistance auprès de la paroisse, pourriez-vous nous aider à la retrouver ?

Voyant l'expression désolée qui se peignait sur le visage de Maude, Charlotte rougit de sa duplicité et s'empressa d'ajouter :

— Si vous n'êtes pas au courant, quelqu'un d'autre le sera peut-être. Je crois savoir, enchaîna-t-elle, que Mrs. Shaw se préoccupait beaucoup de ce genre de situation difficile, n'est-ce pas ?

Maude serra les lèvres et cligna des yeux à plusieurs reprises pour dissimuler son chagrin.

— En effet, murmura-t-elle. Malheureusement, si Clemency tenait à jour une liste de personnes dans le besoin, celle-ci a dû être détruite dans l'incendie.

Elle se tourna vers Gracie.

— Le vicaire, Matthew Oliphant, serait susceptible de vous renseigner. Clemency se confiait à lui et il lui prodiguait conseils et assistance. Elle parlait peu de son travail, mais je sais qu'au fil des mois elle s'y consacrait chaque jour davantage, et se rendait régulièrement dans les quartiers pauvres de la capitale. À ce propos, je ne suis pas certaine qu'elle aurait été au courant d'un décès dans la paroisse. Vous devriez plutôt interroger Mrs. Hatch, ou encore Mrs. Wetherell.

La bonne apporta le thé, accompagné de délicieux sandwichs. Pendant quelques instants, Charlotte en oublia le but de sa visite. Quant à Gracie, qui n'avait jamais rien goûté d'aussi raffiné, elle était aux anges.

Le ciel commençait à se charger de nuages lorsque l'attelage s'arrêta devant le domicile de Matthew Oliphant. Percival aida les deux femmes à descendre de voiture, les suivit des yeux jusqu'à ce qu'elles aient frappé à la porte, puis retourna sur son siège et se prépara à les attendre.

La petite bonne qui leur ouvrit leur dit que le vicaire les recevrait volontiers. Le salon était une pièce impersonnelle, meublée à l'ancienne avec des fauteuils couverts de têtières brodées. Au-dessus de la cheminée trônait un portrait de la reine et, sur le mur opposé, celui du Premier ministre Gladstone. On avait mis là des échantillons de broderie, des bouquets de fleurs séchées, une belette empaillée derrière une vitrine et deux aspidistras en pot. Une pièce où l'on aurait entassé tous les objets dont on souhaite se débarrasser, songea Charlotte. Qui, de son propre chef, aurait choisi une telle décoration ? Certainement pas un garçon comme Matthew Oliphant, plein d'imagination et de sensibilité.

Ce dernier se leva pour les saluer, laissant sa Bible ouverte sur la table. Stephen Shaw, assis devant le bureau à cylindre, se leva à son tour dès qu'il aperçut Charlotte.

— Mrs. Pitt, quelle joie de vous voir ici ! s'exclama-t-il en lui tendant la main.

Il remarqua alors Gracie, qui se cachait timidement derrière sa maîtresse, n'ayant pas l'habitude de rencontrer des gentlemen.

— Bonjour, docteur Shaw, fit Charlotte, tentant de dissimuler sa déception.

Comment en effet interroger le vicaire devant lui ? Il lui fallait changer ses plans.

— Voici Gracie... bredouilla-t-elle, ne trouvant aucune explication à sa présence. Bonjour, Mr. Oliphant.

— Bonjour, Mrs. Pitt. Si... si vous désirez vous entretenir avec le Dr Shaw, je peux me retirer dans ma chambre, proposa le jeune homme en prenant sa Bible sur la table. Il y fait suffisamment bon pour y travailler.

Étant donné la température glaciale qui régnait dans le vestibule, Charlotte comprit qu'il s'agissait d'un pieux mensonge.

— Oh, mais pas du tout, Mr. Oliphant ! Je vous en prie, restez avec nous. Vous êtes chez vous et je m'en voudrais beaucoup de vous chasser.

— Que puis-je faire pour vous, Mrs. Pitt ? s'enquit Shaw avec une sollicitude toute professionnelle. Vous paraissez en bonne santé. Cette jeune fille, peut-être...

— Oh, je vous remercie, nous allons très bien ! Nous ne sommes pas venues vous consulter.

Inutile de lui raconter l'histoire du décès de l'oncle. Shaw devinerait aussitôt le mensonge et les mépriserait d'avoir inventé une fable aussi ridicule.

Elle le regarda droit dans les yeux, troublée par l'extrême intelligence de son regard franc et direct.

— Je ne viens pas vous parler de moi. En fait, je... je suis déterminée à poursuivre le travail qu'avait entrepris votre épouse concernant les conditions de logement des plus défavorisés. J'aimerais en savoir davantage sur ses méthodes, afin de commencer mon enquête.

Un lourd silence s'installa dans la pièce. Matthew Oliphant, debout près de la cheminée, serrant sa Bible dans ses mains, pâlit, puis devint écarlate. Un éclair d'étonnement, puis d'incrédulité soupçonneuse, passa dans le regard du médecin.

— Puis-je connaître vos raisons ? demanda-t-il, sur la défensive. S'il vous tient à cœur de soulager les indigents, pourquoi ne pas vous occuper de ceux de votre quartier ? Il doit bien y en avoir, j'imagine ? ajouta-t-il d'un ton sarcastique. La capitale grouille de miséreux. Vivez-vous dans un district si riche que vous n'ayez pas de pauvres à vous mettre sous la dent ?

Charlotte se trouva à court d'arguments.

— Vous n'êtes guère aimable, docteur Shaw, répondit-elle sur le ton qu'aurait employé tante Vespasia dans les mêmes circonstances.

Elle se sentit complètement ridicule, mais vit que Shaw regrettait ses paroles.

— Pardonnez mon emportement. Vous m'en voyez désolé, murmura-t-il.

Charlotte eut un petit geste de la main pour signifier que l'incident était oublié et lui sourit avec chaleur.

— N'en parlons plus. Pourriez-vous m'aider ? Je vous en serais très obligée. Nous sommes plusieurs à vouloir reprendre le combat que menait votre épouse. Beaucoup de gens l'admiraient, vous savez. Il serait dommage de ne pas profiter des éléments qu'elle avait rassemblés.

Sans un mot, Matthew Oliphant se rassit. Charlotte remarqua qu'il tenait sa Bible à l'envers.

Shaw réfléchissait, sourcils froncés.

— Je ne vois pas en quoi ils vous seraient utiles. À ma connaissance, Clemency travaillait seule. Elle n'avait nul besoin des dames patronnesses, ni du pasteur.

Il soupira.

— Ce pauvre Clitheridge se noierait dans un verre d'eau !

Il la dévisagea avec une gravité mêlée d'une admiration moqueuse qui la troubla. Une pensée absurde la traversa, qu'elle chassa en rougissant.

— Néanmoins, j'aimerais essayer, insista-t-elle.

— Je n'ai, hélas, pas grand-chose à vous apprendre, Mrs. Pitt, dit-il avec douceur. Je sais seulement que Clemency tenait à faire réformer les lois sur le logement. C'était son cheval de bataille, son obsession. Mais si, comme je le soupçonne, vous cherchez à savoir qui a mis le feu à ma maison, je vous préviens tout de suite que vous n'y arriverez pas de cette façon. Je suis la cible de l'incendiaire. Clemency et Amos ont perdu la vie à cause de moi.

— En êtes-vous certain, docteur Shaw ? N'êtes-vous pas un peu présomptueux ? Croyez-vous être le seul à susciter tant de passion ou de crainte ?

— Clemency était une femme merveilleuse ! riposta-t-il, piqué au vif. Si vous l'aviez connue vivante, vous sauriez qu'elle n'a rien fait qui puisse déclencher une folie meurtrière allant jusqu'à brûler des maisons et leurs habitants. Pour l'amour du ciel, si vous tenez à vous mêler de cette histoire, faites-le au moins efficacement !

— C'est bien ce à quoi je m'emploie, se récria-t-elle, mais vous paraissez décidé à m'en empêcher ! On dirait que vous ne voulez pas que l'on arrête l'assassin ! Vous refusez d'aider la police, ajouta-t-elle en pointant sur lui un index accusateur. Vous vous accrochez à votre secret médical comme s'il s'agissait d'un secret d'État. Que croyez-vous que nous allons faire, sinon essayer d'arrêter l'assassin ?

Shaw sursauta.

— Je ne connais aucun secret qui permette d'arrêter

qui que ce soit, mis à part de pauvres diables qui préfèrent taire le mal qui les ronge plutôt que de le savoir ébruité et commenté par les méchantes langues du voisinage. Mon Dieu ! Croyez-vous que je ne tienne pas à voir arrêté l'assassin de ma femme et de mon meilleur ami ? Sans compter que je serai certainement sa prochaine victime.

— Oh, inutile de vous faire passer pour un martyr, dit-elle sèchement.

Sa colère s'était évaporée. Elle se sentait coupable de s'être montrée aussi intransigeante, mais ne savait comment se sortir d'une dispute dont elle était l'initiatrice.

— Votre vie n'est probablement pas en danger, à moins que, comme c'était sans doute le cas de ce pauvre Mr. Lindsay, vous ne connaissiez le nom du meurtrier.

Furieux, Shaw s'empara d'un cendrier, le lança contre un mur sur lequel il éclata en mille morceaux, puis il sortit de la pièce en claquant la porte.

Gracie, sidérée, ouvrait des yeux grands comme des soucoupes. Le vicaire baissa les yeux vers sa Bible, s'aperçut qu'il la tenait à l'envers, la referma vivement et se leva.

— Mrs. Pitt, murmura-t-il, je crois pouvoir vous aider. J'accompagnais souvent Mrs. Shaw dans les quartiers pauvres. Si vous le souhaitez, je vous servirai de guide.

Charlotte observa ce visage anguleux dont les traits reflétaient une immense douleur. Elle eut honte de son éclat.

— Merci, Mr. Oliphant, je vous en serais très reconnaissante.

L'attelage les conduisit au-delà de Highgate, dans Upper Holloway. Percival stoppa la voiture à l'entrée d'une ruelle et s'apprêta à les attendre. En descendant du marchepied, Charlotte regarda autour d'elle et vit un alignement serré de maisonnettes étroites, à un étage, aux perrons de pierre blanche soigneusement balayés.

Elles lui firent penser à la première maison où elle avait emménagé avec Pitt, après leur mariage.

— Venez par ici, souffla Oliphant.

Ils tournèrent à angle droit et empruntèrent un passage qui longeait l'arrière des maisons. Aussitôt, un courant d'air glacé leur fouetta le visage, charriant des relents nauséabonds. Charlotte et Gracie se protégèrent la bouche avec leur mouchoir. Elles durent courir derrière le vicaire pour se maintenir à sa hauteur.

Ils traversèrent bientôt une courette obscure. Oliphant leur fit signe d'enjamber la rigole pleine de détritus qui coulait à ciel ouvert. Au fond de la cour, il s'arrêta devant une porte de bois à la peinture écaillée et frappa. Une jeune fille d'une quinzaine d'années, au visage blafard, aux cheveux sales et aux paupières rougies entrebâilla la porte. Une ombre de crainte et de méfiance passa dans son regard.

— Oui ? Qui êtes-vous ? Qu'est-ce que vous voulez ?

— Mrs. Bradley est-elle chez elle ? demanda le vicaire, écartant légèrement le revers de son manteau pour montrer son col de clergyman.

Les traits de la jeune fille s'adoucirent aussitôt.

— Maman est dans son lit. Le docteur est venu hier pour lui donner des gouttes, mais ça va pas mieux.

— Puis-je la voir ?

— Si vous voulez. Mais la réveillez pas si elle dort.

— C'est promis.

Oliphant s'effaça pour laisser passer Charlotte et Gracie. Ils pénétrèrent dans une pièce aux murs suintant d'humidité, au papier peint tout moisi. Une odeur aigre de renfermé les prit à la gorge. Il n'y avait ni robinet, ni colonne d'alimentation d'eau. Dans un coin, un baquet recouvert d'un couvercle de fortune servait de lieu d'aisances.

Oliphant leur désigna un escalier branlant menant vers une ouverture dans le plafond.

— Je passe le premier, chuchota-t-il. Attendez chacune votre tour avant de monter. On ne sait jamais, les marches pourraient s'effondrer.

Ils se retrouvèrent dans une chambre meublée de deux petits lits recouverts d'une montagne de couvertures. Dans le premier était allongée une femme à qui, à première vue, Charlotte donna l'âge de sa mère. Elle avait un visage hâve, à la peau parcheminée, aux orbites affreusement creuses, comme celles d'un squelette. En s'approchant d'elle, Charlotte remarqua ses cheveux blonds, le grain fin de la peau qu'elle entrevoyait sous la chemise de nuit rapiécée et se rendit compte que la malade n'avait guère plus de trente ans. Ses doigts amaigris serraient un mouchoir taché de sang.

Ils demeurèrent là, pendant plusieurs minutes, à observer en silence la silhouette endormie, tous trois submergés par une immense pitié.

— Il faut absolument faire quelque chose ! s'exclama Charlotte, dès qu'ils furent redescendus au rez-de-chaussée. Qui est le propriétaire de ce taudis ? Les chevaux sont plus confortablement abrités dans une écurie. Il faut le traîner en justice ! Bon, au travail. Commençons par retrouver le collecteur de loyers.

La jeune fille blêmit et se mit à trembler.

— Je vous en prie, Miss, ne faites pas ça ! On nous mettrait dehors ! Ma mère mourrait si vous la jetiez à la rue. Moi et mes sœurs, nous nous retrouverions à l'asile. Je vous en prie... Nous n'avons rien fait de mal. Nous payons notre loyer, je vous jure !

— Il n'est pas question de vous mettre à la rue ! Je veux seulement contraindre votre propriétaire à réaliser des travaux d'assainissement.

La jeune fille la regarda sans comprendre.

— Si nous faisons des histoires, il nous jettera dehors. Y en a plein qui seraient bien contents d'habiter ici à notre place. Nous serions obligées de déménager plus loin, vers le sud, et là-bas, c'est encore pire. Je vous en supplie...

— Pire ? Mais vous n'avez ni eau courante ni système d'evacuation. Il n'est pas étonnant que votre mère soit malade.

— Elle ira mieux bientôt. Il faut la laisser dormir. Nous sommes très bien ici. Laissez-nous tranquilles.

— Mais...

— Vous voulez savoir ce qui est arrivé à Bessie Jones ? Elle s'est plainte et elle s'est retrouvée à St. Giles, dans un galetas avec seulement une paillasse pour dormir. Alors laissez-nous, Miss.

Sa peur était si palpable que Charlotte s'entendit lui jurer qu'elle ne dirait rien. Elle sortit de la pièce en frissonnant, gagnée par une nausée irrépressible et une colère qui raidissait tous ses muscles.

— Demain, je vous emmènerai à St. Giles, lui proposa Oliphant, dès qu'ils furent dans la rue. Si vous le désirez.

Si elle se donnait le temps de réfléchir, ne serait-ce qu'une seconde, sa résolution pourrait fléchir, aussi Charlotte accepta-t-elle sans hésiter.

— Y êtes-vous allé avec Mrs. Shaw ? s'enquit-elle, tentant de se représenter le trajet suivi par Clemency.

Matthew Oliphant se tourna vers elle. À ce souvenir, il parut s'illuminer de l'intérieur, en dépit du décor sordide et glacial qui l'entourait.

— Oui. Nous sommes d'abord venus ici, puis nous sommes allés à St. Giles et de là, plus à l'est encore, vers Mile End et Whitechapel.

S'il avait évoqué les ruines d'Ispahan ou la route de Samarcande, son ton n'aurait pas été plus émerveillé.

— Alors, vous devez savoir quel est le dernier endroit où elle s'est rendue avant son décès ?

— Si je le savais, Mrs. Pitt, je vous l'aurais dit. Je n'étais pas avec elle, le jour où elle a retrouvé Bessie Jones. Elle m'en a parlé le lendemain. Si seulement j'avais été à ses côtés...

Au prix d'un grand effort, il poursuivit, d'une voix enrouée, à peine audible :

— J'aurais peut-être pu la sauver.

Voulait-il dire que les propriétaires de taudis, se sentant menacés par l'action de Clemency, avaient pris à ce moment-là la décision de la faire disparaître ?

Il détourna la tête pour cacher son émotion.

— Si vous souhaitez aller là-bas, j'essaierai de vous aider à trouver Bessie. Mesurez-vous les risques encourus ? Si nous la retrouvons, eh bien...

Il ne termina pas sa phrase.

— N'avez-vous pas peur, Mr. Oliphant ? s'enquit-elle, non par défi, mais parce qu'elle était certaine du contraire.

Sur ses traits sensibles, elle lisait colère, indignation, chagrin, mais en aucun cas de la peur.

Il se retourna, lui offrant un visage transfiguré par la passion.

— Vous désirez poursuivre l'œuvre de Clemency, Mrs. Pitt, et voir ses assassins arrêtés et condamnés. Eh bien, moi aussi.

Charlotte jugea inutile de répondre. Elle venait soudain de comprendre que ce garçon avait aimé Clemency. Il ne le lui avait sans doute jamais avoué, car c'était une femme mariée, plus âgée que lui et d'un rang social supérieur. Mais cela n'altérait en rien l'intensité de ses sentiments et de la douleur causée par sa disparition.

— Nous vous en serions très obligées, Mr. Oliphant, dit-elle poliment, comme si elle ne s'était rendu compte de rien.

Ce soir-là, elle expliqua à Pitt la teneur et le but exacts de son enquête. Elle n'avait pas envie d'user de faux-fuyants, et puis, il fallait bien justifier l'absence des enfants. En revanche, elle ne put lui dire où elle se rendrait, car elle-même ignorait où la mèneraient ses recherches.

Au cours des deux journées qui suivirent, l'attelage de Vespasia, conduit par Percival, s'enfonça dans des ruelles toujours plus sombres, plus étroites et plus fétides, sur la trace de l'infortunée Bessie Jones. Gracie leur fut d'une aide inestimable, car non seulement elle connaissait ces quartiers, mais elle comprenait le désespoir de ces hommes et de ces femmes qui préféraient vivre dans des taudis, plutôt que de se retrouver dans la rue, entassés sous des porches ou des encoignures de portes, frissonnant sous la pluie et le vent glacés.

Le troisième jour, en fin d'après-midi, ils retrouvèrent Bessie Jones au cœur de Mile End, non loin de Whitechapel Road. D'importantes forces de police étaient déployées dans le secteur, toujours à la poursuite de l'Éventreur.

Bessie était accroupie dans un recoin d'une pièce d'environ trois mètres sur quatre, occupée par trois familles, seize personnes en tout, dont deux bébés au sein qui pleuraient constamment. Contre un mur se dressait un poêle ventru qui chauffait à peine, faute de combustible. Là encore, aucun système d'évacuation des déjections et des détritus n'était prévu, mis à part une rigole qui débordait en traversant la cour. Les seaux d'ordures et d'excréments dégageaient une puanteur insupportable qui vous prenait à la gorge, imprégnant les vêtements, les cheveux et la peau. Nulle eau courante pour boire, laver le linge et faire la cuisine. Il fallait aller la chercher avec des seaux, à trois cents mètres de là.

La pièce ne possédait aucun meuble, à l'exception d'une chaise cassée. Hommes, femmes et enfants dormaient sous des tas de chiffons et de vieilles couvertures, sans rien pour les séparer du plancher que des guenilles, de vieux bouts d'étoupe et de tissu trop abîmés pour être récupérés, filés et retissés dans les asiles des pauvres.

Les couinements des rats qui couraient au plafond couvraient presque les pleurs des bébés et les ronflements d'un vieillard couché sous l'unique fenêtre dont le carreau cassé avait été remplacé par un rectangle de linoléum. Du rez-de-chaussée montaient les bruits d'une gargote où des ivrognes se battaient, juraient et braillaient à tue-tête des chansons paillardes. Par la fenêtre,

Charlotte aperçut deux femmes gisant, inconscientes, dans le caniveau et un marin qui se soulageait contre un mur.

Au-dessous du niveau de la rue, des caves mal éclairées abritaient des ateliers où une centaine de femmes et de jeunes filles s'usaient les yeux à coudre des chemises pour quelques misérables pence par jour. Un travail toutefois moins dangereux que celui des employées des fabriques d'allumettes, lentement empoisonnées par le phosphore.

À l'étage supérieur, qui servait de maison de passe, les filles se préparaient à recevoir les clients et, un peu plus haut dans la rue, dans un autre taudis, des hommes au corps ravagé, allongés sur des banquettes, laissaient leur esprit s'envoler dans des rêves d'opium.

Bessie Jones avait donc atterri là, épuisée par un combat inutile. Au moins, elle était à l'abri de la pluie et sûre d'avoir deux tranches de pain par jour à manger. Elle pouvait, la nuit venue, ramper vers le poêle pour tenter de se réchauffer. Avant de partir, Charlotte vida devant elle le contenu de son porte-monnaie : geste vain qui ne soulageait guère sa conscience, mais elle eut l'impression que les pièces de cuivre lui brûlaient les doigts.

Elle suivait donc pas à pas le même itinéraire que Clemency Shaw, mais n'avait, hélas, encore rien appris sur l'identité de celui qui avait souhaité sa mort. Ses mobiles, en revanche, paraissaient évidents : certains petits propriétaires de taudis se moquaient peut-être de voir leurs noms divulgués car ils n'avaient ni réputation ni statut social à perdre, mais ceux qui avaient bâti leur fortune sur le dos de ces pauvres hères étaient certainement prêts à tout pour garder l'anonymat. D'ordinaire, le terme de propriétaire foncier évoquait la campagne, des terres fertiles, des vergers, des bois, des troupeaux, et non l'effroyable misère que Charlotte et Gracie avaient côtoyée.

En rentrant chez elle, Charlotte ôta ses vêtements, y compris ses dessous, les mit à tremper et dit à Gracie d'en faire autant. Quel savon pourrait éliminer cette terrible odeur ? Rien ne pourrait jamais la chasser de son souvenir, mais mettre le linge à bouillir et le frotter énergiquement aurait un effet purificateur.

— Que comptez-vous faire, madame ? demanda Gracie d'une voix rauque, encore bouleversée par ce qu'elle venait de voir.

— Démasquer les propriétaires de ces taudis.

— Vous pensez que c'est eux qui ont mis le feu à la maison de Miss Clemency ? reprit la jeune fille en lui tendant ses vêtements.

Elle s'enveloppa dans une robe de chambre de Charlotte, bien trop grande pour elle. Elle ressemblait tellement à une petite fille que Charlotte se sentit coupable de l'avoir entraînée dans une telle aventure.

— Oui, je le crois. Avez-vous peur, Gracie ?

— Oui, madame. Mais c'est pas ça qui va m'arrêter. Je vais vous aider, pour sûr, et personne m'en empêchera. Et puis, je veux pas vous laisser toute seule.

Émue, Charlotte la prit dans ses bras et la serra contre elle. Gracie en rougit de plaisir.

— Je n'imaginerais pas y aller sans vous, avoua Charlotte en toute franchise.

De son côté, Jack Radley avait repris contact avec une ancienne relation, Anton, joueur invétéré à la réputation douteuse, qu'il avait connu dans les salles de jeu, bien avant sa rencontre avec Emily. Il l'avait persuadé qu'il serait intéressant et profitable d'aller faire un tour du côté des taudis de l'East End. Anton ne voyait pas ce qu'il y avait là d'intéressant, mais quand Jack, qui avait cessé de fumer, lui promit son coupe-cigares en argent, il se rallia à son projet.

Emily proposa de les accompagner, mais Jack n'admit aucun de ses arguments. C'était bien la première fois, depuis qu'ils se connaissaient !

— Il est préférable que vous ne veniez pas, dit-il avec un charmant sourire, mais ses yeux ne riaient pas.

— Voyons, Jack... minauda-t-elle en cherchant le point faible de sa carapace, qui lui permettrait de gagner la partie.

À sa grande surprise, elle n'en trouva pas. Jack ne plaisantait pas.

— Non, vous ne viendrez pas. C'est trop risqué. N'oubliez pas le but de notre démarche. Ne cherchez pas à discuter, ce serait une perte de temps. Vous ne viendrez pas.

Elle prit une profonde inspiration.

— Très bien, comme vous voudrez, concéda-t-elle aussi gracieusement que possible. Si tel est votre souhait...

— Ce n'est pas un souhait, mais un ordre, ma chérie, conclut-il avec un léger sourire.

Après leur départ, la première réaction d'Emily fut une grande colère. Jack ne lui faisait-il donc pas confiance ? Puis, comprenant qu'il tenait avant tout à lui éviter les désagréments d'une pénible expédition, elle lui fut reconnaissante de son attention. Elle appréciait qu'il eût des égards pour elle, et, bien qu'elle détestât recevoir des ordres, elle n'aimait pas toujours avoir le dernier mot. On ne tire pas nécessairement satisfaction de pouvoir toujours faire ce que l'on veut.

Elle avait donc un long après-midi devant elle. L'esprit en ébullition, elle appela le valet de pied et lui demanda de préparer son cabriolet. Pendant ce temps, elle revêtit une robe du dernier cri, qu'elle avait commandée chez Worth, à Paris, d'un bleu cobalt qui flattait son teint clair, somptueusement brodée sur le devant et l'ourlet.

Elle se rendit ensuite chez une personne dont la fortune était beaucoup plus importante que les scrupules. Emily avait entendu parler d'elle par des amis de George, rencontrés dans des salons où les belles manières et l'argent comptaient plus que l'amitié ou la considération.

La dame habitait Park Lane. Emily tendit à la soubrette un peu déconcertée l'une de ses anciennes cartes de visite, gravée au nom de Madame la Vicomtesse Ashworth — ce qui était bien plus impressionnant que Mrs. Jack Radley —, et attendit. L'usage voulait que la visiteuse laissât sa carte, afin que son hôtesse lui renvoyât la sienne en lui fixant une date de rendez-vous. Mais Emily n'avait pas l'intention de partir. La soubrette était donc obligée de lui dire de s'en aller ou de lui proposer d'entrer. Mais le titre de la visiteuse ne lui laissait pas le choix.

— Veuillez entrer, madame. Je vais voir si Lady Priscilla peut vous recevoir.

Emily accepta gracieusement et, la tête haute, traversa l'immense vestibule décoré de portraits de famille. Il y avait même, dans un coin, une armure du Moyen Âge. Elle s'assit dans le grand salon, devant la cheminée, jusqu'au retour de la soubrette qui la mena ensuite au boudoir du premier étage, réservé aux dames. Une pièce exquise, décorée dans un style oriental très en vogue. Il y avait là toutes sortes de chinoiseries : boîtes en laque, paravent de soie, tableaux représentant des montagnes émergeant de la brume, des chutes d'eau et de tout petits personnages cheminant sur des routes interminables. Un meuble vitré contenait une vingtaine d'objets minuscules sculptés dans le jade et deux éventails d'ivoire si finement travaillés que l'on aurait dit de la dentelle.

Lady Priscilla était une femme d'une cinquantaine d'années, maigre, aux cheveux d'un noir corbeau manifestement teints. Elle portait une robe rouge magenta, qui accentuait sa vulgarité. Un éclair de dépit passa dans ses yeux lorsqu'elle vit l'élégante toilette d'Emily.

— Lady Ashworth ! s'exclama-t-elle avec une surprise polie. Comme c'est gentil à vous d'être venue me voir ! Si je m'attendais à cela !

Ce qui, en clair, signifiait qu'il était grossier d'arriver chez les gens sans prévenir. Mais Emily n'oubliait pas le but de sa visite et n'avait pas l'intention de gâcher l'entrevue par une réponse impulsive.

— J'espérais vous trouver seule, répondit-elle en inclinant légèrement la tête. J'ai besoin de conseils, disons... confidentiels, et je me suis dit que vous étiez la personne la mieux placée pour me renseigner.

— Bonté divine ! Vous me flattez ! s'écria Lady Priscilla, incapable de cacher sa curiosité. Que puis-je savoir que vous ne sachiez déjà ? À moins qu'il ne s'agisse d'une petit scandale dans le grand monde... Mais j'imagine que vous ne viendriez pas me trouver seule, à cette heure-ci.

— J'écouterais volontiers les derniers potins mondains, répondit Emily en prenant place sur le fauteuil désigné par son hôtesse. Mais ce n'est pas l'objet de ma visite. J'ai besoin de conseils. Voyez-vous, à présent que je suis libre de gérer mes affaires à ma guise...

Elle ne termina pas sa phrase à dessein, et vit une expression avide et intéressée passer sur le visage de Priscilla.

— À votre guise ? Oh, mon Dieu, oui, j'ai appris le décès de Lord Ashworth...

Elle prit une expression de circonstance.

— Ma chère, c'est affreux ! Vous m'en voyez navrée...

Emily écarta le sujet d'un petit geste.

— Je suis remariée.

— Mais... sur votre carte...

— Oh ! Vous ai-je donné une de mes anciennes cartes ? Pardonnez-moi. Je suis atteinte d'une légère presbytie...

Priscilla se retint de lui dire d'acheter des lunettes, car elle tenait absolument à connaître le motif de cette visite impromptue, qu'elle ne manquerait pas de rapporter à ses amies.

— C'est sans importance, murmura-t-elle.

Emily lui décocha un sourire charmant.

— C'est très gentil à vous.

— Que puis-je faire pour vous aider ?

Emily s'installa confortablement dans son fauteuil.

Elle n'était pas venue pour se divertir, mais pour obtenir des informations, et ne devait donc pas perdre de vue son objectif.

— Voilà : je dispose d'une certaine somme d'argent que j'aimerais investir avec sûreté et discrétion.

— Je vois... Un investissement qui ne rapporterait qu'à vous seule. Vous êtes remariée, disiez-vous ?

Emily s'excusa mentalement auprès de Jack pour les horreurs qu'elle s'apprêtait à dire.

— En effet. D'où la nécessité d'une grande discrétion.

Le regard de Priscilla s'éclaira.

— De ce côté-là, vous n'avez rien à craindre. Vous êtes venue voir la personne qu'il vous faut.

— Je n'en doutais pas, répondit Emily d'une voix triomphante, sentant qu'elle était sur le point de découvrir ce qu'elle cherchait. Je savais que je pouvais compter sur vous. Que puis-je faire de mon argent ? Je possède une coquette somme, vous comprenez.

— L'immobilier, répondit Priscilla sans hésiter.

Emily prit un air faussement désappointé.

— L'immobilier ? Mais... je tiens précisément à éviter que l'on connaisse la valeur de mon patrimoine et ce qu'il me rapporte !

Priscilla rejeta l'argument en riant.

— Ne soyez pas si naïve, ma chère ! Je ne parle pas de logements dans des quartiers résidentiels, mais de vieilles bicoques dans des districts comme Mile End, Wapping ou St. Giles.

— Wapping ? releva Emily avec incrédulité. Mais cela ne me rapportera rien !

— Une petite fortune, au contraire. Placée dans les mains d'un administrateur de biens compétent, qui se chargera de les louer et de faire encaisser les loyers chaque semaine ou chaque mois, votre mise de fonds sera doublée très rapidement.

Emily fronça les sourcils.

— Vraiment ? Comment diable ces misérables logements peuvent-ils rapporter de l'argent ? Les pauvres ne peuvent payer un loyer conséquent.

— Oh, mais si ! Plus ils sont nombreux, plus cela rapporte. Je vous assure que c'est un placement très intéressant.

— Je ne vous suis pas.

— C'est très simple. Si vous ne cherchez pas à connaître les moyens de subsistance des locataires et si vous ne leur demandez pas comment ils pourront payer leur loyer, vous pouvez louer chaque pièce à une douzaine de personnes, lesquelles à leur tour la sous-loueront à d'autres et ainsi de suite. Il y a toujours quelqu'un pour payer, croyez-moi.

— Je ne suis pas certaine de vouloir m'associer à de telles pratiques...

Priscilla éclata de rire.

— Bien entendu ! C'est pour cela qu'il vous faut passer par l'intermédiaire d'un notaire et de ses employés, d'un gérant et d'un collecteur de loyers. Personne ne saura jamais que vous êtes le propriétaire, excepté votre homme d'affaires, qui gardera le secret, dans son propre intérêt.

Emily ouvrit de grands yeux.

— En êtes-vous sûre ? Ce genre de pratique est donc courant ?

— Des dizaines de personnes le font.

— Mais... qui, par exemple ?

— Ma chère, vous êtes indiscrète. Vous vous rendriez très impopulaire en cherchant à trop en savoir. Ces gens-là sont protégés en haut lieu, tout comme vous le serez. Je vous répète que personne ne connaîtra jamais votre identité.

Emily haussa légèrement les épaules.

— Il ne s'agit pas seulement de cela... Il n'y a rien d'illégal là-dedans, tout de même ? ajouta-t-elle en ouvrant de grands yeux innocents.

Priscilla sourit, lèvres pincées.

— Bien sûr que non. Tous ces gens ont un statut

social à préserver et ils n'ont aucun désir d'enfreindre une loi qui leur est favorable. Ce serait idiot.

Elle tendit les mains en avant, paumes vers le ciel.

— Inutile de vous faire du souci. Il n'existe aucune loi qui vous empêche de faire ce que je vous suggère. Croyez-moi, ma chère, c'est un placement lucratif.

— N'existe-t-il pas un risque du côté des réformateurs ? J'ai entendu dire que certaines personnes désiraient faire changer les lois... Je ne voudrais pas perdre mon investissement, à long terme, ou risquer de voir mon nom sali...

— Aucun risque, la rassura Priscilla en riant. J'ignore qui sont ces réformateurs dont vous parlez, mais ils n'ont pas l'ombre d'une chance d'apporter le moindre changement, du moins dans les quartiers dont je vous ai parlé. Certes, des logements pour ouvriers seront bâtis dans des cités industrielles, mais cela n'affectera pas les propriétés qui nous concernent. Il y aura toujours des gens à Londres pour habiter dans ces taudis.

Emily fut gagnée par une nausée qu'elle crut ne pas parvenir à dissimuler. Elle baissa la tête pour cacher son visage, fouilla dans son sac à la recherche d'un mouchoir, et se moucha avec énergie pour se donner une contenance. Lorsqu'elle eut recouvré son sang-froid, elle leva les yeux vers Priscilla, essayant de faire passer sa répugnance pour de l'inquiétude.

— Je pensais que c'était précisément au problème des taudis que voulaient s'attaquer les réformateurs.

Une expression de mépris se peignit sur les traits de Priscilla.

— Vous vous inquiétez sans raison, Emily.

L'usage du prénom de la visiteuse soulignait la condescendance de ses paroles.

— Des gens très influents sont impliqués dans ce genre d'affaires. Il serait inutile et dangereux d'essayer de les ruiner. Si un problème surgissait, il serait réglé sans même que vous en soyez informée, et donc, a fortiori, que votre nom soit mentionné.

Emily s'appuya contre le dossier du fauteuil et se força à sourire, en soutenant hardiment le regard de Priscilla, bien que dans son cœur brûlât une haine qui lui donnait envie de la gifler.

— Bien. Vous m'avez dit tout ce que je voulais savoir. Je suis certaine de pouvoir compter sur vous. Manifestement, vous connaissez bien le sujet. Je pense que nous nous reverrons bientôt, ou du moins je vous donnerai de mes nouvelles. Merci de m'avoir consacré un peu de votre temps, conclut-elle en se levant.

Le sourire de Priscilla s'élargit.

— Je suis toujours heureuse de rendre service à une amie. Lorsque vous aurez fixé le montant de la somme que vous désirez investir, revenez me voir. Je vous mettrai en contact avec une personne de confiance, qui pourra vous aider.

Elle n'ajouta pas qu'Emily lui devrait une commission, mais cela allait sans dire.

— Bien entendu, fit celle-ci en inclinant la tête. Vous avez été très aimable. Je ne l'oublierai pas.

Elle quitta la maison, heureuse de pouvoir respirer enfin à l'air libre. L'odeur du crottin sur le pavé lui parut infiniment plus agréable que l'atmosphère délétère du boudoir de Lady Priscilla.

— Ramenez-moi tout de suite à la maison, dit-elle au cocher qui l'aidait à monter en voiture.

Jack rentra peu après elle, sale, les traits tirés. Sa colère et sa mauvaise humeur étaient au moins égales aux siennes. Il s'arrêta dans le vestibule où le valet attendait pour lui prendre son manteau. Emily était sortie du salon pour venir à sa rencontre. Son cœur battait toujours lorsqu'elle entendait le bruit de ses pas sur le dallage.

Jack remercia le valet. Emily lui sourit, admirant ses beaux yeux gris foncé frangés de longs cils. Lorsqu'elle l'avait rencontré, elle l'avait cru imbu de sa personne. À présent qu'elle le connaissait mieux, elle le trouvait toujours aussi séduisant, mais elle appréciait l'homme au grand cœur qui se cachait derrière ses allures de séducteur. Non seulement elle l'aimait, mais elle éprouvait pour lui une profonde amitié.

Elle ne prit pas la peine de tourner autour du pot.

— Comment vous sentez-vous ? J'imagine que votre expédition a dû être éreintante.

Fatigue, émotion, colère se lisaient clairement sur le visage de Jack. Lui aussi se sentait impuissant à soulager la misère des victimes tout comme à vaincre leurs bourreaux.

— Aucun mot ne peut traduire ce que j'ai ressenti, répondit-il. Jamais je ne parviendrai à oublier cette pestilence. Je garde dans la bouche un goût amer. La misère que je viens de voir restera pour toujours gravée dans ma mémoire. Chaque fois que je ferme les yeux, je revois ces pauvres gens, comme si leur silhouette était dessinée à l'intérieur de mes paupières.

Son regard fit le tour de l'immense vestibule lambrissé de chêne, au sol dallé de marbre noir et blanc, s'arrêtant sur les tableaux, les bouquets de glaïeuls, les meubles d'acajou ciré, le porte-parapluies empli de cannes à pommeau d'argent et de corne, puis monta vers le grand escalier en spirale qui menait au palier du premier étage.

Emily devina ses pensées ; elles l'avaient aussi traversée plus d'une fois. La somptueuse demeure de Lord George Ashworth reviendrait plus tard à son fils Edward. Elle n'en avait que l'usufruit, jusqu'à la majorité de l'enfant. Jack le savait aussi, pourtant ils éprouvaient tous deux un sentiment de culpabilité à vivre dans un tel luxe.

— Venez vous asseoir au salon, dit-elle avec douceur. Albert va vous préparer un bain. En attendant, racontez-moi ce que vous avez appris.

Il la prit par le bras et décrivit les bas-fonds où Anton l'avait entraîné. Il choisit ses mots avec soin, pour ne pas l'horrifier mais sans pour autant omettre de mentionner le sentiment de pitié impuissante qu'il avait éprouvé. Il évoqua la nausée qui l'avait envahi à la vue de ces taudis aux murs moisis, infestés de rats et de vermine, aux cours jonchées d'immondices et d'excréments. Des pièces occupées par quinze ou vingt personnes de tous âges, sans la moindre intimité, même pour satisfaire leurs besoins naturels, sans eau et sans système d'évacuation. Dans certaines maisons, l'état des toits et des fenêtres était tel qu'il pleuvait à l'intérieur. Pourtant, chaque semaine, le collecteur venait encaisser les loyers. Les plus démunis sous-louaient une partie des quelques mètres carrés qu'ils occupaient, afin de pouvoir payer le jour du terme.

Il s'interdit de lui parler des conditions de travail dans ces sous-sols où des femmes travaillaient à la lumière de lampes à gaz ou de bougies, sans la moindre ventilation, cousant dix-huit heures par jour des chemises, des gants, des robes pour des gens qui habitaient à quelques miles de là, et pourtant vivaient dans un autre monde.

Il ne s'attarda pas sur la description des maisons de passe, des gargotes et des fumeries d'opium, se bornant à mentionner leur existence, parce qu'il éprouvait le besoin de lui faire partager son angoisse, sa colère et son impuissance. Emily l'écouta sans l'interrompre. Par deux fois, Albert était venu dire que le bain refroidissait ; la troisième fois, il revint pour annoncer qu'on avait préparé un nouveau bain.

Lorsqu'ils furent couchés l'un contre l'autre, Emily, tout ensommeillée, lui raconta sa visite à Lady Priscilla et ce que celle-ci lui avait appris.

De son côté, Vespasia avait retrouvé Somerset Carlisle à la sortie du Parlement, pour lui exposer leur problème. Elle était rentrée chez elle à onze heures passées, fatiguée, mais bien trop soucieuse pour songer à dormir. Elle se remémorait la conversation qu'elle venait d'avoir avec le député, mais pensait avant tout, et non sans inquiétude, à l'expédition de Charlotte. Elle se sentait coupable de lui avoir suggéré de se lancer dans cette dangereuse aventure, en lui prêtant son attelage et en lui proposant de conduire les enfants chez Caroline Ellison. À ce moment-là, elle n'avait eu en tête que la mort injuste de Clemency Shaw. Laissant l'émotion l'emporter sur la raison, elle avait envoyé une amie très chère prendre des risques considérables. Charlotte avait un peu remplacé dans son cœur la fille qu'elle avait perdue. Vespasia appréciait la compagnie de cette jeune femme pleine d'humour et de courage. Sa suggestion n'était donc pas seulement imprudente, mais tout à fait irresponsable. Elle n'avait même pas pris la peine de consulter Thomas, qui était tout de même concerné au premier chef.

Mais il n'était pas dans la nature de la vieille dame de s'appesantir en regrets. Il était trop tard, elle porterait désormais la responsabilité des événements. Il ne servirait à rien d'aller en parler à Thomas ou de lui faire parvenir un message. Que Charlotte se soit confiée à lui, qu'il l'ait ou non empêchée de continuer ce qu'elle avait entrepris, peu importait. S'en mêler ne ferait que compliquer la situation.

Mais elle eut du mal à trouver le sommeil.

Le lendemain soir, ils se retrouvèrent tous pour souper à son domicile, afin de comparer ce qu'ils avaient appris, mais surtout pour entendre de la bouche de Somerset Carlisle les détails de la législation qu'il convenait de connaître pour pouvoir la combattre et, si possible, la changer.

Emily et Jack arrivèrent de bonne heure. Pour la première fois depuis qu'elle avait cessé de porter le deuil de George, Emily n'était pas coquettement habillée. Jack paraissait fatigué et tendu ; ses yeux riaient moins qu'à l'accoutumée. Il se montra courtois, par habitude, mais ne formula pas les compliments qu'il ne manquait jamais d'adresser à Vespasia.

Charlotte était en retard. Vespasia, tout en bavardant

à bâtons rompus avec ses invités, avait l'esprit ailleurs . elle commençait à s'inquiéter. Bientôt Somerset Carlisle fut introduit dans le salon. Son visage était sombre, et il s'abstint de demander des nouvelles de Charlotte.

Enfin, cette dernière arriva, tout essoufflée. Elle n'avait pas eu le temps de refaire son chignon. Vespasia était si soulagée de la voir qu'elle se borna à lui faire remarquer son retard : laisser transparaître son inquiétude eût été inconvenant.

Ils passèrent dans la salle à manger. Une fois le dîner servi, chacun rapporta de façon succincte ce qu'il avait vu, jugeant inutile de s'attarder sur des descriptions sordides, car les faits étaient assez horribles en eux-mêmes. Aucun n'osa mettre en avant sa fatigue, son dégoût ou les risques qu'il avait pris. La misère qu'ils avaient découverte les empêchait de s'apitoyer sur leur propre sort et d'encenser l'action des autres.

Lorsque le tour de table fut terminé, tous se tournèrent vers Somerset Carlisle. Pâle, le cœur lourd, il leur expliqua la loi telle qu'il l'avait comprise, confirmant ce qu'ils savaient déjà, à savoir qu'il était quasiment impossible de connaître le nom d'un propriétaire si celui-ci désirait garder l'anonymat ; en revanche, aucun article de loi n'aidait ou ne protégeait le locataire. Rien ne contraignait le propriétaire à faire installer l'eau courante, des sanitaires, un système d'évacuation correct ou à faire des réparations. Le locataire n'avait aucun recours en matière de loyer et d'expulsion.

— Alors, il faut changer la loi, déclara Vespasia. Nous reprendrons le combat de Clemency Shaw là où ses assassins l'ont interrompu.

— Cela peut être dangereux, la prévint Carlisle. Nous allons déranger des gens influents, issus de familles connues, dont la quasi-totalité des revenus provient de ces opérations, ou de riches industriels qui y réinvestissent leurs bénéfices. Le système a fait boule de neige et touche désormais bon nombre d'hommes cupides et ambitieux, tentés par des gains faciles et qui ont des faveurs à vendre, des parlementaires ou des juges, par exemple. Le combat sera dur et l'issue incertaine.

— C'est bien malheureux, soupira Vespasia. Mais là n'est pas la question.

Carlisle se tourna vers Jack.

— Nous avons besoin d'hommes nouveaux au pouvoir. Il nous faudrait des députés prêts à risquer leur siège en se battant contre des droits acquis.

Jack ne répondit pas. Durant le reste de la soirée, il parla peu et, sur le chemin du retour, demeura plongé dans ses pensées.

8

Du matin au soir, Pitt et Murdo cherchaient à rassembler de nouveaux indices, aussi ténus soient-ils, permettant de faire avancer l'enquête. Leurs collègues de Highgate étaient toujours sur la trace de l'incendiaire, persuadés qu'il s'agissait là du coupable. Certes, ils ne l'avaient pas encore appréhendé, mais ils étaient certains que, chaque jour, les mailles du filet se resserraient sur lui : des incendies similaires avaient en effet été allumés dans une maison vide de Kentish Town, une écurie de Hampstead, un cottage de Crouch End. Ils questionnèrent tous les marchands susceptibles de vendre du pétrole dans un rayon de cinq kilomètres autour de Highgate, mais, mis à part les besoins habituels des consommateurs, ils ne découvrirent aucun achat anormal de combustible. Ils demandèrent aux médecins du secteur s'ils avaient eu à soigner des brûlures inexplicables. Ils vérifièrent auprès des autres commissariats et des casernes de pompiers les noms, adresses, passé criminel et méthodes de chaque individu soupçonné ou accusé d'incendie volontaire au cours des dix années passées. Tout cela sans résultat.

Pitt et Murdo interrogèrent les assureurs sur la valeur des propriétés immobilières de Shaw et de Lindsay et le montant des primes d'assurance correspondantes, mais ne trouvèrent aucun point commun entre les deux contrats. Ensuite, ils s'intéressèrent aux dispositions testamentaires prises par Mrs. Shaw et Amos Lindsay.

Clemency léguait ses biens à son époux, à l'exception de quelques objets personnels, qu'elle donnait à des amis. Lindsay laissait ses collections d'art africain, ses livres et ses carnets de voyage à Stephen Shaw ; par ailleurs, il léguait sa maison à Matthew Oliphant, cadeau étonnant et inexpliqué, que Pitt approuva entièrement, confirmant, s'il en était besoin, que Lindsay était un homme au cœur généreux, ayant toujours fait fi des conventions.

Pitt était au courant des pérégrinations de Charlotte, mais, sachant qu'elle voyageait dans la voiture de Lady Vespasia, conduite par son valet Percival, il pensait qu'elle ne courait aucun risque. Pour sa part, il estimait que ces recherches ne la mèneraient à rien : depuis l'incendie de la maison de Lindsay, il était persuadé que Clemency était morte à la place de son mari.

Le lendemain du jour où ils avaient tous dîné chez Vespasia, Charlotte s'habilla le plus simplement possible, ce qui ne présentait pas de difficulté étant donné le maigre contenu de sa garde-robe, et attendit la venue d'Emily et de Jack.

Ceux-ci arrivèrent très tôt. Charlotte n'aurait jamais imaginé entendre sa sœur sonner à sa porte à neuf heures du matin ! Jack portait un costume marron, très ordinaire, mais Emily était sur son trente et un, comme d'habitude.

— Tu aurais pu trouver une autre tenue ! lui fit aussitôt remarquer Charlotte.

— J'en suis bien consciente, répondit Emily en déposant un léger baiser sur sa joue, mais je n'ai rien trouvé qui fasse l'affaire !

Elle se dirigea vers la cuisine.

— Je suis à moitié endormie ! S'il te plaît, demande à Gracie de faire bouillir de l'eau. Bon, je vais être obligée de t'emprunter une robe. Une marron, par exemple. C'est une couleur qui ne me va pas du tout.

— Je n'en ai pas, rétorqua Charlotte. Mais j'en ai deux couleur prune : tu verras, tu seras horrible dedans.

Emily éclata de rire.

— Merci, ma chérie. Quelle charmante attention ! Crois-tu que l'une des deux pourrait m'aller ?

Charlotte réprima un sourire.

— Pour la taille, passe encore, mais elle sera trop large au niveau de la poitrine.

— Menteuse ! Elle flottera à la ceinture et je marcherai sur l'ourlet. Tant pis, c'est exactement ce qu'il me faut ! Je vais me changer pendant que tu prépares le thé. Emmènerons-nous Gracie ? L'aventure est plutôt risquée.

— Oh, oui, madame ! S'il vous plaît ! la supplia la jeune fille, qui, ayant pris goût à l'aventure, s'enhardit à plaider sa cause. Je peux vous être utile, vous savez. Je sais parler à ces gens-là.

— Venez si vous le désirez, intervint Charlotte, mais surtout, ne vous éloignez pas de nous. On ne sait jamais ce qui peut arriver.

— C'est promis, madame, fit gravement Gracie, comme si elle jurait sur la Bible. J'ouvrirai grands mes yeux et mes oreilles. Quand les gens mentent, je m'en aperçois souvent.

Une demi-heure plus tard, ils montèrent tous les quatre dans le fiacre d'Emily, en direction de Mile End. Charlotte espérait rencontrer le collecteur de loyers des taudis qu'elle avait déjà visités et lui faire dire le nom de la personne qui le payait pour ce sinistre travail.

Bien qu'ayant fait un plan du quartier, il lui fallut du temps pour retrouver la maison. Le fiacre se frayait un chemin parmi les charrettes des marchands des quatre-saisons, des vendeurs de vieux habits, et la foule d'acheteurs, de revendeurs à la sauvette et de mendiants. La plupart des rues se ressemblaient ; les trottoirs étroits ne laissaient place qu'à un seul piéton ; au milieu de la chaussée pavée de galets serpentaient des rigoles charriant des déjections. Les étages en surplomb se rejoignaient presque au-dessus de la rue, masquant la lumière du jour. En se penchant aux fenêtres, les habitants pouvaient pratiquement se serrer la main d'une maison à l'autre.

Le bois des linteaux vermoulus s'effritait, les crépis extérieurs étaient pleins de taches d'humidité montant des soubassements, et on voyait réapparaître, par endroits, d'anciennes traces de plâtre, créant d'étranges motifs sur les façades.

Des formes humaines s'agglutinaient dans les encoignures de portes. De temps à autre, lorsque l'une d'entre elles bougeait, un visage hagard apparaissait à la lumière.

Emily s'agrippa au bras de Jack. Cette foule grouillante et désespérée la terrifiait. Elle n'avait jamais ressenti un tel malaise, accentué par l'impression de ne pas être à sa place. Par la vitre, elle aperçut un petit mendiant qui courait à côté de la voiture. Il n'était pas plus âgé qu'Edward, qui, à cette minute, devait être en train d'apprendre ses tables de multiplication, tout en priant pour qu'il n'y ait pas de riz au lait au déjeuner et en pensant aux jeux auxquels il allait se livrer dans l'après-midi.

Jack fouilla dans ses poches, à la recherche d'une piécette, et la jeta au gamin. Celui-ci se jeta sur elle, disparaissant sous les roues du fiacre. Affolée, Emily crut qu'ils l'avaient écrasé, mais il réapparut bientôt, jubilant, serrant dans sa main sale la pièce en cuivre qu'il mordit pour vérifier si elle était vraie.

En quelques secondes, une armée de gamins se pressait autour du fiacre, tendant la main et se battant pour l'approcher au plus près. Des mendiants plus âgés apparurent. La voiture poursuivit son chemin sous les sifflements, les huées et les menaces, parmi une marée humaine si dense que les chevaux avaient peine à avancer. Le cocher n'osait les exciter de la voix de peur d'écraser quelqu'un dans la bousculade.

— Mon Dieu ! s'exclama Jack, très pâle, comprenant soudain son erreur.

Il fouilla à nouveau ses poches, à la recherche d'autre

menue monnaie. Emily, effrayée, se blottit contre lui. Une foule de gueux aux traits déformés par la faim et la haine se pressait contre les portières, mains tendues.

Gracie, enveloppée dans son châle, demeurait immobile, les yeux dilatés par la peur. Instinctivement, Charlotte vida sa bourse et en tendit le contenu à Jack. Sans hésiter, celui-ci ouvrit la vitre et jeta l'argent aussi loin qu'il le put vers l'arrière de la voiture. Aussitôt la foule s'arrêta et se précipita sur les pièces de monnaie. Le cocher donna de la voix et le fiacre, enfin libéré, poursuivit sa route dans un grincement de roues.

Jack se rejeta sur la banquette avec un soupir de soulagement. Emily, ayant retrouvé quelque couleur, se redressa et lui coula un regard admiratif.

Lorsqu'ils arrivèrent devant la maison, il fut décidé que seules Charlotte et Gracie entreraient, puisqu'elles étaient déjà connues des occupants. Se présenter à quatre apparaîtrait comme une démonstration de force et produirait l'effet inverse de celui désiré.

— Mr. Thickett ?

Le petit groupe de femmes qu'elles interrogèrent se consultèrent du regard.

— On sait pas d'où il vient. Il arrive toutes les semaines pour encaisser l'argent.

— Cette maison lui appartient-elle ? demanda Charlotte.

— Qu'est-ce qu'on en sait, nous ? répondit la voix coléreuse d'une femme à la bouche édentée. Qu'est-ce que ça peut bien vous faire, hein ? Et qui vous êtes d'abord, pour poser toutes ces questions ?

— Nous, on paie notre loyer sans faire d'histoires, ajouta sa voisine en croisant les bras sur sa poitrine volumineuse.

Elle se balançait d'un pied sur l'autre, agressive, regardant Charlotte d'un air méchant. Elle n'avait pratiquement rien à perdre, de toute façon.

— On cherche un endroit où habiter, intervint précipitamment Gracie. On a été mises à la porte et il faut qu'on trouve un toit. On peut pas attendre le jour de la collecte des loyers, faut qu'on trouve très vite.

— Fallait l'dire plus tôt ! fit la grosse femme avec un mélange de pitié et d'agacement. On a sa fierté, hein ? ajouta-t-elle en s'adressant à Charlotte. C'est idiot, ça. Les temps sont durs. À vouloir péter plus haut que son derrière, on finit par se retrouver à la rue. Ça arrive à des tas de gens. Bon, Thickett va pas venir aujourd'hui, mais si vous me donnez un p'tit quelque chose, j'vous dirai où le trouver.

— Mais on a rien, gémit Gracie.

— Ah ouais ? À vous voir, vos problèmes ont pas l'air d'être les mêmes que les miens.

Un sourire mauvais retroussa ses lèvres minces.

— J'vous demande pas d'argent. Si vous en aviez, vous seriez pas ici. C'que j'veux, c'est votre chapeau et puis vos gants... Non, pas vos gants, reprit-elle en comparant ses grosses mains avec celles de Charlotte. Tiens, ça, ajouta-t-elle en désignant le châle en laine marron de Gracie. Ensuite, j'vous dirai où trouver Thickett.

— Vous aurez le chapeau maintenant, fit Charlotte, joignant le geste à la parole. Et le châle après, si nous trouvons Thickett à l'adresse indiquée. Sinon...

Elle faillit proférer une menace, mais l'expression dure et désenchantée de la matrone la fit changer d'avis.

— Si nous ne le trouvons pas, vous vous passerez du châle.

— Ben voyons ! Vous entendez, vous autres ? Elles vont r'venir pour me donner le châle. Vous m'prenez pour qui ? Le châle, tout de suite, sinon, pas de Thickett.

— Va te faire voir ! s'exclama Gracie avec mépris, son petit visage crispé par le dégoût.

Elle se sentait prête à aller jusqu'au bout de l'aventure.

— Contente-toi déjà du chapeau. Pas d'adresse ? Pas de Thickett ? Pas de châle !

Elle désigna Charlotte du pouce.

— Elle a p'têt' l'air d'une grande dame, mais quand elle est pas contente, faut se lever de devant. Et là, elle est drôlement pas contente. Qu'est-ce qui te prend ? T'es stupide ou quoi ? Prends le chapeau et donne-nous l'adresse.

À l'accent grasseyant de Gracie, la matrone comprit qu'elle avait affaire à quelqu'un de son monde. Elle abandonna sa tentative de bluff et haussa les épaules. Après tout, qui ne risquait rien...

— Vous le trouverez dans Sceptre Road, une grande maison au coin d'Usk Street. Allez au fond de la cour et demandez Tom Thickett. Dites que c'est pour payer le loyer, on vous laissera entrer. Et si vous lui parlez d'argent, il vous écoutera.

Elle arracha le chapeau des mains de Charlotte et le caressa amoureusement, les lèvres pincées.

— Si les temps sont durs, vous avez qu'à en mettre quelques-uns comme celui-là au clou, et vous aurez de quoi manger pendant plusieurs jours. Faut savoir faire la différence entre avoir un creux à l'estomac et mourir de faim.

Charlotte et Gracie ne cherchèrent pas à discuter. Leur pauvreté étant feinte, leur comédie n'était pardonnable que parce qu'elle ne durerait pas.

Dans la voiture, ils se serrèrent les uns contre les autres pour se protéger du froid. Sceptre Road était une grande artère bordée de maisons moins misérables, dépourvues d'étages débordant sur la rue. Mais la puanteur des rigoles était aussi pestilentielle que dans Mile End. Charlotte se demanda si elle parviendrait à faire disparaître les souillures qui maculaient le bas de sa robe. Emily, elle, ne s'embarrasserait pas de scrupules et jetterait la sienne. Elle songea, en regardant Gracie assise en face d'elle, si menue et pourtant si droite, qu'elle devrait la récompenser. Son visage, encore plein de douceur enfantine, reflétait une excitation que Charlotte ne lui avait jamais vue auparavant.

Ils descendirent de voiture et allèrent frapper à la

porte de la maison située à l'angle d'Usk Street. Une bonne apparut, la chevelure en désordre. Ils lui demandèrent s'ils pouvaient voir Mr. Thickett pour lui parler d'un problème financier assez urgent. Gracie ponctua l'explication d'un reniflement théâtral. La servante les mena vers une pièce glaciale qui devait servir de débarras, car il y avait là plusieurs commodes, de vieilles chaises empilées, une table à laquelle il manquait un pied et des tentures rongées par l'humidité.

Emily fit la grimace : l'endroit sentait le moisi, et il n'y avait aucun siège pour s'asseoir. « Souviens-toi que nous sommes venus quémander un toit, et gagner les faveurs de cet homme. Nous devons nous montrer civils, voire serviles », se dit-elle, se raccrochant à l'image du corps calciné de Clemency Shaw.

— Il ne nous donnera pas le nom du propriétaire, chuchota-t-elle. Si nous lui mendions un logement, il aura les atouts en main.

— Vous avez raison, madame, répondit Gracie. Les encaisseurs de loyers sont tous des brutes et celui-là risque d'être pire que les autres. Il fera rien pour personne, sauf s'il est obligé.

Ils demeurèrent perplexes. Prétendre qu'ils étaient à la rue ne servirait en effet à rien. Soudain, un léger sourire éclaira les lèvres de Jack. Il s'apprêtait à parler quand des pas lourds résonnèrent dans le couloir. La porte s'ouvrit sur un homme de forte carrure, au visage en lame de couteau, avec un nez proéminent et de petits yeux rusés. Il tenait ses pouces coincés dans les emmanchures de son gilet.

— Oui ?

Il les regarda, vaguement intrigué. Cet individu n'avait qu'un seul critère pour jauger les gens : pouvaient-ils régler leur loyer ? Qu'ils se débrouillent pour le payer, tous les moyens étaient bons, quitte à voler ou à sous-louer leur logement. Il examina les femmes pour voir si elles étaient assez jolies ou assez jeunes pour gagner leur pain sur le trottoir. Il les trouva mignonnes toutes les trois, mais seule la plus jeune lui paraissait à même de vendre ses charmes. Les deux autres, à son avis, devraient déchoir bien davantage avant d'accepter de contenter un éventuel client. Néanmoins, en y mettant du leur, elles pourraient rattraper beaucoup de défauts, mis à part l'âge, bien entendu.

L'homme, lui, avait l'air d'un dandy : on voyait qu'il savait nouer une lavallière. Ses vêtements, quoique élimés, tombaient bien. Il devait aimer les bonnes choses. S'il traversait une période difficile, il ne serait jamais ouvrier, cela se devinait à ses mains soignées. Il paraissait roué et dégageait même un certain charme. Il pourrait faire un excellent escroc. Ce ne serait pas le premier gentleman impécunieux à vivre de sa séduction.

— Si je comprends bien, vous voulez une chambre ? Je peux p'têt' vous en trouver une pour vous quatre ensemble, si vous pouvez payer. Qu'est-ce que vous diriez de cinq shillings la semaine ?

Une moue méprisante se peignit sur les lèvres de Jack, qui posa la main sur le bras d'Emily.

— Je crois que vous vous méprenez sur le but de notre visite, monsieur, dit-il en fixant Thickett d'un air dur. Je me présente : John Consterdine, envoyé par l'étude Smurfitt, Taylor & Mordue.

Un mélange de colère et de prudence passa sur les traits de Thickett.

— Bientôt vont être engagées des poursuites au sujet de meublés dont l'entretien a été considérablement négligé. Puisque vous encaissez les loyers, nous supposons que vous en êtes propriétaire et, par conséquent, civilement responsable de...

Les yeux de Thickett s'étrécirent. Il se tenait sur ses gardes.

— Moi, propriétaire ? Vous plaisantez ? Je me contente d'encaisser l'argent. C'est tout. Je fais honnêtement mon métier. J'ai rien à voir avec ces histoires. Je peux pas vous aider.

— Je n'ai nul besoin de votre aide, Mr. Thickett,

reprit Jack avec aplomb. C'est vous qui vous retrouverez bientôt en prison, si vous êtes propriétaire de ces meublés...

— Ça m'étonnerait ! Je possède rien d'autre que cette maison-ci et j'ai jamais eu de problèmes avec. Mais, dites-moi, reprit-il d'un air narquois, ayant recouvré son assurance, le premier moment d'affolement passé, si vous êtes envoyé par un notaire, qui sont ces dames ? Pas des clercs !

Il pointa un index puissant en direction des trois femmes.

Jack lui répondit, très honnêtement :

— Non. Je vous présente mon épouse, ma belle-sœur et sa femme de chambre. Je les ai amenées avec moi, car je me doutais que vous refuseriez de me recevoir, si j'étais venu seul. Vous vous seriez méfié. Les circonstances prouvent que j'avais raison. Vous nous avez pris pour une famille dans le besoin, venue vous réclamer un logement. Bien. La loi exige que je vous remette une assignation à comparaître..

Il fit mine de porter la main à la poche intérieure de son veston.

— C'est pas la peine, répondit Thickett, très vite. Je possède pas de meublés. Comme j'vous l'ai dit, j'me contente d'encaisser les loyers...

— ... et de les mettre dans votre poche, conclut Jack à sa place. Vous avez certainement un joli pécule de côté. Tant mieux, car vous allez payer...

— J'gagne un salaire pour c'que j'fais ! le coupa Thickett. Le reste, j'le donne en totalité, à part une petite commission.

Jack haussa un sourcil incrédule.

— Tiens donc ! À qui ?

— Au gérant, pardi ! À celui qui s'occupe des affaires du propriétaire des meublés de Lisbon Street.

— Ah ? Et qui est ce monsieur ?

— J'en sais rien. Bon Dieu, d'où vous sortez ? Vous croyez que ces gens-là ont pignon sur rue, avec une plaque sur leur porte d'entrée ? Il est stupide, ma parole !

— Oui, il est évident que le propriétaire n'a pas affaire à des gens comme vous, reprit Jack, faisant astucieusement machine arrière. Donnez-moi le nom du gérant. Il faut bien que je remette cette assignation à quelqu'un.

— Mr. Buffery. Fred Buffery. Vous le trouverez dans Nicholas Street, derrière la brasserie. C'est là qu'il travaille. Allez donc lui porter vos maudits papiers. Moi, j'ai rien à voir avec tout ça. J'encaisse les loyers. C'est un métier, comme le vôtre.

Jack ne chercha pas à argumenter. Il avait ce qu'il voulait et il ne tenait pas du tout à s'attarder. Sans prendre la peine de saluer Thickett, ils quittèrent la maison, remontèrent dans l'attelage qui les attendait un peu plus loin et se rendirent dans Nicholas Street.

Là, on les informa que Mr. Buffery prenait son déjeuner dans un pub voisin, The Goat and Compasses. Nos quatre amis décidèrent qu'ils feraient volontiers de même. Emily était tout excitée à l'idée de manger dans un pub. Cela ne lui était jamais arrivé ! Charlotte s'y était rendue, en de rares occasions, et dans des quartiers beaucoup plus cossus.

La salle résonnait des rires et des voix excitées d'hommes racontant des histoires égrillardes, accompagnés par l'entrechoquement des verres et le cliquetis des couverts. L'atmosphère sentait la bière bon marché, la sueur, la sciure, le vinaigre et les légumes bouillis.

Jack hésita. On lisait clairement sur son visage que ce n'était pas là un endroit convenable pour des dames.

— Aucune importance ! clama Emily, derrière son dos. Nous sommes mortes de faim. Allez-vous nous refuser le droit de manger ?

— En effet. Pas dans un endroit comme celui-ci. Nous irons ailleurs. L'étal d'un marchand de friands chauds fera l'affaire. Nous verrons Mr. Buffery plus tard, à son bureau.

— Moi, je reste ici, s'entêta Emily. Je veux tout voir. Cela fait partie de l'enquête.

Jack lui prit le bras

— Non. Nous avons seulement besoin de savoir pour qui travaille Buffery. Je n'ai pas envie de discuter, Emily. Sortons.

Mais avant que leur querelle ne s'envenimât, Gracie s'avança vers le serveur qui s'occupait de la table voisine. Elle le tira par la manche jusqu'à ce qu'il se décide à se retourner.

— S'il vous plaît, m'sieur, dit-elle en le dévisageant avec de grands yeux suppliants. Est-ce que Mr. Buffery est là ? J'entends sa voix, mais j'y vois pas très clair. C'est mon oncle, j'ai un message pour lui.

— Donne-le-moi, petite, je le lui ferai passer, proposa gentiment le serveur.

— Oh, j'peux pas faire ça, m'sieur. Je tiens à ma vie. Mon père me ficherait une de ces raclées !

— Alors, suis-moi. Il est là-bas au fond. Mais va pas l'embêter, hein ? J'aime pas qu'on harcèle les clients. Tu lui donnes le message et tu déguerpis, d'accord ?

— Oui, m'sieur, merci, m'sieur !

Elle le suivit jusqu'au fond de la salle, où un homme au visage rubicond et aux cheveux roux était attablé devant un pâté en croûte accompagné de pickles, d'une tranche de fromage, et de deux chopes de bière blonde.

— Oncle Fred ? s'enquit-elle, afin de bien se faire entendre du serveur et priant pour qu'au moins Charlotte soit derrière elle.

Buffery leva sur elle un regard irrité.

— Je suis pas ton oncle. Va embêter quelqu'un d'autre. Tu m'intéresses pas. Si je veux une femme, je sais où en trouver de plus coquettes que toi. Et sache que je fais jamais l'aumône.

— Eh bien ? fit le serveur, irrité. Tu disais que c'était ton oncle !

— Mais c'est mon oncle ! insista Gracie. Mon père m'a dit de lui dire que la grand-mère allait pas bien et qu'on avait besoin d'argent pour l'aider. Elle a attrapé froid.

— C'est vrai, ça ? demanda le serveur à Buffery. Vous laissez tomber votre propre mère ?

Entre-temps, Charlotte, Emily et Jack s'étaient regroupés derrière Gracie. Celle-ci poussa un soupir de soulagement et renifla avec vigueur, à la fois effrayée et déterminée à jouer son rôle jusqu'au bout.

— Vous avez plein de maisons, oncle Fred, dans Lisbon Street. Vous pourriez trouver un endroit pour que grand-mère soit au chaud. Elle va vraiment pas bien. Maman pourrait s'occuper d'elle, si vous lui trouviez un logement. Chez nous, l'eau coule sur les murs et il fait froid comme c'est pas permis.

— Je suis pas ton oncle Fred ! éclata Buffery. Je t'ai jamais vue ! Tiens, prends ça et disparais ! ajouta-t-il en lui lançant une pièce de monnaie. Allez, file !

Gracie ignora l'argent — avec difficulté — et éclata en sanglots — très facilement.

— Ça suffira pour payer une seule nuit. Après, qu'est-ce qu'on va faire ? Vous avez toutes ces maisons dans Lisbon Street. Pourquoi vous pouvez pas nous trouver un logement, pour qu'on vive plus dans l'humidité ? Je travaillerai, c'est promis. Nous vous paierons.

— Ces maisons ne sont pas à moi, petite idiote ! s'écria Buffery, embarrassé, car l'esclandre commençait à attirer l'attention des autres consommateurs. Tu crois que je serais là à manger ça et à boire de la mauvaise bière si c'était moi le propriétaire ? Moi, j'm'occupe de faire encaisser les loyers, c'est tout. Maintenant, fiche-moi la paix, morveuse. Je t'ai jamais vue et j'ai pas de mère malade.

Gracie fut sauvée par Jack, qui s'immisça dans la conversation, prétendant à nouveau être envoyé par un notaire. Il proposa à Buffery de le débarrasser de la présence de cette impertinente gamine, ce que l'homme accepta avec empressement, très conscient que tous les clients les regardaient. Cette attraction impromptue intéressait davantage ses voisins de table que les derniers scandales rapportés par les crieurs de journaux. Ici, le spectacle était bien réel et, de plus, ils en connaissaient le principal protagoniste.

Lorsque Buffery eut décliné son identité, Jack dit à Gracie de déguerpir, ce qu'elle fit volontiers, sans oublier de ramasser la pièce de six pence. Jack commença ensuite à signifier au gérant les peines qu'il encourait pour complicité d'escroquerie. Bientôt Buffery fut prêt à jurer ses grands dieux qu'il ne possédait pas de meublés dans Lisbon Street et qu'il pouvait prouver sa bonne foi, si nécessaire, en emmenant Jack chez l'homme de loi à qui il portait chaque mois le montant de la collecte des loyers, une fois soustraite sa commission, à vrai dire toute petite, pour les services qu'il rendait

Après une légère collation, ils se retrouvèrent en début d'après-midi dans Bethnal Green Road, devant l'étude de Fulsom & Fils, Penrose & Fulsom, une petite pièce située en haut d'un étroit escalier. Jack insista pour y aller seul. Les trois femmes l'attendirent pendant une demi-heure dans la voiture glaciale, enveloppées dans leurs plaids. Gracie avait encore les joues rosies par les louanges qu'elle avait reçues après son triomphe au pub.

Jusqu'à la nuit tombante, ils essayèrent de trouver l'adresse de l'administrateur de biens qui s'occupait des immeubles de Lisbon Street, dont Jack avait obtenu le nom à force de mensonge et d'astuce, de la bouche de Mr. Penrose. Hélas, leurs recherches se révélèrent infructueuses et ils décidèrent de rentrer chez eux.

Charlotte avait l'intention de raconter à Pitt les événements de la journée, mais lorsqu'il rentra tard dans la soirée, les traits tirés, l'air agité et troublé, elle mit de côté ses propres informations et le questionna sur son enquête.

Pitt s'assit à la table de la cuisine, devant la tasse de

thé qu'elle avait placée devant lui, mais au lieu de boire le liquide brûlant, il la prit entre ses mains pour se réchauffer et se mit à parler.

— Le notaire de Shaw nous a lu le testament de Clemency. Tout revient à Shaw, comme nous le savions déjà, à l'exception de quelques objets personnels légués à des amis, en particulier une Bible, qu'elle a laissée à Matthew Oliphant, le vicaire.

Charlotte ne voyait là rien d'étrange. Il est normal de laisser sa Bible à un homme d'Église, surtout aussi sincère et attentionné qu'Oliphant. Clemency ne devait pas se douter des tendres sentiments qu'éprouvait le jeune homme à son égard ; il les avait certainement gardés secrets. Pourquoi Pitt insistait-il autant sur ce point ? Il n'y avait rien là que de très normal. Elle le regarda et attendit.

— La Bible a été détruite dans l'incendie, poursuivit-il en se penchant en avant, le front plissé. Mais le notaire l'a eue entre les mains : c'était un objet rare, tout à fait extraordinaire, relié de maroquin repoussé à l'or fin, avec un fermoir et une serrure en cuivre. À l'intérieur, chaque lettrine de début de chapitre était ornée d'exquises enluminures. Clemency la lui avait montrée, de façon à ce qu'il puisse la reconnaître à coup sûr. Elle appartenait à son grand-père.

Son visage se rembrunit.

— Pas Augustus Worlingham, non, son grand-père maternel. Cette Bible devait valoir une fortune. Hélas, elle est partie en fumée, avec le reste, conclut-il tristement.

Il regarda Charlotte, un peu désorienté.

— Mais pourquoi diable avoir légué un ouvrage d'une valeur inestimable à un simple vicaire ? Oliphant ne restera sans doute pas toute sa vie à Highgate. Il se peut qu'il soit nommé dans un autre diocèse.

Charlotte n'eut pas besoin d'autres explications pour comprendre le geste de Clemency : il s'agissait là du cadeau d'une femme amoureuse, qui avait aimé sans oser l'avouer, comme cela lui était arrivé à elle-même, avant de rencontrer Pitt. Jeune fille, elle s'était follement amourachée de Dominic Corde, le mari de sa sœur aînée Sarah, à l'époque où celle-ci était encore en vie et où toute la famille Ellison vivait à Cater Street[1]. Bien sûr cela n'avait été qu'une chimère. L'amère réalité lui avait dessillé les yeux, et cet amour impossible s'était transformé au fil du temps en simple amitié. Mais pour Clemency, cette passion interdite était demeurée douloureusement réelle. Matthew Oliphant n'était ni élégant ni séduisant ; il ne partageait pas l'existence quotidienne de Clemency, comme cela avait été le cas du fringant beau-frère de Charlotte. Jeune vicaire sans le sou, de quinze ans son cadet, il avait une physionomie ordinaire, presque ingrate. Pourtant, quel feu intérieur l'habitait ! Face à la souffrance, le pasteur Clitheridge ne savait comment se comporter ni s'exprimer, car les problèmes d'autrui ne le touchaient pas. La compassion qu'éprouvait Oliphant pour ses contemporains dans la peine, comme si leur malheur l'atteignait personnellement, lui ôtait toute sa maladresse et lui permettait de trouver les mots de réconfort.

L'amour qu'il portait à Clemency était donc partagé. Mais la seule manière de le lui montrer avait été le legs d'une Bible, qui ne pouvait entacher la réputation du jeune homme. Seul le notaire, et peut-être Stephen Shaw, en connaissait la valeur réelle. Le don d'un tableau, d'un bijou ou d'un bibelot précieux aurait trahi un sentiment inavouable.

Pitt la dévisageait, intrigué par son silence.

— Charlotte ? Que se passe-t-il ?

Elle leva les yeux et lui sourit, la gorge serrée.

— Elle l'aimait. Et il l'aimait aussi. Je m'en suis rendu compte à la façon dont il me parlait d'elle pendant que nous visitions ces taudis...

Pitt posa sa tasse, lui prit les mains avec douceur et

1. Voir *L'Étrangleur de Cater Street*, 10/18, n° 2852.

les caressa tendrement. Il jugea inutile de faire un commentaire.

Le lendemain matin, au moment de partir au travail, alors qu'il finissait de lacer ses bottes, il lui révéla ce qu'il avait appris la veille et qui le troublait tant.

— Le notaire des Shaw s'est déjà occupé de la succession. C'est très simple : il ne reste plus rien.

Charlotte, qui lui tendait son manteau, crut avoir mal compris.

— Pardon ?

Pitt se redressa.

— Vous m'avez bien entendu. La fortune des Worlingham s'est envolée. Il leur reste exactement deux cent quatorze livres et quinze shillings.

— Mais je croyais qu'elle était très riche, qu'elle avait hérité de son père une immense fortune.

— En effet. Theophilus Worlingham a partagé son patrimoine à parts égales entre ses deux filles, Prudence et Clemency. Mais l'héritage de celle-ci s'est évaporé.

Une pensée affreuse traversa l'esprit de Charlotte. Elle préféra l'exprimer à voix haute.

— Shaw l'aurait-il dilapidé ?

— Non. Le notaire a été affirmatif : Clemency a fait des dons très importants à des particuliers et à des œuvres de charité.

— Mais pour quelle raison ? s'étonna Charlotte, alors qu'au même moment une petite idée germait dans son esprit.

Elle comprit que Pitt suivait un raisonnement identique.

— La réforme du logement ?

— Oui. Les associations de bienfaisance auxquelles elle a versé de larges sommes sont connues du notaire. En revanche, il ne sait rien des particuliers qui en ont bénéficié.

— Avez-vous l'intention de tous les retrouver ?

– Oui. Bien que je pense qu'il n'y a pas de lien avec

l'incendie. Je persiste à croire que l'on voulait se débarrasser de Shaw, mais je n'ai pas le début d'une preuve.

— Et pour Amos Lindsay ?

Pitt haussa les épaules.

— On l'a éliminé parce qu'il savait, ou avait deviné, le nom du coupable. C'est peut-être Shaw qui le lui a involontairement révélé, sans même se rendre compte de la portée de ses paroles. Ou, plus probable encore, l'assassin désire toujours supprimer Shaw : le deuxième incendie était une nouvelle tentative de meurtre sur sa personne, qui a échoué.

Pitt décrocha son écharpe de la patère et l'enroula autour de son cou.

— Il n'est, hélas, pas impossible que Shaw ait lui-même mis le feu aux deux maisons, d'abord pour se débarrasser de sa femme et ensuite de Lindsay parce qu'il craignait que celui-ci ne le dénonçât.

— Mais c'est affreux ! protesta-t-elle. C'était son meilleur ami. Et pourquoi aurait-il voulu se débarrasser de Clemency ? Vous venez de me dire qu'ils n'avaient plus d'argent.

— Précisément pour cette raison. Il avait besoin d'argent ! Flora Lutterworth est jeune, jolie, et héritera de la plus grosse fortune de Highgate. Elle l'aime beaucoup, ce n'est un secret pour personne ; cela fait d'ailleurs l'objet de tous les commérages du quartier.

Charlotte poussa un soupir de désappointement. Elle ne trouvait aucun argument valable à lui opposer, mais refusait de croire à cette hypothèse, du moins tant que l'on ne lui en ferait pas la démonstration irréfutable.

Pitt l'embrassa tendrement. Elle comprit qu'il partageait son sentiment sur la question. Après son départ, elle monta se préparer en vue d'une nouvelle journée en compagnie de Gracie, Jack et Emily.

Il leur fallut toute la matinée pour trouver l'immeuble qui abritait les bureaux de l'administrateur de biens. Ils durent ensuite user de dérobades savantes et de ruses pour parvenir à lui soutirer le nom de l'étude notariale qui s'occupait notamment des affaires de la société propriétaire des logements de Lisbon Street. Cette étude avait son siège dans la Cité.

À deux heures de l'après-midi, ils faisaient antichambre dans les bureaux chauffés et confortables de MM. Warburg, Warburg, Boddy & Boddy, attendant le retour de Mr. Boddy père, parti déjeuner avec un client. De jeunes employés au visage grave, perchés sur des tabourets, écrivaient avec application sur du papier vélin, auquel étaient attachés des sceaux de cire écarlate. Des garçons de courses discrets se hâtaient en silence, surveillés par un homme au visage ridé, le cou pris dans un col cassé, qui ne bougeait pas de son siège derrière son bureau. Gracie, qui n'était jamais entrée dans pareil endroit, suivait, fascinée, toutes ces allées et venues.

Enfin, Mr. Boddy fut de retour : un homme aux tempes argentées, au visage lisse, avec une voix neutre et des manières impeccables. Il s'adressa exclusivement à Jack, comme si les trois personnes qui l'accompagnaient n'existaient pas. Pour lui, les mœurs n'avaient pas évolué : les femmes n'avaient toujours pas d'existence légale, elles appartenaient encore à leur seigneur et maître. Elles n'existaient que pour son plaisir, étaient placées sous sa responsabilité et n'avaient pas à être informées ou consultées.

Charlotte se crispa. Emily fit un pas en avant, mais Jack posa la main sur son bras pour l'arrêter ; elle obéit, par tactique. Au cours des deux jours passés, elle avait acquis un respect nouveau pour ses capacités à deviner le caractère des gens et à leur soutirer des informations.

Mais Mr. Boddy n'était pas né de la dernière pluie. Affable, sûr d'être à l'abri de toutes poursuites judiciaires, il ne cilla pas en expliquant, avec une condescendance à peine voilée, qu'en effet il s'occupait de louer les propriétés de ses clients, mais qu'il ne pouvait se permettre de révéler leur nom. Oui, une certaine Mrs. Shaw était venue lui poser les mêmes questions, auxquelles il n'avait pu répondre. Il avait été profondément désolé par l'annonce de sa tragique disparition — en disant cela, son regard demeurait froid et dénué d'expression —, mais les faits étaient là.

Jack lui expliqua qu'il menait une enquête, agissant en qualité de détective privé pour le compte de certaines personnes, que lui non plus ne pouvait se permettre de nommer. Mr. Boddy préférait-il qu'un inspecteur de police vienne lui poser les mêmes questions ?

L'homme n'apprécia pas la menace. Son interlocuteur savait-il que ces propriétaires comptaient parmi les personnalités les plus influentes de la capitale et qu'ils avaient des amis haut placés pour protéger leurs intérêts, si le besoin s'en faisait sentir ? Certains occupaient des postes leur permettant d'accorder des faveurs ou de retirer des avantages, prérogatives qui pouvaient grandement contribuer à agrémenter ou, au contraire, à nuire à une carrière et entraver une ascension dans la haute société.

Jack haussa un sourcil surpris.

— Les gens auxquels vous faites allusion ont-ils à ce point honte de posséder ce genre de propriétés qu'ils sont prêts à ternir la réputation et à ruiner les intérêts de quiconque tenterait de connaître leur nom ?

— Pensez ce que vous voulez, Mr. Radley, répliqua Boddy avec un sourire crispé. Je n'ai pas à répondre à vos questions. Je vous ai expliqué quels étaient mes devoirs. À présent, veuillez m'excuser, j'ai des clients à recevoir. Bonne journée.

Ils repartirent donc bredouilles, à ceci près qu'ils possédaient le nom de la fameuse société propriétaire que par ailleurs l'administrateur de biens leur avait déjà fourni. Ils n'avaient donc obtenu le nom d'aucun responsable, mais on leur avait bien fait comprendre qu'ils risquaient gros à vouloir les connaître.

— Odieux personnage !

Ce fut le commentaire de Vespasia lorsqu'ils lui narrèrent l'entrevue avec Mr. Boddy.

— Nous aurions dû nous y attendre. Un notaire trop bavard ne garderait pas longtemps la clientèle de tels propriétaires.

Le thé était déjà servi dans le petit salon. Ils prirent place devant la cheminée, pour se réchauffer mais aussi pour se remettre de leur déception. Ils avaient l'impression d'être engagés dans une voie sans issue. Gracie, autorisée pour la circonstance à se joindre à eux, restait muette. Les yeux écarquillés, elle admirait l'ameublement raffiné et les tableaux qui ornaient les murs. De temps à autre, elle coulait un regard furtif en direction de Vespasia qui se tenait, comme toujours, très droite dans son fauteuil, ses cheveux blancs ramenés en couronne sur le sommet de sa tête. Elle portait des pendants d'oreilles en perles fines, un col et des manchettes en dentelle du Puy ; ses doigts maigres aux ongles soignés étaient couverts de diamants étincelants. Gracie n'avait jamais vu une si belle dame : avoir pris le thé en sa compagnie resterait sans doute un des souvenirs les plus mémorables de son existence.

— Mais Mr. Boddy a bien dit qu'il avait vu Clemency, souligna Charlotte. Il ne s'en est pas caché. À mon avis, il a dû parler de sa visite au propriétaire et lui faire part de ses activités. Quel impudent ! Et beau parleur, avec ça ! Je l'aurais volontiers giflé !

— Moi aussi, renchérit Emily. J'aurais aimé lui enfoncer la pointe de mon parapluie dans les côtes. Bon, trêve de bavardage. Comment découvrir le nom du dirigeant de cette société propriétaire ? Il doit bien y avoir un moyen !

Vespasia fronça les sourcils.

— Je n'ai pas d'accointances dans le milieu du négoce. Dans des moments comme celui-ci, je regrette de ne pas être mieux introduite dans d'autres couches de la société. Mais Thomas pourrait peut-être nous aider. Qu'en pensez vous, Charlotte ?

— Je ne sais pas. Il est persuadé que l'on souhaitait se débarrasser du Dr Shaw, et non de Clemency.

— Il a peut-être raison, concéda Vespasia. Néanmoins, son épouse se battait pour une cause qui nous tient à cœur. Depuis sa mort, personne n'a repris le flambeau, à ma connaissance. Il est inacceptable que des êtres humains soient parqués dans de pareils taudis ! Tout ce système repose sur une vaste hypocrisie. Et rien ne m'exaspère plus que l'hypocrisie ! Je prendrais un vif plaisir à faire tomber les masques de ces dissimulateurs.

— Nous sommes avec vous ! s'exclama Jack. En ce moment, je suis incapable de penser à autre chose.

Un léger sourire effleura les lèvres de la vieille dame. Elle l'approuva du regard. Jack ne parut pas s'en rendre compte, mais Emily en éprouva une grande fierté : il était très important pour elle que Vespasia tienne en estime son nouvel époux.

Charlotte pensait à Pitt, qui cherchait toujours du côté des patients de Shaw le mobile des deux assassinats ; d'autres s'ensuivraient, sans doute, jusqu'à l'élimination du médecin, si cette piste était la bonne. De son côté, elle persistait à croire que Clemency était bien la victime désignée et que le meurtre de Lindsay n'avait servi qu'à brouiller les pistes. Le criminel pouvait n'être qu'un vulgaire homme de main, mais l'instigateur était le propriétaire des taudis de Lisbon Street, ou d'ailleurs, qui craignait les retombées de l'enquête de Clemency.

— Nous ne savons comment obtenir le nom du dirigeant de cette société, dit-elle en posant sa tasse de thé. Mr. Carlisle doit avoir les moyens de le découvrir, non ? S'il le faut, nous paierons les services de quelqu'un.

Vespasia hocha la tête.

— Je vais lui en parler. Devant l'urgence de l'affaire, j'imagine qu'il acceptera de laisser de côté pour quelques jours ses dossiers en cours afin de s'occuper de celui-ci en priorité.

C'est ce que fit Carlisle, en effet, et avec diligence, car, dès le lendemain soir, il vint les retrouver chez Vespasia. Aussitôt, ils remarquèrent son trouble. Une lueur ironique brillait toujours dans ses yeux, mais il y avait sur ses traits une douceur inhabituelle, comme si la surprise avait effacé les rides amères qui d'ordinaire durcissaient son expression.

Il répondit aux salutations d'usage, puis prit place sur le fauteuil que lui désignait Vespasia. Chacun le regardait, conscient qu'il apportait une nouvelle surprenante, sans pouvoir toutefois en deviner la teneur.

Le regard d'acier de Vespasia l'incita à en venir rapidement au fait.

— Nous vous écoutons, dit-elle.

— La société propriétaire de ces logements appartient à une autre société...

Il leur narra succinctement, avec clarté, ce qu'il avait appris, en les regardant tour à tour, sans oublier Gracie.

— Je suis allé trouver certaines personnes qui me sont redevables ou qui peuvent solliciter ma bienveillance dans un avenir proche. Bref, je me suis débrouillé pour obtenir les noms des actionnaires de cette deuxième société. Il n'y en a plus qu'un seul en vie, et ce depuis plusieurs années. Lorsque cette société a été créée en 1873, à partir des actifs d'une autre société, ses actionnaires vivaient à l'étranger ou étaient d'un âge si avancé ou dans un état de santé si délabré qu'ils ne pouvaient véritablement intervenir dans le fonctionnement de celle-ci.

Vespasia fixa sur lui un regard pénétrant, lui signifiant d'abréger son récit, mais Carlisle poursuivit au même rythme :

— Une seule personne signait tous les contrats et documents. J'ai pu lui rendre visite. Il s'agit d'une personne âgée, qui, n'étant pas mariée, possède un patrimoine en nom propre, et qui sert d'intermédiaire. Elle a dans cette société des parts nominatives qui, en fait, ne lui appartiennent pas. Celles-ci lui procurent un revenu confortable, mais sans plus. Il m'a paru évident, sitôt franchi le seuil de sa porte, que l'énorme masse d'argent, sans doute plusieurs milliers de livres sterling, que représente la location de ces logements n'allait pas dans sa poche.

Jack se trémoussa sur sa chaise. Emily retint son souffle.

— Je lui ai dit qui j'étais, poursuivit Carlisle en rougissant légèrement. Elle a paru très impressionnée. À ses yeux, les représentants du gouvernement et de l'Église sont des instruments immuables et sacrés, au service de Sa Majesté.

— Insinuez-vous que la personne pour qui elle agit est un parlementaire ? s'enquit Charlotte, saisie d'une intuition soudaine.

Vespasia se raidit. Emily se pencha en avant, attentive.

Carlisle eut un large sourire.

— Non... mais vous vous rapprochez. C'est, ou plutôt c'était, l'un des plus éminents hommes d'Église de ce pays. J'ai nommé... Monseigneur Augustus Worlingham !

Emily resta bouche bée. Vespasia poussa un cri de surprise.

— Que dites-vous ? s'exclama Charlotte, incrédule, avant de se sentir gagnée par un rire nerveux, tandis que l'image des ruines fumantes de la maison de Shaw se dessinait devant ses yeux.

Elle imagina la réaction horrifiée de Clemency apprenant l'incroyable nouvelle... Car, à coup sûr, Mrs. Shaw avait rencontré cette vieille demoiselle qui, en toute innocence, transférait l'argent honteusement gagné sur le dos des indigents dans les coffres de l'évêque, permettant à sa descendance de vivre dans le luxe, de faire bonne chère, de boire les meilleurs vins, d'être vêtue de soie et servie par une innombrable domesticité.

Pas étonnant dans ces conditions que Clemency eût distribué sans compter sa part d'héritage à des œuvres de charité, afin de réparer les torts de son grand-père !

Theophilus était-il au courant ? Celeste et Angeline savaient-elles d'où venait leur argent, alors même qu'elles cherchaient des donateurs pour ériger un vitrail à la mémoire de leur père ?

Charlotte n'osait imaginer la réaction de Shaw face à ce scandale. Car un jour celui-ci serait nécessairement rendu public, lors du procès de l'assassin... Mais, songea-t-elle soudain, l'évêque était mort depuis longtemps, ainsi que son fils Theophilus. L'argent des loyers revenait donc à Clemency, mais aussi à Prudence, Angeline et Celeste. Ces trois femmes auraient-elles décidé de supprimer leur sœur et nièce pour protéger leurs revenus et leur patrimoine ? Clemency ne leur avait certainement pas dévoilé la vérité ! Sauf peut-être à l'occasion d'une violente dispute, au cours de laquelle elle leur aurait tout révélé, en ajoutant qu'elle avait l'intention de se battre pour exposer à l'opprobre des hommes tels que l'évêque...

Il était concevable que Celeste ait alors décidé de supprimer sa nièce afin de l'empêcher de mener son combat à son terme. Elle avait consacré sa vie entière à son père, renonçant à fonder un foyer pour demeurer à ses côtés, obéissant à ses ordres, rédigeant son courrier, recherchant les références de ses sermons dans les textes bibliques, jouant du piano et lui faisant la lecture pour détendre son esprit et ses yeux fatigués, sans la moindre gratification. Un sacrifice absolu qu'elle devait à tout prix justifier — à ses yeux, son père le méritait bien — pour que sa vie ne soit pas qu'un vaste et ridicule gâchis.

Pitt n'avait peut-être pas tort, au fond : le meurtrier pouvait se trouver à Highgate, au sein de la famille Worlingham.

Tous l'observaient, voyant sur son visage se succéder l'étonnement, la colère, la pitié, et poindre un début d'explication.

— Oui, Monseigneur Augustus Worlingham, répéta Carlisle en détachant chacune des syllabes. Tout Lisbon Street appartenait, grâce à un réseau complexe d'intermédiaires discrets, au « bon » évêque. À sa mort, Theophilus, Celeste et Angeline en ont donc hérité.

Worlingham a généreusement pourvu ses filles, qui, l'ayant servi toute leur vie, ne pouvaient espérer d'autres moyens de subsistance, car il leur était impossible, à leur âge, de trouver un mari. Elles ne le souhaitaient d'ailleurs peut-être pas. À propos, j'ai pu avoir accès à son testament : les deux tiers du patrimoine sont allés à Theophilus, et le tiers restant, plus la maison, qui vaut une fortune, aux deux sœurs. Il y avait là de quoi leur permettre de vivre dans l'opulence jusqu'à la fin de leurs jours.

— Theophilus devait être immensément riche ! remarqua Emily.

— En effet, acquiesça Carlisle. Mais il menait grand train, faisait bombance, et possédait l'une des meilleures caves de Londres. De plus, il collectionnait les œuvres d'art ; il a fait don de quelques-unes d'entre elles à des musées et à diverses institutions. Il a cependant laissé une coquette somme à ses deux filles.

— Donc Clemency avait beaucoup d'argent, remarqua Vespasia à voix basse. Jusqu'à ce qu'elle se mette à le distribuer sans compter. Connaissons-nous la date à laquelle ont commencé ses dons ? ajouta-t-elle en regardant tour à tour Jack et Carlisle.

— Le notaire ne nous a pas précisé la date de sa visite à l'étude, constata Jack, dépité, se souvenant de l'expression froide et hautaine de Mr. Boddy.

— Le début de son combat pour la suppression de l'anonymat des propriétaires en question remonte à environ six mois, fit Carlisle, l'air sombre. Elle a fait sa première donation importante à une association de secours aux indigents à peu près à cette époque. J'imagine que cela coïncide avec le moment où elle a découvert que son propre grand-père était l'un des hommes qu'elle traquait désespérément.

— Pauvre Clemency, soupira Charlotte, se remémorant les visages des femmes épuisées et résignées, des enfants malades, des hommes hâves et désespérés qu'elle avait, comme elle, rencontrés dans ces immondes taudis, avant de remonter jusqu'à leurs propriétaires.

— Il ne faut pas laisser son combat s'arrêter avec sa disparition, dit Jack en se redressant dans son fauteuil. Worlingham est mort, mais il existe des dizaines, voire des centaines de gens comme lui. Clemency savait cela ; elle aurait donné sa vie pour voir leurs noms divulgués. D'ailleurs, je pense que là réside la cause de son décès. On nous a bien précisé que des gens influents pouvaient faire notre fortune si nous cessions notre enquête ou au contraire nous ruiner, si nous persistions dans nos recherches. Un de ces propriétaires a pu faire incendier sa maison. Ils ont tellement à perdre ! Mrs. Shaw ne devait pas tenir compte de leurs menaces. Imaginez le dégoût profond qu'elle a dû ressentir ! Seule la mort pouvait l'arrêter dans son combat.

Emily regarda Vespasia, puis Carlisle.

— Eh bien ? Qu'allons-nous faire ?

Carlisle fronça les sourcils et répondit d'un air grave :

— Je ne sais pas encore. L'ennemi est puissant et il y a beaucoup d'argent en jeu. De nombreuses familles ne connaissent pas vraiment l'origine de leur fortune et ne tiennent pas à mettre leurs relations dans l'embarras.

— Des voix doivent se faire entendre au Parlement, intervint Vespasia d'un ton ferme. Il y a déjà Somerset, mais lui seul ne suffit pas. Nous avons besoin de nouveaux députés, qui prendront la parole sur ce sujet. Jack, vous êtes tout à fait oisif, en ce moment. Votre lune de miel est terminée. Il est grand temps de vous mettre au travail.

Jack la dévisagea comme si elle venait de tomber du ciel. Incrédule, il soutint son regard gris acier, puis, dans ses yeux clairs, l'étonnement fit place à une lente acceptation. Ses mains se crispèrent sur les bras de son fauteuil, mais il ne cilla pas.

Dans la pièce personne ne bougeait. Emily exhala un très léger soupir.

— Excellente idée, dit-il enfin. Par quoi dois-je commencer ?

9

En arrivant chez elle, Charlotte vit le manteau de Pitt accroché dans le vestibule et, sans prendre le temps d'ôter son chapeau, se précipita dans la cuisine pour lui raconter ce qu'elle venait d'apprendre.

— Thomas ! Thomas ! Tout Lisbon Street appartenait à l'évêque Worlingham. Clemency avait découvert que la fortune de sa famille avait été bâtie sur le dos de ces pauvres gens !

Pitt se retourna sur sa chaise et la dévisagea avec stupéfaction.

- Comment ?

– Je vous répète que taudis, gargotes, fumeries d'opium, hôtels de passe, ateliers de confection, tout appartenait à l'évêque ! Et sa famille en a hérité ! Imaginez ce qu'a dû ressentir Clemency en apprenant cela...

Elle se laissa tomber sur une chaise en face de lui, posa ses coudes sur la table, ferma les yeux et se prit la tête entre les mains.

— Voilà pourquoi elle a tout fait pour se débarrasser de cet argent. Mon Dieu, c'est terrible !

— Pauvre Clemency, murmura Pitt. Quelle femme remarquable ! Je regrette de ne pas l'avoir connue.

— Moi aussi. Pourquoi entendons-nous parler de gens comme elle quand il est trop tard ?

La question n'appelait pas de réponse. Ils savaient tous deux que si Clemency n'avait pas péri dans cet incendie, ils n'auraient jamais appris son existence.

Charlotte annonça ensuite à Pitt que Jack Radley envisageait sérieusement de se présenter à la députation.

— Vraiment ? s'étonna-t-il, scrutant son visage pour s'assurer qu'il ne s'agissait pas d'une plaisanterie.

— Mais oui ! C'est une excellente initiative, vous ne croyez pas ? Jack doit absolument trouver une occupation, sinon il va mourir d'ennui, et Emily aussi, par la même occasion. Nous ne pouvons pas intervenir dans toutes vos enquêtes ! conclut-elle avec un grand sourire.

Pitt poussa un grognement et s'abstint de tout commentaire.

Le lendemain, il arriva donc au commissariat de Highgate avec des nouvelles fraîches à communiquer à son adjoint. La plupart ne firent qu'accroître l'inquiétude de Murdo au sujet de Flora Lutterworth. Il repensa à leurs brèves entrevues, émaillées de conversations figées, de silences gênés. Comme il s'était senti chaque fois mal à l'aise, dans ses bottes cirées et son uniforme aux boutons étincelants ! Il avait l'impression d'être un intrus dans cette superbe demeure. Le visage de Flora le hantait, ses grands yeux noirs, son teint clair, ses pommettes vermeilles. Et quelle fierté ! Quel courage ! Aurait-il d'autre occasion d'approcher une personne si belle, si vivante, si pleine d'esprit et de bonté ? Murdo avait le sentiment qu'elle vivait dans un monde plein de couleurs, de parfums et de musique, à mille lieues de la grisaille quotidienne d'un simple policier.

Et pourtant, il savait que Flora avait peur. Il rêvait de la protéger et souffrait de ne pouvoir le faire. Il ne comprenait pas la nature de la menace qui pesait sur elle, mais il était certain qu'il y avait là un lien avec la mort de Clemency Shaw et de Lindsay.

Une méchante petite voix, qu'il refusait d'écouter, lui chuchotait que le rôle de la jeune fille dans cette affaire n'était peut-être pas tout à fait innocent. Il n'osait penser que sa Flora était, ne serait-ce qu'en partie, responsable de leur mort, mais il avait entendu la rumeur qui courait à son sujet dans Highgate, et vu ses airs mystérieux, ses rougeurs inexpliquées. Il savait qu'un lien particulier l'unissait à Stephen Shaw, lien si précieux qu'elle était prête à braver la fureur paternelle.

Le pauvre Murdo était désorienté. Jamais auparavant il n'avait ressenti une telle jalousie et un tel trouble : il était certain que Flora n'avait rien fait de mal, mais il ne pouvait nier qu'elle éprouvait un sentiment très vif pour le médecin.

Restait une possibilité bien plus terrible encore, celle que Lutterworth fût lui-même le commanditaire des deux tentatives de meurtre contre Stephen Shaw. Il aurait eu deux mobiles plausibles : le premier, auquel Murdo refusait d'accorder le moindre crédit, était que Shaw ait déshonoré Flora ou soit au courant de quelque secret honteux la concernant, l'existence d'un enfant illégitime par exemple, ou pire, un avortement. Lutterworth, l'ayant appris, ne pouvait espérer voir sa fille faire un beau mariage, ni même un mariage tout court, si un tel scandale éclatait ; il aurait donc décidé de réduire le médecin au silence. Sinon, Flora vieillirait riche et célibataire, exclue de la bonne société, sujet du qu'en-dira-t-on, objet de pitié et de mépris.

À cette idée, Murdo se sentait prêt à étrangler Shaw de ses propres mains. Il serra les poings avec force, s'obligeant à chasser cette pensée de son esprit.

Il s'en voulut d'avoir imaginé pareilles ignominies. Non, Shaw devait poursuivre Flora de ses assiduités, et elle, si adorable, si jeune, était trop innocente pour deviner ses appétits de luxure. Oui, cette hypothèse était de loin la plus vraisemblable. D'autant que Shaw devait lorgner l'héritage de Lutterworth, lui qui avait dilapidé celui de sa femme — l'inspecteur Pitt ne venait-il pas de découvrir que tout l'argent de Mrs. Shaw avait disparu ? Oui, il tenait là la bonne explication : Shaw voulait épouser une riche héritière !

Qu'Alfred Lutterworth fût richissime rendait Murdo très malheureux. À vingt-quatre ans, il n'était qu'un simple policier et le demeurerait sans doute longtemps encore. Certes, il gagnait sa vie, mangeait à sa faim, occupait un meublé agréable et portait des habits convenables. Mais entre son humble logis et la splendide demeure de Lutterworth, il y avait autant de différence qu'entre la maison de ce dernier et ce que Murdo imaginait être l'intérieur du château de Windsor. Il avait aussi peu de chances de poser les yeux sur Miss Flora que Lutterworth sur l'une des princesses royales.

Ce fut dans cet état d'esprit désespéré qu'il repensa à la découverte faite par l'épouse de l'inspecteur Pitt, selon laquelle l'évêque Worlingham possédait les plus sordides taudis de la capitale. Murdo avait accueilli la nouvelle sans grand étonnement : les gens prétendument respectables peuvent avoir d'affreux secrets, en particulier lorsque de l'argent est en jeu. Mais Pitt avait omis de mentionner un détail important : ayant découvert que son aïeul était un infâme exploiteur, cette pauvre Mrs. Shaw avait peut-être aussi appris le nom d'autres personnes compromises. Pitt avait parlé de parlementaires, d'aristocrates, de gens de justice, mais non d'industriels à la retraite qui, voulant se faire une place dans la haute société, avaient besoin d'importantes rentrées d'argent et se moquaient bien de leur provenance.

Alfred Lutterworth pouvait se sentir tout autant — ou même davantage — menacé dans ses intérêts par le combat de Clemency Shaw que l'était la famille Worlingham. Clemency avait sans doute voulu protéger sa famille d'un éventuel scandale, mais pour quelle raison aurait-elle épargné Lutterworth ? Celui-ci avait donc d'excellentes raisons de la voir disparaître, ainsi que Lindsay, au cas où ce dernier aurait deviné qu'il était l'instigateur du premier incendie.

Mais comment parvenir à prouver que Lutterworth possédait lui aussi des taudis ? La police ne pouvait parcourir toutes les ruelles de la capitale, recenser les milliers de taudis et interroger leurs locataires transis et apeurés afin de connaître le nom de chaque propriétaire !

Seul, sans l'autorisation de ses supérieurs, Murdo avait donc décidé de mener sa propre enquête sur l'origine des revenus de Lutterworth, pour retrouver la trace d'éventuels encaissements de loyers. Mais la tâche s'était avérée bien plus ardue qu'il ne l'imaginait, car l'argent de Lutterworth provenait de différentes sociétés dont il ignorait les activités. Murdo avait eu fort peu de temps devant lui et surtout, n'ayant pas été mandaté par sa hiérarchie, ses interrogations n'avaient aucune valeur légale.

Il n'avait rien résolu et ne savait plus à quel saint se vouer. Le visage de Flora continuait à le hanter ; la douleur et la honte qu'elle ressentirait si elle savait son père coupable le torturaient. Aussi fut-il presque content d'entendre les pas de Pitt dans le couloir. Pourtant, une partie de lui-même regrettait encore que l'on ait envoyé un inspecteur de Bow Street pour mener l'enquête : considérait-on les hommes du commissariat de Highgate comme des incompétents ? Mais il était soulagé de ne pas avoir à supporter la responsabilité de l'enquête. Celle-ci piétinait. Ils n'étaient pas plus avancés que le jour où ils s'étaient retrouvés, sous la pluie, devant les décombres fumants de la maison des Shaw.

Il se redressa machinalement lorsque Pitt entra dans la salle de permanence.

— Oui, monsieur ? Où allons-nous ?

— Chez Mr. Alfred Lutterworth, je pense, dit Pitt en ressortant de la pièce.

Murdo crut que son cœur allait s'arrêter de battre, mais il ne pouvait esquiver son devoir.

Auparavant, Pitt avait rendu une visite de courtoisie au commissaire de Highgate, espérant apprendre un complément d'information dont Murdo n'aurait pas eu vent. L'homme, toujours aussi mal disposé à son égard, lui annonça qu'un nouveau sinistre avait été signalé à Kentish Town, une piste intéressante pouvant conduire au pyromane qui, selon lui, avait allumé tous les incendies de ces dernières semaines. En revanche, l'enquête menée auprès des compagnies d'assurances prouvait que ni Shaw ni Lindsay ne pouvaient être accusés d'escroquerie.

— J'imagine mal Lindsay se faisant brûler vif pour toucher une prime ! rétorqua Pitt.

— Nous aussi, monsieur, répondit le commissaire avec froideur. Mais nous sommes certains que les feux ont tous été allumés par le pyromane de Kentish Town.

— Il est tout de même étonnant que seule la maison du médecin et celle de son ami aient été occupées au moment des incendies, remarqua Pitt, sans trop s'avancer.

— L'incendiaire ignorait qu'il pût y avoir quelqu'un au domicile de Shaw ! rétorqua le commissaire, irrité. Il était en visite et tout le monde pensait que son épouse s'était absentée. Son dîner n'avait été annulé qu'à la dernière minute.

— Tout le monde ? Les seules personnes à savoir qu'elle devait sortir ce soir-là étaient ses proches, lui fit observer Pitt avec une pointe de satisfaction.

Le commissaire lui lança un regard furieux puis retourna à son bureau, sans plus s'occuper de lui.

À présent, Pitt était prêt à passer à la phase de l'enquête où il pouvait donner le meilleur de lui-même : celle où il questionnait, écoutait et observait les différents protagonistes de l'affaire. Il avait depuis plusieurs jours abandonné l'espoir que les faits puissent lui apporter la moindre explication.

Les deux policiers partirent à pied et remontèrent bientôt l'allée couverte de feuilles mortes qui menait à la demeure de Lutterworth. La soubrette les conduisit jusqu'au grand salon où une belle flambée s'élevait dans la cheminée. Un vase empli de chrysanthèmes jaunes était posé sur le lourd buffet Tudor.

Ils attendirent, debout, plus d'un quart d'heure avant que Lutterworth ne fasse son apparition, suivi de Flora, pâle et posée, habillée de bleu. Elle adressa un bref coup d'œil à Murdo, puis détourna les yeux en rougissant légèrement.

Ce dernier, bouleversé, demeura muet ; il désirait tant voler à son secours ! Il aurait volontiers frappé quelqu'un, Shaw ou Lutterworth, notamment, pour les punir d'avoir laissé ces drames se produire, mais aussi Pitt, parce qu'il poursuivait aveuglément son enquête, sans se soucier des conséquences. Murdo lui en voulait de ne pas souffrir autant que lui. Mais, en regardant dans sa direction, il s'aperçut de sa méprise : ce dernier, très tendu, avait manifestement conscience de son impuissance à soulager les souffrances que ses questions ne manqueraient pas de provoquer.

Murdo poussa un très léger soupir et ne dit mot.

Lutterworth se planta au beau milieu du tapis et leur fit face. Personne ne songea à s'asseoir.

— Eh bien, que se passe-t-il encore ? aboya-t-il. Je croyais vous avoir dit tout ce que je savais. J'ignore pour quelle raison on a tué ce pauvre Lindsay, à moins que Shaw ne l'ait fait taire parce que Lindsay avait vu clair en lui, ou que cet imbécile de Pascoe n'ait décidé de supprimer un homme qui selon lui était un dangereux anarchiste.

Il pointa l'index en direction d'une statuette posée sur le manteau de la cheminée.

— Regardez ce cheval. Je l'ai acheté la première fois que mes filatures ont réalisé des profits. Une grosse commande de tissu que nous avions expédié au Cap. Elle nous avait procuré un joli bénéfice...

Il poussa un profond soupir.

— Ce cheval me rappelle l'époque où je faisais la cour à Ellen — la mère de Flora. Nous ne possédions pas d'attelage, mais seulement un cheval. Elle en prenait les rênes et, moi, je montais en croupe en la tenant par la taille. C'était le bon temps... Chaque fois que je regarde cette statuette, je revois les rayons de soleil filtrer à travers le feuillage sur la terre sèche, je sens l'odeur du cheval, du foin, des aubépines et des clématites au parfum de miel, dont les pétales tombaient comme des flocons de neige. Les cheveux de mon Ellen brillaient comme des châtaignes. J'entends encore son rire...

Il demeurait immobile, perdu dans son passé. Personne n'osait le ramener à la réalité. Enfin Pitt brisa le silence, en posant une question qui étonna Murdo.

— D'après vous, Mr. Lutterworth, lorsque Mr. Lindsay regardait ses collections d'art africain, à quoi pensait-il ?

— Je ne sais pas, admit Lutterworth à regret. À sa femme, peut-être. Tout comme moi...

— Sa femme ? s'étonna Pitt. J'ignorais qu'il ait été marié.

— Il en parlait peu. Elle est morte il y a plus de vingt ans. Je suppose que c'est pour cela qu'il est revenu vivre ici. Il ne me l'a pas dit.

— Avait-il des enfants ?

— Plusieurs, je crois.

— Où sont-ils ? Ils ne se sont pas manifestés et il n'est fait mention d'aucun héritier dans son testament.

— C'est normal. Ils sont restés en Afrique.

— Cela ne les empêche pas d'hériter !

Lutterworth eut un curieux sourire.

— D'une maison à Highgate, de quelques livres et de masques africains ?

— La bibliothèque, très fournie, contenait quelques livres d'anthropologie de grande valeur.

— Pas pour eux, répondit Lutterworth, toujours aussi mystérieux.

— Et la maison ?

— Un homme qui vit dans la jungle n'en a guère l'utilité, répliqua Lutterworth, ravi de son petit effet. Oui, inspecteur, l'épouse de Lindsay était noire, expliqua-t-il devant l'expression stupéfaite du policier. Une femme magnifique. Lindsay m'avait montré son portrait, un jour où je lui parlais de mon Ellen. J'ai rarement vu un visage aussi doux. Je serais bien incapable de vous répéter son nom, pourtant Lindsay l'a prononcé plusieurs fois devant moi. Il disait que c'était le nom d'un oiseau qui vit au bord d'un fleuve.

— Quelqu'un ici avait-il connaissance de l'existence de son épouse ?

— Aucune idée. Lindsay en avait peut-être parlé à Shaw. À propos, vous ne l'avez pas encore arrêté, celui-là ?

— Papa ! protesta Flora, ouvrant la bouche pour la première fois.

— Ah ! Tu ne vas pas recommencer, ma fille ! Il t'a déjà fait assez de mal. Tu es la risée de tout le quartier, avec tes airs de bonniche énamourée.

Flora, écarlate, chercha les mots pour se défendre et n'en trouva pas. Murdo enrageait. Si Lutterworth l'avait regardé à ce moment-là, il aurait été stupéfait de voir la fureur dans ses yeux, mais il était trop occupé à faire la morale à sa fille.

— Alors, que voulez-vous enfin ? fit-il d'un ton rogue, à l'adresse de Pitt. Vous n'êtes pas venu pour m'entendre parler de l'épouse de Lindsay, paix à son âme !

— Non, acquiesça Pitt. Je voulais savoir si vous possédiez des propriétés en ville.

— Quoi ?

Lutterworth eut l'air si étonné qu'il paraissait impossible qu'il jouât la comédie.

— De quelles propriétés parlez-vous ?

— Des logements, que vous loueriez... répondit Pitt, guettant sa réaction.

Murdo, qui n'avait jamais été aussi attentif au cours d'un interrogatoire, ne vit aucune inquiétude altérer les traits de Lutterworth.

Ce dernier redressa les épaules avec fierté.

— Je possède cette maison, ses dépendances et le terrain sur lequel elle est bâtie. Et quelques maisonnettes dans les environs de Manchester, que j'ai fait construire pour mes ouvriers. Des maisons solides, bien isolées avec des toilettes au fond du jardin, un système de canalisation correct et des cheminées qui ne fument pas. Je ne peux pas vous dire mieux.

Pitt se sentit soulagé. Néanmoins, il demanda, par réflexe professionnel :

— Pourriez-vous prouver que ce sont bien les seules propriétés que vous possédez, Mr. Lutterworth ?

— Je pourrais, si je le voulais, répliqua celui-ci en enfonçant ses poings dans ses poches. Mais pourquoi le devrais-je ?

— Parce qu'il est possible que la mort de Mrs. Shaw et de Mr. Lindsay soit liée à des problèmes immobiliers, répondit Pitt en lançant un bref coup d'œil à Flora.

— Foutaises ! Si vous voulez mon avis, Shaw a tué sa femme pour être libre de courir après Flora, puis il s'est débarrassé de Lindsay parce que celui-ci avait tout deviné. Il a dû se trahir en se vantant, comme d'habitude, mais il est allé trop loin ! Mais je peux vous garantir qu'il n'épousera pas ma fille — que ce soit pour mon argent ou pour autre chose. Je l'en empêcherai, par tous les moyens. Je parie qu'il n'aura pas la patience d'attendre jusqu'à mon enterrement.

— Papa ! s'écria à nouveau Flora. Vous ne dites que des méchancetés et des mensonges !

Cette fois, elle était bien décidée à ne plus se laisser faire. Peu lui importait la discrétion, le devoir filial, ou l'embarras qui enflammait ses joues.

— Pas de discussion ! tonna Lutterworth, cramoisi. Ose dire que tu ne le retrouves pas en catimini, pensant que personne ne s'en aperçoit ?

Flora était au bord des larmes. Murdo, tendu, s'apprêtait à faire un pas en avant, mais il fut arrêté par le regard glacial de Pitt qui le sommait de ne pas bouger. Il se contrôla avec effort. Que dire, que faire, pour aider Flora ? Cette scène devait inévitablement aller jusqu'à son dénouement : lorsqu'on lance une pierre dans un puits, il faut attendre qu'elle ait touché le fond.

— Je n'ai rien fait d'inconvenant, dit-elle, en fixant

son père bien en face, choisissant soigneusement ses mots, et faisant son possible pour ignorer les deux policiers, plantés comme des potiches au milieu de la pièce. Il s'agissait d'entrevues... privées.

Les traits de Lutterworth étaient déformés par la douleur et la colère à l'idée que son enfant chérie, sa fille unique, venait de se trahir et l'avait blessé au plus profond de lui-même. Il abattit son poing sur le dossier du fauteuil qui se trouvait à côté de lui.

— Privées ? Une femme honnête ne s'introduit pas chez un homme marié en passant par la porte de service ! Je te demande, ma fille, si Mrs. Shaw était toujours présente lors de vos « entrevues ». Ne mens pas !

— Non, fit Flora d'une voix inaudible.

— C'est bien ce que je pensais ! lança-t-il avec un mélange d'angoisse et de triomphe. Je le savais ! Et la moitié du quartier le savait aussi ! Je vais te dire une bonne chose : je me moque de ce que pensent les voisins ou même toute la bonne société de la capitale — ils peuvent dire ce qu'ils veulent, ça m'est bien égal. Mais tu n'épouseras pas Shaw. Point final.

Les larmes coulaient sur les joues de Flora. Elle porta sa main à sa bouche et se mordit le poing, comme si la douleur physique la soulageait.

— Mais je ne veux pas l'épouser ! C'est mon médecin !

— C'est le mien aussi, rétorqua Lutterworth, qui n'avait pas encore compris le changement qui s'était opéré en elle. Et je n'entre pas chez lui par la porte de service ! Je vais le voir ouvertement, comme un honnête homme !

— Vous ignorez mes problèmes de santé, fit-elle d'une voix entrecoupée, sans oser regarder aucun des trois hommes, et Murdo encore moins que les autres. Il m'avait autorisée à aller le voir chaque fois que je souffrais et...

Lutterworth pâlit.

— Que tu souffrais ? s'exclama-t-il, affolé, toute

colère évanouie. Mais de quoi parles-tu ? Que se passe-t-il ?

Il s'avança vers elle comme s'il la croyait prête à défaillir.

— Flora, ma petite fille, dis-moi ce que tu as ! Nous te trouverons les meilleurs médecins d'Angleterre. Pourquoi ne m'avoir rien dit ?

Elle se détourna de lui, la tête rentrée dans les épaules.

— Ce n'est pas une maladie. C'est seulement... Oh, je vous en prie, laissez-moi ! Je ne vais tout de même pas entrer dans des détails intimes devant ces messieurs...

Lutterworth avait complètement oublié la présence des deux policiers. Il pivota vers eux, d'un mouvement accusateur, puis se souvint brusquement que c'était lui qui avait exigé des explications.

— Je n'ai aucune propriété à Londres, Mr. Pitt, et je peux vous le prouver quand vous voudrez.

Son visage se durcit.

— Mes livres de comptes vous sont ouverts. Ma fille n'a rien à vous dire sur ses relations avec le Dr Shaw, puisqu'il s'agit d'un problème d'ordre purement médical.

Il défia Pitt du regard.

— Vous n'aimeriez pas que l'état de santé de votre épouse devienne un sujet de conversation entre hommes, n'est-ce pas ? Je ne sais rien de plus qui puisse vous aider. Au revoir.

Il actionna la sonnette et demanda à la soubrette de raccompagner les policiers.

Pitt envoya ensuite Murdo interroger le majordome de Shaw, dont les brûlures étaient en voie de guérison, et le valet de chambre de Lindsay. Ils pourraient peut-être se souvenir de détails que le choc ou la souffrance leur avaient fait oublier. Pitt tenait en particulier à savoir ce qu'avait fait ou dit Lindsay au cours des deux journées précédant sa mort. Un geste, un mot, avait pu précipiter la décision du criminel. Toute précision glanée à droite ou à gauche pouvait permettre d'apporter une réponse à leurs questions.

Il décida, quant à lui, de retourner au domicile de Matthew Oliphant, d'y attendre Shaw aussi longtemps qu'il le faudrait, et de le questionner jusqu'à ce qu'il se décide à parler, quitte à se montrer brutal.

La logeuse s'habituait à voir des gens se présenter à sa porte et demander à attendre dans le salon le retour du médecin. Elle reçut Pitt avec courtoisie, le prenant sans doute pour un patient, et lui proposa gentiment une tasse de thé.

Pitt l'accepta volontiers et s'installa devant la cheminée. Vingt minutes plus tard, Shaw entra en coup de vent, posa sa sacoche sur une chaise et son chapeau sur le bureau puis tendit son manteau à la logeuse qui attendait patiemment, le sourire aux lèvres ; elle récupéra ensuite écharpe, gants, chapeau ainsi que la canne qu'il avait oublié de laisser dans le vestibule. Elle s'était apparemment prise d'affection pour lui.

À la vue du policier, Shaw eut un mouvement de surprise et l'observa avec une certaine méfiance, mais sans animosité.

— Bonjour, Pitt. Quel bon vent vous amène ? Avez-vous du nouveau ?

Il demeurait solidement planté au milieu de la pièce, les poings dans les poches, comme un homme prêt à passer à l'action pour peu qu'on lui en donnât l'occasion.

— Que se passe-t-il, mon vieux ? Qu'avez-vous appris ?

Pitt aurait bien voulu avoir quelque chose de concret à lui annoncer. Il se sentait gêné de ne toujours pas connaître le mobile de l'incendiaire et d'avoir des doutes quant à la victime désignée : au départ, il était persuadé qu'il s'agissait de Shaw, mais Charlotte étant convaincue que Clemency était visée, ses certitudes avaient été ébranlées.

— Je crains de ne rien savoir de plus, avoua-t-il, honnêtement. Je suis désolé, ajouta-t-il en voyant la lumière d'espoir s'éteindre dans le regard du médecin. L'expertise confirme que le feu a pris dans quatre endroits distincts chez vous, et trois chez Mr. Lindsay. Le combustible est bien du pétrole lampant, versé sur les rideaux du rez-de-chaussée, à des endroits où l'on était sûr qu'il s'enflammerait très vite et se propagerait vers les meubles.

Shaw fronça les sourcils.

— Comment sont-ils entrés ? Par effraction ? Les domestiques auraient entendu un bris de vitre. Quand je suis parti, les fenêtres du rez-de-chaussée étaient fermées, j'en suis certain.

— On peut découper un cercle dans du verre sans faire de bruit, lui fit remarquer Pitt. Il suffit d'appliquer sur la vitre un papier imprégné de poix, ensuite, il n'y a plus qu'à passer la main dans le trou et soulever le loquet de la fenêtre. Mais c'est une méthode plus répandue chez les monte-en-l'air que chez les pyromanes.

Shaw haussa un sourcil incrédule.

— Vous pensez qu'un vulgaire cambrioleur s'est introduit chez moi et a mis le feu à la maison pour effacer les traces de son passage ? Cela n'a aucun sens ! s'exclama-t-il, déçu que le policier n'ait pas d'autre solution à lui offrir.

Pitt fut vexé. Même si Shaw était l'assassin — hypothèse dont il devait, hélas, tenir compte —, il le respectait et tenait à ce qu'il ait une bonne opinion de lui.

— À mon avis, il ne s'agit pas d'un vulgaire cambrioleur. Je dis simplement que cette méthode d'effraction est courante. Malheureusement, il nous est impossible de prouver que c'est celle-là qui a été employée, puisque la maison est en ruine. Des dizaines de pompiers ont marché sur le verre brisé par la chute des pans de murs. Cela aurait pu confirmer que l'effraction était préméditée, mais nous le savions déjà, puisque l'homme avait apporté du pétrole et des allumettes.

— Conclusion ? s'enquit Shaw en le regardant droit

dans les yeux. Si vous ne savez rien de nouveau, pourquoi être venu ?

Pitt s'assit sur l'une des deux bergères rembourrées, faisant comprendre au médecin que la discussion risquait d'être longue. Puis il tenta de mettre de l'ordre dans ses idées et déclara posément :

— Qu'est-ce qui a poussé la main criminelle à mettre le feu au domicile d'Amos Lindsay ? Vous habitiez chez lui depuis quelques jours ; il se peut que vous ayez remarqué un détail digne d'intérêt, dont vous pourriez essayer de vous souvenir.

L'expression sceptique de Shaw se mua en profonde concentration. Il s'assit en face du policier, croisa les jambes et l'observa, les yeux plissés.

— Vous pensez donc que Lindsay était visé ?

Une émotion douloureuse passa sur son visage, mêlée d'espoir et d'un vague soulagement, mais aussi d'inquiétude à la pensée qu'un individu dangereux rôdait toujours dans l'ombre.

— Je l'ignore. Il existe plusieurs possibilités.

Pitt prit le risque d'être franc. À quoi servirait-il de biaiser ? Shaw n'était pas assez naïf pour se laisser abuser.

— Le premier incendie visait peut-être votre épouse, et le second vous ou Lindsay, parce que l'un ou l'autre d'entre vous avait découvert le coupable — ou parce que celui-ci croyait être démasqué...

— Mais je n'ai rien découvert du tout ! l'interrompit Shaw. Si je savais quoi que ce soit, je vous l'aurais dit ! Pour l'amour du ciel, que voulez-vous que je sache ?

À peine avait-il fini sa phrase qu'il s'affaissa dans son fauteuil.

— Évidemment ! J'aurais dû y penser plus tôt ! À vos yeux, je suis le premier suspect !

Il avait prononcé ces derniers mots avec incrédulité comme s'il répétait une mauvaise plaisanterie.

— Mais pourquoi aurais-je tué ce pauvre Amos ? C'était mon seul vrai ami...

Sa voix se brisa. Il détourna la tête pour masquer son émotion. S'il jouait la comédie, c'était vraiment un brillant acteur. Mais Pitt avait connu des hommes qui avaient supprimé un être aimé pour sauver leur propre vie. Il ne pouvait se permettre d'épargner à Shaw la seule explication qui avait un sens.

— Durant votre séjour chez lui, vous avez pu dire ou faire quelque chose qui vous aurait trahi. Vous vous seriez alors trouvé dans l'obligation de le tuer parce que vous saviez qu'il ne se tairait pas éternellement — vous risquiez la corde.

Shaw ouvrit la bouche pour protester, mais le sang reflua de son visage et les mots s'évanouirent sur ses lèvres lorsqu'il comprit que l'explication était tout à fait rationnelle. Il ne pouvait la rejeter pour la seule raison qu'elle était grotesque à ses yeux.

— L'autre possibilité, poursuivit Pitt, est que vous ayez dit quelque chose permettant à Lindsay de deviner l'identité de l'incendiaire. Mais il avait décidé de garder cette découverte pour lui. La personne en question, comprenant qu'elle était démasquée, a pris la décision de le tuer, pour se protéger.

Shaw se redressa sur son siège.

— Bon sang, si j'avais dit quelque chose qui lui ait permis de découvrir le nom de l'assassin de ma femme, Lindsay m'en aurait parlé, et nous en aurions fait part à la police !

— L'auriez-vous fait, s'enquit Pitt, dubitatif, s'il s'était agi de l'un de vos patients, de quelqu'un que vous croyiez être un ami, ou d'une personne de votre famille ?

Il ne précisa pas le nom des Worlingham.

Le médecin s'agita dans son fauteuil, mais ses mains puissantes et soignées reposaient calmement sur les accoudoirs. Un long moment, les deux hommes demeurèrent silencieux, à se regarder. D'anciennes conversations leur revinrent en mémoire, au cours desquelles Pitt avait vainement tenté de lui arracher un élément couvert par le secret médical et susceptible d'être à l'origine de l'incendie, Shaw refusant énergiquement de trahir ce secret.

Enfin, celui-ci reprit la parole, d'une voix douce, soigneusement contrôlée.

— Pensez-vous que j'aie pu dire à Amos quelque chose que je refuserais de vous révéler ?

— Je doute que vous ayez trahi un secret médical devant lui, répondit Pitt en toute franchise. Mais il vous avait recueilli chez lui. Auprès d'un ami, on peut s'épancher en toute confiance.

Voyant la douleur qui envahissait les traits du médecin, il avait du mal à croire qu'elle était feinte. Cependant, les émotions des hommes sont complexes et parfois l'instinct de survie peut prévaloir sur les autres.

— Au cours de conversations banales avec Lindsay, reprit-il, des mots ont pu vous échapper au sujet de la guérison ou de la rechute d'un malade, d'une visite que vous aviez faite chez tel ou tel patient, autant d'éléments qui, additionnés, ont pu constituer un faisceau d'indices à ses yeux. Votre ami nourrissait peut-être simplement des soupçons, qu'il cherchait à confirmer, et, ce faisant, a involontairement averti l'assassin.

Shaw frissonna d'un air dégoûté.

— J'aimais beaucoup Lindsay, fit-il d'une voix posée. Si je connaissais son meurtrier, je ferais tout pour qu'il soit arrêté et condamné.

Une grande tendresse se peignit sur ses traits. Il détourna à nouveau la tête, par pudeur.

— C'était un brave homme, sage, patient, généreux, tolérant, honnête vis-à-vis des autres et, chose plus rare, de lui-même. Je ne l'ai jamais entendu porter un jugement hâtif ou méchant sur autrui.

Son regard se posa à nouveau sur Pitt, direct et aigu.

— Amos détestait l'hypocrisie et ne se gênait pas pour la fustiger. Dieu, comme il va me manquer... C'était le seul homme avec lequel je pouvais converser pendant des heures sur à peu près tous les sujets, médecine, art, politique, problèmes de société...

Un bref sourire éclaira son visage.

— ... mais aussi bon vin, fromages, femmes, opéra, chevaux, religions, coutumes. Avec lui, je n'avais jamais peur d'exprimer le fond de ma pensée.

Il s'enfonça un peu plus dans son fauteuil et joignit le bout de ses doigts.

— Je ne peux faire cela avec aucune autre personne ici. Clitheridge est un imbécile, incapable d'émettre une opinion personnelle...

Il poussa un grognement méprisant.

— Il craint toujours de froisser les gens. À l'opposé, Josiah Hatch a une opinion sur tout, enfin, disons qu'il professe les théories que lui avait enseignées l'évêque Worlingham. Il voulait prendre l'habit, vous savez.

Il jeta un coup d'œil à Pitt pour voir sa réaction.

— Il a étudié sous la férule de ce vieux grigou. Il prenait tout ce qu'il disait pour parole d'évangile, faisant sienne sa philosophie sans se poser de questions. Je dois dire qu'elle s'adaptait parfaitement à sa personnalité !

Il fit la grimace.

— Mais Josiah était fils unique. Son père, directeur d'une entreprise florissante, a exigé qu'il lui succède lorsqu'il est tombé malade. Sa mère et ses sœurs dépendant financièrement de lui, il n'a pu que s'exécuter.

Shaw soupira, sans cesser de regarder Pitt.

— Il n'a jamais perdu sa passion pour l'Église. À sa mort, son fantôme viendra nous hanter, vêtu d'une aube et coiffé d'une mitre, ou peut-être en habit de dominicain. Pour lui, toute remise en question de l'Église est synonyme d'hérésie. Pascoe, lui, est un vieux fossile sympathique. Il vit au Moyen Âge avec les chevaliers de la Table Ronde. Les chansons de geste, les poèmes épiques constituent son univers. Dalgetty est plein d'idées nouvelles, mais sa façon de mener croisade pour la liberté de pensée est parfois si exaspérante que je me surprends à le contredire, par provocation, et pour l'amener à modérer son enthousiasme. Maude a plus de bon sens. L'avez-vous rencontrée ? C'est une femme exceptionnelle.

Un sourire amusé releva les commissures de sa bouche, comme s'il venait enfin de trouver un sujet de conversation agréable.

— Dans sa jeunesse, elle posait comme modèle pour des peintres et des sculpteurs. Un corps magnifique, qu'elle n'avait pas honte de montrer. C'était avant de rencontrer Dalgetty et de devenir une épouse respectable — mais son âme a toujours été pure, à mon avis. Elle a gardé la tête sur les épaules, n'a jamais perdu son humour ni rejeté ses anciens amis. Elle retourne de temps à autre à Mile End, pour leur faire des cadeaux.

Pitt le dévisagea, étonné par cette information, mais davantage encore par le fait que Shaw fût au courant.

— Dalgetty le sait-il ?

— Oh, certainement. Il s'en soucie fort peu, ce qui est tout à son honneur. Toutefois, il se garde d'en parler, pour la réputation de Maude, qui tient à sa respectabilité. Si cela se savait, elle serait mise au ban de la bonne société de Highgate. Ce qui serait dommageable pour la paroisse car, à elle seule, elle vaut bien dix dames patronnesses. Curieusement, d'ailleurs, Josiah Hatch, aussi étroit d'esprit soit-il, qui connaît son passé, l'admire comme si elle était une sainte en plâtre. Après tout, il est peut-être capable de discernement.

— Comment savez-vous qu'elle posait pour des peintres ? s'étonna Pitt, cherchant à replacer la nouvelle dans le contexte des incendies.

Dalgetty aurait-il essayé de se débarrasser de Shaw pour garder ce secret ? Il ne paraissait pourtant pas homme à vouloir à tout prix conserver son honorabilité — il publiait suffisamment d'articles jugés sacrilèges sur la liberté de pensée, très en vogue dans certains cénacles. Mais de là à accepter que l'on sache que sa femme avait autrefois posé nue pour de jeunes peintres....

L'amour de Dalgetty pour Maude était-il si grand qu'il aurait tué pour qu'elle garde sa respectabilité ?

— Oh, par hasard, répondit Shaw, amusé. J'étais en visite chez un patient, un artiste sans le sou, et il a voulu me payer en m'offrant une toile représentant Maude. Le tableau était excellent, il me plaisait beaucoup. Mais si je l'avais gardé chez moi, quelqu'un aurait fini par le voir. Une sacrée belle femme, entre nous soit dit. Elle l'est toujours, d'ailleurs.

— Dalgetty sait-il que vous êtes au courant ?

— Je l'ignore. Maude le sait. Je le lui ai dit.

— Comment a-t-elle réagi ?

— Un peu gênée, au début, puis elle s'est mise à rire. Elle savait que je ne dirais rien à personne.

— Vous me l'avez dit, à moi, souligna Pitt.

— Certes, mais vous ne faites pas partie de la bonne société de Highgate ! répliqua Shaw. Ne le prenez pas mal, je n'admire pas ces gens-là et ce n'est pas à mes yeux un défaut d'être exclu de leur petit cercle. Je pense sincèrement, au surplus, que vous n'êtes pas homme à ruiner la réputation d'une femme par méchanceté, ou par étourderie.

Pitt sourit, malgré lui.

— Merci, docteur, vous me flattez, ironisa-t-il. À présent, voulez-vous essayer de penser aux quelques jours que vous avez passés chez Mr. Lindsay, en particulier les quarante-huit heures précédant son décès ? Vous souvenez-vous d'avoir parlé avec lui de l'incendie de votre maison, ou de quelqu'un qui aurait eu une raison d'attenter à la vie de Mrs. Shaw, ou à la vôtre ?

La lueur amusée qui brillait dans les yeux du médecin s'éteignit.

— Que vous répondre ? Qui me haïrait au point de vouloir me voir brûler vif ? Bien sûr, il m'arrive de me quereller, comme tout le monde. Mais aucune personne saine d'esprit ne désire votre mort parce que vous exprimez des opinions qui divergent des siennes !

— Je ne parle pas d'idées philosophiques ou politiques, docteur. Quelque chose a poussé le criminel à tuer par deux fois pour se protéger. Tâchez de vous remémorer les patients que vous avez reçus ou visités au cours de ces derniers jours. Si la mémoire vous fait défaut, vous devriez retrouver leur nom dans vos notes. À quelle heure quittiez-vous le domicile de Mr. Lindsay, à quelle heure rentriez-vous déjeuner ou dîner ? De quoi parliez-vous à table ? Réfléchissez !

Shaw s'enfonça dans son fauteuil et ferma les yeux, dans un effort de concentration. Pitt attendit sans l'interrompre.

— Clitheridge est venu le jeudi en début de soirée, au moment où nous passions à table. J'étais allé voir un patient souffrant de calculs rénaux. Je savais qu'ils finiraient par s'éliminer, mais j'aurais aimé pouvoir le soulager davantage. Je suis rentré chez Lindsay très fatigué, et les platitudes du pasteur étaient bien la dernière chose que j'avais envie d'entendre. Je crains de m'être montré peu aimable avec lui. Il veut bien faire, mais il tourne autour du pot sans jamais vous dire où il veut en venir. Je me demande parfois s'il pense vraiment ce qu'il dit et s'il a quelque chose dans la cervelle ! Pauvre Lally, conclut-il en reniflant.

Pitt attendit la suite, sans le brusquer.

— Amos s'est montré très courtois avec lui, reprit Shaw. Ces derniers temps, il avait pris l'habitude de rattraper mes accès de mauvaise humeur et mes silences butés...

Shaw poussa un profond soupir.

— Clitheridge est parti très vite. Je ne me souviens pas de quoi nous avons parlé. Je n'écoutais pas vraiment. Mais je sais que le lendemain, la veille de l'incendie donc, Pascoe et Dalgetty sont passés chez Amos : il m'a parlé de leur visite au cours du dîner. Il s'agissait toujours de cette satanée monographie. Dalgetty voulait que Lindsay en rédige une autre, plus longue celle-là, sur le nouvel ordre social, le thème principal étant la liberté d'explorer l'esprit, chose sacrée entre toutes, et l'accès à la connaissance, droit naturel accordé par Dieu à tout être humain.

Il se pencha en avant, guettant la réaction de Pitt. N'y voyant que de l'intérêt, il poursuivit plus calmement :

— Bien sûr, Pascoe a traité Lindsay d'irresponsable, l'accusant de saper les bases de la chrétienté, de nourrir les gens d'idées dangereuses que par ailleurs ils refusent ou dont ils ne savent que penser. Selon lui, Amos semait les graines de la révolution et de l'anarchie, ce qui n'est pas complètement faux, à mon avis. Dalgetty s'intéresse aux travaux de la Société Fabienne, qui réclame la collectivisation des moyens de production et l'égalité des salaires, à travail égal...

Il se mit à rire.

— Exception faite, bien entendu, des grands esprits, que sont à leurs yeux les intellectuels et les artistes.

Pitt sourit.

— Lindsay adhérait-il à ces idées ?

— Elles l'intéressaient, mais je doute qu'il les approuvât complètement. Néanmoins, il pensait lui aussi que la concentration du capital entre les mains de quelques-uns perpétue le gouffre qui sépare les classes dirigeantes des masses ouvrières.

— S'est-il disputé avec Pascoe ? ne put s'empêcher de demander Pitt avec une lueur d'espoir.

— Oui, dans le feu de la discussion. Pascoe est un querelleur dans l'âme, sans cesse en bataille contre quelque chose — en général des moulins à vent. S'il ne s'était pas emporté contre ce pauvre Amos, quelqu'un d'autre aurait fait les frais de sa colère.

— À votre connaissance, y a-t-il eu d'autres visiteurs ? fit Pitt, déçu de voir une piste s'envoler.

— Oliphant, le vicaire, est venu, apparemment pour prendre de mes nouvelles. C'est un garçon très bien. Je l'apprécie chaque jour davantage. Avant, je ne l'avais jamais remarqué, mais la plupart des paroissiens l'aiment beaucoup.

— Apparemment, dites-vous ? releva Pitt, intéressé.

— Disons qu'il m'a posé de nombreuses questions relatives à l'enquête de Clemency sur les propriétaires de taudis. Il voulait savoir si elle m'en avait parlé. Bien sûr, elle se confiait à moi. Pas tous les jours, mais de temps en temps. En fait, son travail n'a guère abouti. Les gens qui possèdent des rues entières dans les quartiers les plus insalubres de la capitale sont très puissants : banquiers, industriels, aristocrates...

— A-t-elle mentionné devant vous des noms que vous auriez pu répéter à Oliphant ou à Lindsay ? demanda aussitôt Pitt, saisissant au vol ce fil ténu, tout en revoyant les yeux brillants, le menton déterminé de Charlotte lorsqu'elle partait chaque matin sur les traces de Clemency.

Shaw eut un sourire triste.

— Honnêtement, je ne m'en souviens pas. Je pensais à autre chose. J'ai reçu Oliphant avec courtoisie — il paraissait si sérieux et si préoccupé —, mais je pensais qu'il perdait son temps, et qu'il me faisait perdre le mien.

Il fronça les sourcils.

— Vous pensez vraiment que Clemency représentait une menace pour quelqu'un ? Elle n'avait aucune chance d'obtenir la levée de l'anonymat des propriétaires. Au pire, l'un de ces messieurs l'aurait traînée en justice pour diffamation...

— Vous n'auriez pas aimé cela, lui fit remarquer Pitt. Un procès vous aurait coûté beaucoup d'argent, aurait ruiné votre réputation et peut-être votre carrière.

Shaw partit d'un rire dur.

— Touché, inspecteur. Vous avez trouvé un chef d'accusation contre moi ! Mais si vous croyez que Clem aurait laissé salir mon nom, vous vous trompez. On voit que vous ne la connaissiez pas. C'était une femme intelligente qui comprenait mieux que personne le prix de l'argent et de la respectabilité.

Pitt vit qu'il était au bord des larmes.

— Vous ne pouvez imaginer à quel point elle me

manque. Pourquoi chercherais-je à vous l'expliquer ? J'avais depuis longtemps cessé de l'aimer d'amour, mais c'était ma meilleure amie, peut-être davantage encore qu'Amos. Elle et Maude étaient très proches. Clem savait que celle-ci avait posé pour des peintres, elle s'en moquait bien.

Il se leva avec difficulté.

— Désolé, Pitt, j'ignore qui les a tués. Si j'en avais la moindre idée, je vous le dirais sur-le-champ, quitte à vous réveiller au beau milieu de la nuit. À présent, allez continuer votre enquête. Il faut que je mange quelque chose avant de repartir. Les malades n'attendent pas.

Le lendemain à l'aube, Pitt, qui prenait son petit déjeuner, fut dérangé par de violents coups frappés à sa porte. Aussitôt, il pensa au pire : un nouveau drame, un incendie à Highgate, sans doute celui de la maison où logeaient Shaw et Oliphant. Il imaginait déjà le corps du gentil vicaire réduit en cendres, les ruines fumantes... L'idée était intolérable.

Il posa sa tartine, se leva, traversa la cuisine et le couloir en quelques enjambées et ouvrit la porte d'un coup sec : Murdo se tenait sur le seuil, frissonnant, l'air malheureux. Derrière lui, la lueur jaune du réverbère créait un halo de lumière dans la brume.

— Excusez-moi, monsieur, mais j'ai cru bon de venir vous avertir — au cas où l'affaire aurait un rapport avec l'enquête...

— De quoi diable parlez-vous ? s'enquit Pitt, qui se prit à espérer qu'il ne s'agissait pas d'un incendie.

— De la bagarre, monsieur, dit Murdo en se balançant d'un pied sur l'autre, regrettant manifestement de déranger son supérieur. Entre Mr. Pascoe et Mr. Dalgetty. Ce dernier a prévenu le poste de police hier soir, mais je ne l'ai su qu'il y a une demi-heure. Apparemment, on ne les a pas pris au sérieux.

— Que me chantez-vous là ? grogna Pitt, en tendant la main vers la patère pour décrocher son manteau. S'ils se sont battus hier soir, le rapport pouvait attendre ! Quel genre de bagarre ? Y a-t-il des blessés ?

Il trouvait l'idée à la fois absurde et assez comique.

— Est-ce vraiment important ? Pascoe et Dalgetty se querellent sans cesse — c'est une habitude chez eux. Une façon de se prouver que leurs idées valent la peine d'être défendues.

— Ils se proposent de se battre ce matin à l'aube, monsieur.

— Voyons, c'est ridicule ! Il faudrait être fou pour quitter un lit bien chaud pour le plaisir de se disputer. On a voulu vous jouer un mauvais tour, mon vieux.

— Non, monsieur, insista Murdo. Ils se sont querellés hier et ils sont convenus de se provoquer en combat singulier ce matin, au lever du soleil — dans le champ situé entre Highgate Road et le cimetière. Un duel à l'arme blanche.

Pitt crut encore à une blague, puis, devant la triste figure de Murdo, comprit que c'était sérieux et perdit patience.

— Sacrebleu ! jura-t-il. Nous avons deux maisons en ruine, deux innocents brûlés vifs, des blessés, des gens traumatisés, et ces imbéciles décident de se battre en duel pour leur maudite feuille de chou !

Il attrapa rageusement son manteau, poussa Murdo sur le trottoir et claqua la porte.

Le cab qui avait amené Murdo les attendait quelques mètres plus loin.

— Cocher ! Highgate Road ! cria Pitt en ouvrant la portière. Je vais leur montrer, moi, à ces crétins prétentieux, de quel bois je me chauffe ! Je vais les coffrer pour atteinte à l'ordre public !

Au moment où Murdo se glissait à ses côtés, le cab partit dans une grande embardée, manquant de lui faire perdre l'équilibre. Il eut juste le temps de refermer la portière qui s'ouvrait.

— Ils ne se feront pas bien mal, remarqua-t-il.

— C'est dommage, maugréa Pitt. Qu'ils s'embrochent comme des poulets, cela leur servira de leçon !

Durant tout le trajet, il conserva un mutisme de mauvais aloi. Murdo n'osa pas ouvrir la bouche.

Le cab s'arrêta brusquement. Pitt ouvrit la portière à toute volée, sauta à terre et, laissant à Murdo le soin de régler la course, partit à grands pas en direction du champ. À sa droite s'élevait le mur d'enceinte du cimetière. À trois cents mètres de là se dessinaient cinq silhouettes amenuisées par la distance.

Quinton Pascoe se tenait campé sur ses jambes, pieds écartés, une cape négligemment jetée sur son épaule. Le soleil pâle du petit matin éclairait sa chevelure argentée et donnait aux tiges d'herbes, courbées par le poids de la rosée, une étrange lueur bleutée.

Une dizaine de mètres plus loin, Dalgetty tournait le dos au soleil, le visage dans l'ombre. Son bras droit, rejeté en arrière, brandissait un objet long et mince, comme s'il s'apprêtait à charger. Pitt pensa qu'il s'agissait d'une canne ferrée. La scène n'était pas dépourvue de comique. Il se mit à courir dans leur direction.

En retrait se tenaient deux gentlemen en redingote noire, séparés de quelques mètres. Les témoins, sans doute. Un autre homme, en manches de chemise en dépit du froid, cria des paroles, incompréhensibles à cette distance, d'abord à Pascoe, puis à Dalgetty.

D'un geste théâtral, Pascoe fit tournoyer sa cape et la lança dans l'herbe où elle retomba en tas. Son témoin se précipita pour la ramasser et la tint devant lui, un peu comme un bouclier.

Dalgetty, qui n'avait pas de cape, garda sa veste. Il fit des moulinets avec sa canne et se précipita sur son adversaire en criant « Liberté ! ».

Pascoe, agitant lui aussi un instrument long aux reflets argentés, se rua sur l'ennemi en hurlant « Honneur ! ».

À l'instant où ils se heurtaient, Dalgetty perdit l'équilibre et glissa dans l'herbe mouillée. Pascoe l'évita d'un geste vif et pivota sur lui-même, manquant de lui transpercer la poitrine. Son épée alla se planter dans un pan de la veste de son adversaire et le déchira. Dalgetty, fou de rage, brandit ce que Pitt avait pris pour une simple canne mais qui était en fait une canne-épée et en asséna un méchant coup sur l'épaule de Pascoe.

— Arrêtez ! Arrêtez immédiatement !

Pitt s'égosillait pour se faire entendre, tout en continuant à courir dans leur direction. Mais il se trouvait encore à cent cinquante mètres des duellistes, qui ne lui prêtaient aucune attention.

Pascoe fut surpris, non par la voix du policier, mais par le coup qu'il venait de recevoir. Il recula d'un pas, et, au cri de « Au nom de la chevalerie ! », fendit l'air de son arme, une vieille épée émoussée qui devait dater de la bataille de Waterloo.

Dalgetty, de sa canne-épée pointue comme une aiguille, para le coup avec une telle force que sa lame se brisa et effectua un arc de cercle dans l'air, le touchant en retombant à la joue et à la poitrine. Aussitôt le sang jaillit et coula sur sa veste.

— Espèce de vieux fossile ! hurla-t-il en postillonnant de rage. Aucun homme ne pourra arrêter le progrès ! Un esprit moyenâgeux comme le vôtre n'empêchera pas les idées nouvelles de faire leur chemin. Croyez-vous pouvoir emprisonner l'imagination de l'homme ? Vous rêvez !

Il lança son arme brisée en l'air : elle s'envola dans le ciel, pointe vers le bas. Pitt en entendit le sifflement pardessus sa respiration haletante et le bruit de sa course. La lame passa juste au-dessus de la tête de Pascoe, lui arrachant une touffe de cheveux qui voleta comme du duvet de chardon, puis retomba en frémissant sur le sol, une dizaine de mètres plus loin.

— Arrêtez ! gronda Pitt.

Il ôta son manteau, le lança sur Dalgetty, comme on lance un filet sur un animal sauvage, puis se jeta sur lui, le heurtant à l'épaule. Ensemble, ils roulèrent sur le sol.

Pitt se releva, sans songer à s'épousseter ni à remettre

ses vêtements en ordre. Ignorant Dalgetty, il fit face à Pascoe, qui tremblait de stupeur.

Entre-temps, Murdo les avait rejoints en courant. Il considéra la scène, abasourdi, sans trop savoir que faire.

— Qu'est-ce que c'est que cette histoire ? tonna Pitt en fusillant Pascoe du regard. Deux personnes sont mortes brûlées vives, Dieu seul sait par qui et pourquoi ! Et vous essayez de vous entre-tuer pour un stupide essai que d'ailleurs personne ne lira jamais ! Je devrais vous arrêter pour agression caractérisée !

Pascoe, qui souffrait visiblement de sa blessure à l'épaule, parut très vexé.

— Vous ne pouvez pas nous arrêter ! s'écria-t-il. Il s'agit d'un conflit d'opinions entre deux gentlemen.

Il eut un geste de la main en direction de son adversaire.

— Dalgetty est un profanateur dépourvu de jugement et de discernement. Il propage des idées vulgaires et destructrices qu'il imagine être libératrices, mais qui ne sont que licence, indiscipline et victoire de la laideur et de la violence.

Il agita les bras, manquant de heurter Murdo, qui s'était approché d'eux.

— Mais je ne le poursuivrai pas en justice. Il m'a combattu avec mon complet consentement — vous ne pouvez l'appréhender.

Il s'interrompit, triomphant, et observa Pitt de ses yeux ronds et vifs. Pendant ce temps, Dalgetty se remettait péniblement sur ses pieds en tentant de se débarrasser du manteau de Pitt qui l'aveuglait. Du sang coulait sur sa joue.

— Je ne porterai pas plainte non plus contre Mr. Pascoe, dit-il en s'essuyant avec son mouchoir. C'est un vieil ignorant qui se complaît dans l'erreur, pour qui tout concept ne datant pas du Moyen Âge doit être banni. Il voudrait empêcher les hommes de penser librement, de laisser leur esprit vagabonder, de faire des découvertes présentant des avancées pour l'humanité. Si on l'écoutait, la terre serait toujours plate et le soleil tournerait autour d'elle ! Mais à propos de ce qui vient de se passer, j'en resterai là. Vous n'êtes qu'un spectateur ayant décidé d'intervenir au cours d'une scène qui ne le concerne pas. Vous nous devez des excuses, monsieur !

Pitt blêmit. Mais il savait que, sans dépôt de plainte, il ne pouvait procéder à une arrestation donnant lieu à des poursuites.

— Au contraire, répondit-il avec un mépris glacial, vous devriez m'être reconnaissants de vous avoir empêchés de vous blesser plus sérieusement, voire mortellement. Si vous faisiez travailler votre cervelle, vous reconnaîtriez que cet incident pourrait desservir votre cause, sans parler du fait que vous auriez pu y laisser la vie.

Cette possibilité, à laquelle, de toute évidence, aucun des deux adversaires n'avait réfléchi, stoppa net tout éclat de voix. Lorsqu'un témoin s'approcha, un peu nerveux, Pitt s'en prit à lui, bien décidé à le sermonner. À cet instant, le second témoin poussa un cri et pointa le doigt en direction de cinq silhouettes qui s'avançaient à la queue leu leu à travers le champ. La première, aisément reconnaissable malgré la distance, était celle du Dr Shaw : basques au vent, la démarche décidée, il balançait à bout de bras sa sacoche noire. Derrière lui trottinait gauchement le révérend Clitheridge, son épouse Eulalia sur les talons, qui criait et agitait les bras. Pitt aperçut ensuite un homme à l'allure sinistre portant chapeau et écharpe : sans vraiment distinguer ses traits, il supposa qu'il s'agissait de Josiah Hatch ; la femme qui courait à quelque distance était sans doute Prudence.

— Dieu merci, murmura le témoin, voilà le médecin...

— Pourquoi diable ne pas l'avoir prévenu avant, espèce d'âne bâté ? rugit Pitt. Tant qu'à être témoin d'un duel, autant faire les choses correctement. Il aurait pu y avoir mort d'homme !

Le témoin fut piqué au vif, se rendant compte que Pitt avait raison.

— Parce que Mr. Dalgetty me l'avait interdit, répliqua-t-il en se redressant comme un coq sur ses ergots.

— Je m'en doute, grommela Pitt en regardant ce dernier, dont le visage commençait à prendre une teinte cireuse.

Il perdait son sang en abondance. Pascoe, lui, tenait son bras en écharpe et claquait des dents.

— Ils savaient très bien que Shaw les aurait empêchés de se livrer à une telle idiotie !

Alors que Pitt finissait sa phrase, le médecin arriva à sa hauteur.

— Y a-t-il eu infraction à la loi ? demanda-t-il en posant sa sacoche. De telles bêtises valent-elles que je rédige un rapport circonstancié ?

— Non, à moins que ces messieurs ne veuillent poursuivre l'affaire en justice, répondit Pitt. Mais ils n'ont pas l'air d'y tenir.

Il ne pouvait même pas les arrêter pour trouble de l'ordre public, puisqu'ils se trouvaient seuls au beau milieu d'un champ. Personne ne les avait vus quitter leur domicile. À l'heure qu'il était, les habitants de Highgate prenaient paisiblement leur petit déjeuner ou lisaient leur journal ; l'incident ne les avait aucunement dérangés.

Shaw observa les blessés et comprit qu'il devait s'occuper de Dalgetty en premier. Il était manifestement en état de choc, alors que Pascoe grimaçait de douleur. À peine avait-il ouvert sa sacoche que Clitheridge arriva, tout essoufflé.

— Que s'est-il passé ? demanda-t-il, inquiet et embarrassé. Quelqu'un est blessé ?

— Cela se voit, non ? s'exclama Shaw, furieux. Aidez-le à se redresser, au lieu de bayer aux corneilles, ajouta-t-il en désignant Dalgetty, qui, couvert de sang, paraissait sur le point de s'affaisser.

Clitheridge obéit de bon cœur, soulagé de pouvoir se

rendre utile, et soutint Dalgetty qui s'appuya maladroitement contre lui.

— Que s'est-il passé ? répéta-t-il, essayant de comprendre la situation. Un accident ?

Lally, qui les avait rejoints, devina aussitôt ce qui s'était produit.

— Faut-il qu'ils soient bêtes ! fit-elle, exaspérée. Mais vous n'êtes plus des enfants ! Voilà que vous vous entre-tuez, à présent ? Qu'est-ce que cela est supposé prouver ? Que l'un de vous deux a raison ? Non, seulement que vous êtes plus têtus que des mules, ce que tout le monde savait déjà !

Elle se tourna vers Shaw en rougissant.

— Docteur, puis-je vous être utile ?

Elle jeta un coup d'œil dans sa sacoche ouverte.

— Avez-vous besoin de pansements ? ajouta-t-elle en remarquant les taches de sang qui s'élargissaient sur les vêtements du blessé. De l'eau, peut-être ? Un cordial ?

— Personne ne va s'évanouir, répondit Shaw en dardant sur Dalgetty un regard furibond. Pour l'amour du ciel, aidez-le à s'allonger ! ordonna-t-il à Clitheridge qui supportait tout le poids du blessé. Oui, Lally, il me faudrait des linges propres. Je dois arrêter l'hémorragie avant que nous les emmenions. J'ai assez de désinfectant.

Entre-temps, Josiah Hatch et Prudence étaient arrivés. Celle-ci s'immobilisa, hors d'haleine.

— Mais c'est terrible ! Qu'est-ce qui vous a pris ? demanda-t-elle. Comme si nous n'avions pas déjà assez de malheurs !

— Un homme de principes est parfois amené a se battre pour les défendre, expliqua Josiah, l'air sombre. Le prix de la vertu est l'éternelle vigilance.

— Non, de la *liberté*, corrigea Prudence.

— Pardon ? fit Hatch en fronçant les sourcils.

— Le prix de la liberté, répliqua-t-elle. Vous avez dit *vertu*.

Sans que Shaw le lui demandât, elle prit une compresse dans sa sacoche, l'imbiba d'alcool, ordonna à Pascoe de s'asseoir, écarta ses vêtements déchirés et commença à nettoyer le sang jusqu'à dégager la plaie. Ensuite, elle y appliqua le linge et le maintint comprimé. Pascoe tressaillit et poussa un petit cri lorsque l'alcool pénétra la blessure, mais personne ne lui prêta attention.

— Liberté et vertu sont deux choses tout à fait différentes, poursuivit avec vigueur Josiah Hatch, pour lequel ce sujet était bien plus important que les blessures éphémères des duellistes. Mr. Pascoe a précisément risqué sa vie pour défendre la vertu !

— Sornettes ! lança Shaw. La vertu n'est pas en danger, et aller croiser le fer dans un pré n'est pas une façon de défendre ses idées.

— Il n'y a aucun moyen légal d'empêcher la propagation de leurs théories pernicieuses et dégradantes ! cria Pascoe par-dessus l'épaule de Prudence, les lèvres blanchies par le froid et la douleur.

Au loin, Lally, partie chercher des linges propres, se hâtait vers la route, très droite, les épaules rejetées en arrière.

Hatch secoua la tête.

— Ce moyen devrait exister. C'est la maladie de cette fin de siècle d'admirer tout ce qui est nouveau, sans réfléchir à son véritable intérêt pour l'humanité.

Sa voix était montée d'un cran.

— Nous attrapons au vol toute nouvelle pensée, dit-il en fendant l'air de ses mains, nous nous hâtons d'imprimer des écrits qui raillent les valeurs de nos aïeux sur lesquelles a été bâtie notre nation, et qui ont permis à notre foi chrétienne de se propager dans de lointaines contrées...

La passion faisait vibrer son corps tout entier.

— Mr. Pascoe est l'un des rares hommes de notre temps qui aient le courage de combattre la vague d'intellectuels arrogants et leur besoin aveugle de nouveauté.

— Ce pré n'est pas le lieu idéal pour un sermon, Josiah, remarqua Shaw, sans lever les yeux vers lui.

Il était occupé à soigner la joue de Dalgetty, aidé efficacement par Murdo.

— Surtout pour entendre énoncer de telles imbécillités. La moitié des vieilles idées que vous ressassez sont des murailles d'hypocrisie destinées à protéger des canailles.

Hatch était si pâle qu'on aurait dit que lui aussi était blessé. Il regarda le dos de Shaw avec une haine si intense qu'il était étonnant que ce dernier ne s'en aperçût pas.

— Vous, vous mettriez à nu toutes les choses belles et vertueuses pour les montrer à des hommes lubriques et ignorants afin qu'ils les salissent, sans pour autant préserver les innocents de la moquerie et des innovations païennes de ceux qui n'éprouvent que des désirs sans fin. Vous êtes un destructeur-né, Stephen, un homme dont les yeux ne voient que les choses futiles et dont les mains ne tiennent que des choses sans valeur.

Les doigts de Stephen, qui tenaient un tampon de coton taché de sang, s'immobilisèrent. Dalgetty grelottait. Entre-temps, Maude était arrivée à travers champs, sans que personne ne la remarque.

Shaw fit face à Hatch, les traits contractés par la colère, les muscles bandés, prêt à passer à l'action.

— Cela me ferait grand plaisir, dit-il d'une voix étouffée par la rage, de vous rencontrer ici même dans ce pré, demain à l'aube, afin de vous assommer avec mes poings. Mais ce n'est pas ainsi que je règle mes querelles. Cela ne sert à rien. Je démontrerai votre stupidité en mettant au jour une à une les couches de faux-semblants, de mensonges et d'illusions que vous entretenez...

Pitt, qui regardait Prudence, vit celle-ci se figer, livide, les yeux fixés sur son beau-frère, comme si elle s'attendait à l'entendre prononcer le nom d'une maladie incurable dont elle redoutait le diagnostic depuis longtemps.

À l'opposé, Maude Dalgetty paraissait davantage agacée qu'inquiète. Son mari, à demi allongé dans l'herbe, semblait uniquement préoccupé par sa douleur et par la situation fâcheuse dans laquelle il s'était mis. Il observait son épouse avec anxiété, redoutant manifestement des reproches justifiés, mais il ne craignait pas que Shaw, dans un magistral éclat de colère, ruinât en quelques secondes la réputation de sa femme.

Pitt en avait assez vu : les Dalgetty n'avaient pas peur de Shaw, mais Prudence, elle, était terrifiée.

— *Pharisiens hypocrites, semblables à des sépulcres blanchis* [1]..., s'enflamma soudainement Shaw, vous...

— Le moment est mal choisi, docteur, dit Pitt en s'interposant entre les deux hommes. Il y a déjà eu assez de sang versé. Continuez à vous occuper des blessés. Mr. Hatch, auriez-vous l'obligeance d'aller chercher une voiture, de façon que nous puissions raccompagner ces messieurs ? Si vous tenez à poursuivre votre discussion sur les mérites ou les nécessités de la censure, faites-le à un moment plus opportun et de façon plus civilisée.

Un instant, il crut qu'aucun des deux hommes ne l'écouterait : ils s'observaient avec la même animosité que celle qui avait poussé Pascoe et Dalgetty à se provoquer en duel. Puis, lentement, Shaw se détendit. Comme si la présence de Hatch avait soudain cessé d'être importante, il lui tourna le dos et se pencha sur la blessure de Dalgetty.

Hatch, le visage de marbre, les yeux étincelants, pivota sur ses talons et partit à grands pas en direction de la route.

Maude Dalgetty s'avança, non pas vers son mari, dont la puérilité la mettait hors d'elle, mais vers Prudence Hatch, qu'elle prit affectueusement dans ses bras.

1. Évangile selon saint Matthieu, chap. 23, verset 27. (*N.d.T.*)

10

— Nous aurions dû nous en douter, si nous avions pris le sujet plus au sérieux, constata Vespasia après que Charlotte lui eut raconté l'affaire du duel. On pourrait s'attendre à davantage de raison de la part de deux gentlemen, mais ils avaient depuis longtemps oublié toute mesure, sinon ils n'en seraient pas arrivés là. Certains hommes perdent facilement le sens des réalités.

— Ils sont blessés tous les deux. D'après Thomas, l'un défendait la liberté d'expression, l'autre la nécessité de censurer certaines idées dans l'intérêt du plus grand nombre. Mais je ne pensais pas que l'altercation prendrait de telles proportions. Thomas était furieux. Ce duel a tout d'une farce, comparé aux récentes tragédies de Highgate.

Vespasia réfléchissait, très droite et concentrée, indifférente au charme feutré de son salon et au frémissement des feuilles dorées des hêtres du jardin.

— La perte de ses illusions peut amener l'homme à se conduire de façon absurde. Oh, cela ne change en rien sa douleur, même s'il fait partie de ceux qui sont capables de rire tout en pleurant. Vous savez, j'ai souvent pensé que le rire est le salut de l'homme, mais il peut aussi le rabaisser au niveau de la bête et même davantage, car les animaux s'entre-tuent, se détournent de leurs congénères blessés, mais ne se moquent pas d'eux. L'humiliation est une spécialité humaine.

Charlotte demeura un moment perplexe. Vespasia poussait la réflexion plus loin qu'elle ne l'avait prévu en lui exposant l'affaire. Avait-elle trop dramatisé l'incident ?

— Le point de départ de la querelle était de savoir s'il fallait censurer ou non la monographie d'Amos Lindsay, expliqua-t-elle. Le problème n'est plus d'actualité puisque le pauvre homme est mort.

Vespasia quitta son fauteuil et se dirigea vers la fenêtre.

— A-t-on le droit de tourner en dérision les convictions de son prochain, pour la seule raison qu'on les juge perverses ou ridicules ?

— On a tout de même le droit de critiquer les opinions des autres ! remarqua Charlotte. Sans cela les idées ne progresseraient pas. Les théories les plus extrémistes peuvent être professées, mais si personne ne les remet en question, comment déterminer si elles sont bonnes ou mauvaises ? Pour pouvoir les comparer, il faut en débattre !

— Certes, mais il y a différentes façons de le faire. Nous sommes responsables de ce que nous créons, mais aussi de ce que nous détruisons. Allons, trêve de discussion. Que vous a dit Thomas sur Prudence Hatch ? Pourquoi paraissait-elle affolée ? Redoutait-elle que Shaw ne divulgue quelque affreux secret ?

— C'est ce que pense Thomas. Mais il n'a pu amener Shaw à le lui dévoiler.

Vespasia détourna les yeux de la fenêtre pour faire face à Charlotte.

— Vous connaissez ce médecin. Qu'en pensez-vous ? Est-il dépourvu de bon sens ?

Charlotte réfléchit, revoyant le visage mobile de Shaw, ses yeux clairs et vifs, qui dénotaient sa force intérieure et son énergie.

— Il est très intelligent, répondit-elle avec franchise.

— Je m'en doute. Mais cela ne veut pas dire qu'il soit avisé. On peut être intelligent et irréfléchi. Vous n'avez pas répondu à ma question.

Charlotte sourit légèrement.

— Non, tante Vespasia. Je ne suis pas sûre de pouvoir le faire.

La vieille dame haussa un sourcil amusé, mais ses yeux ne riaient pas.

— Il nous faudrait pourtant une réponse.

Charlotte se leva à contrecœur. Un frisson d'excitation mêlé de peur la parcourut. Cette fois, elle ne pouvait se cacher derrière la fausse naïveté dont elle usait parfois quand elle mettait son nez dans les enquêtes de Pitt. Elle ne pouvait pas davantage se présenter, comme elle l'avait souvent fait, en jeune provinciale impécunieuse, pour s'introduire plus aisément dans la bonne société et y observer les différents protagonistes. Shaw savait qui elle était et ce qu'elle faisait. Essayer de le tromper serait ridicule.

Elle devait se présenter à lui en toute franchise, et en lui posant des questions qui ne lui permettraient aucune dissimulation, aucune retraite. Mais comment l'interroger sans se montrer importune ou blessante ?

Elle faillit inventer une excuse pour ne pas se rendre chez lui, mais, voyant les frêles épaules de sa vieille amie se raidir, comme celles d'un général ordonnant à ses hommes de charger, et son regard se durcir comme celui d'une gouvernante à l'heure du coucher des enfants, elle comprit que l'insubordination n'était pas de mise. Vespasia connaissait ses arguments et n'en accepterait aucun.

— La reine d'Angleterre attend de ses sujets qu'ils fassent leur devoir, soupira Charlotte avec un sourire ironique.

Une étincelle amusée brilla dans les yeux de Vespasia.

— Tout juste ! Alors, au travail ! Vous pouvez prendre mon attelage.

— Merci, tante Vespasia.

Charlotte arriva chez Shaw alors que la logeuse servait le déjeuner. Il était très mal élevé de se présenter à l'heure du repas, mais au moins elle était sûre de le trouver : il ne serait pas en train de fermer sa sacoche et d'endosser son manteau pour partir en visite ; elle ne le dérangerait pas non plus pendant qu'il tenterait de mettre de l'ordre dans ses notes.

Il parut très surpris de la voir, mais son visage refléta plus de plaisir que d'irritation. S'il n'aimait pas être dérangé pendant ses repas, il le cacha avec soin.

— Mrs. Pitt ! Quelle joie de vous voir !

Il posa sa serviette, se leva et fit le tour de la table pour la saluer. Sa main large et puissante enveloppa la sienne avec chaleur.

— Je... je suis navrée d'arriver à une heure aussi inopportune, bredouilla-t-elle. Je ne voudrais surtout pas vous déranger.

Remarque inutile, dans la mesure où le mal était fait ! Shaw ne la ferait pas attendre dans le vestibule alors qu'il déjeunait à son aise dans la salle à manger. Elle rougit de cette maladroite entrée en matière. À présent, comment poser les questions délicates qu'elle avait préparées ? Qu'elle parvienne ou non à répondre à Vespasia, à savoir si Shaw était quelqu'un d'impulsif et d'irréfléchi, elle aurait fait la preuve de sa propre stupidité !

— Avez-vous déjeuné ? demanda-t-il sans lâcher sa main.

— Non... j'avoue que je n'ai pas regardé l'heure. Je m'aperçois qu'il est très tard... mentit-elle, trouvant là une excuse pour rester.

— Mrs. Turner va vous trouver quelque chose à grignoter, si vous acceptez de vous joindre à moi...

Sur la table dressée pour une personne étaient disposés un bouquet de fleurs séchées, une salière, une poivrière et des petits napperons. Les autres pensionnaires devaient prendre leur repas de midi ailleurs.

— Oh, je ne voudrais surtout pas l'ennuyer !

Préparant les repas de sa famille tous les jours, Charlotte savait qu'une cuisinière économe n'en fait jamais plus qu'il n'est nécessaire.

— Elle ne s'attendait pas à recevoir un autre convive. Mais je prendrais volontiers une tasse de thé et quelques toasts beurrés, si cela ne la dérange pas. J'ai pris mon petit déjeuner tard, je n'ai pas très faim.

C'était également un mensonge, mais au point où elle en était... Et puis elle avait mangé plusieurs sandwichs à la tomate chez tante Vespasia.

Shaw écarta les bras, se dirigea vers la sonnette et l'actionna à plusieurs reprises.

— Comme vous voudrez, dit-il en souriant, heureux qu'ils fussent parvenus à un compromis. Mrs. Turner !

Sa voix puissante résonna dans toute la maison. La logeuse avait dû l'entendre depuis sa cuisine.

— Oui, docteur Shaw ? s'enquit-elle en passant la tête dans l'entrebâillement de la porte.

— Ah ! Mrs. Turner ! Pourriez-vous apporter du thé et quelques toasts beurrés à Mrs. Pitt ? Elle ne tient pas à déjeuner.

La logeuse hocha la tête avec une moue dubitative, jeta un coup d'œil à Charlotte puis courut à sa cuisine.

— Asseyez-vous donc, offrit Shaw en tirant une chaise et en la tenant jusqu'à ce qu'elle soit confortablement assise.

— Je vous en prie, docteur Shaw, ne vous occupez pas de moi. Votre repas va refroidir.

Il retourna s'asseoir et attaqua de bon appétit son ragoût de mouton accompagné de légumes et d'une sauce aux câpres.

— Que puis-je faire pour vous, Mrs. Pitt ?

Leurs regards se croisèrent par-dessus la table. Il l'observait sans esprit critique, attentif et chaleureux, guettant sa réponse. Charlotte ne voulait surtout pas perdre son estime en se dérobant ou en mentant. Le souvenir d'un ancien admirateur lui revint en mémoire [1], avec un sentiment de culpabilité qu'elle avait cru oublié.

1. Voir *Mort à Devil's Acre*, 10/18, n° 3092.

Elle choisit donc de dire la vérité.

— J'ai suivi le même itinéraire que votre épouse, en me rendant tout d'abord à la salle paroissiale, où je n'ai rien appris d'intéressant.

— Cela ne m'étonne pas. Clemency avait commencé par visiter l'une de mes patientes à laquelle j'avais prescrit un traitement qui s'avérait inefficace. Elle s'est vite rendu compte que l'état d'insalubrité du logement — froid, humidité, manque d'eau courante — empêchait cette femme de guérir. J'en avais bien conscience, mais je ne voulais pas le lui dire, sachant, hélas, qu'il n'y avait rien à faire. Clemency était particulièrement sensible à la misère. C'était une femme remarquable.

— Je le sais. Je me suis rendue dans les mêmes maisons et j'ai posé les mêmes questions qu'elle. J'ai appris pourquoi ces pauvres gens ne se plaignent jamais et ce qui leur arrive quand ils ont le malheur de le faire.

Mrs. Turner frappa à la porte, entra, déposa le plateau de thé sur la table et repartit discrètement.

— Ils sont jetés à la rue, reprit Charlotte en versant le thé dans sa tasse. J'ai suivi leurs traces de taudis en taudis. Les plus démunis finissent par dormir dehors. J'ignore comment ils parviennent à survivre. D'ailleurs, les plus faibles meurent rapidement. Le souvenir de ces visages éteints, sales et affamés, me hante jour et nuit.

Shaw ne répondit pas. Elle savait qu'ils éprouvaient tous deux le même sentiment de pitié et d'impuissance, le même besoin de s'en prendre à ces nantis qui passaient leur chemin en se riant de la misère.

— Je me suis retrouvée, comme Clemency, dans un taudis où une quinzaine de personnes occupent la même pièce, jeunes, vieux, hommes, femmes, bébés, sans eau courante, sans la moindre intimité.

Elle grignota sans appétit une tranche de pain beurré.

— À l'étage supérieur, il y a des chambres de passe. Un peu plus bas dans la rue, une espèce de gargote devant laquelle des pochardes cuvent leur vin dans le ruisseau. Au sous-sol, des femmes travaillent dans des ateliers de confection, jusqu'à dix-huit heures par jour, sans la moindre aération ; elles ne voient jamais la lumière du soleil...

Elle s'interrompit et vit dans ses yeux qu'il connaissait lui aussi ces endroits.

— Il est presque impossible de découvrir les propriétaires de ces taudis. Ils se cachent derrière d'innombrables intermédiaires, collecteurs de loyers, administrateurs de biens, notaires, sociétés anonymes. En haut de l'échelle, on trouve des gens très influents. On m'a prévenue que je pourrais m'attirer de gros ennuis, si je continuais à mener cette enquête.

Shaw sourit tristement, sans l'interrompre : il la croyait. Clemency lui avait peut-être fait les mêmes confidences.

— Savez-vous si votre femme avait été menacée, elle aussi ? Était-elle sur le point de découvrir des noms ?

Shaw cessa soudain de manger et contempla son assiette, le visage sombre.

— Vous... vous pensez que l'incendie de la maison visait Clem ? demanda-t-il d'une voix brisée par l'émotion.

— Je le pensais, en effet.

Elle le vit se raidir. Il leva vivement les yeux vers elle et scruta son visage.

— Mais à présent, j'en suis moins sûre... Pourquoi voudrait-on vous tuer ? Je ne veux pas de réponse évasive, docteur Shaw. Ne jouons pas sur les mots. Clemency et Amos Lindsay sont morts. Êtes-vous certain qu'il n'y aura pas d'autre incendie ? Pensez à Mrs. Turner, à Matthew Oliphant.

Il tressaillit, comme si elle l'avait giflé. Sa fourchette lui échappa des mains.

— Croyez-vous que je n'y ai pas pensé ? J'ai revu tous les dossiers des patients que j'ai traités depuis cinq ans. Je n'en ai pas trouvé un seul où l'on pourrait soupçonner un homicide. Inutile de chercher de ce côté-là.

Charlotte se sentit obligée d'insister même si, de

toute évidence, Thomas avait déjà posé à Shaw les mêmes questions.

— Êtes-vous absolument certain que tous les décès que vous avez constatés étaient bien dus à une mort naturelle ? N'y aurait-il pas eu un meurtre ?

Un sourire d'incrédulité retroussa les lèvres de Shaw.

— Selon vous, le criminel s'imagine que je suis au courant de son geste et veut se débarrasser de moi ? Non... c'est impossible, dit-il après réflexion. Mon métier consiste à soulager des malades, à apaiser le chagrin d'hommes et de femmes bouleversés par la perte d'un proche...

— Réfléchissez quand même, insista-t-elle avec douceur. L'une de ces morts n'aurait-elle pas été profitable à quelqu'un ?

Il ne répondit pas immédiatement. Charlotte vit qu'il repensait à tous ces gens qu'il avait soignés ; la mort d'un patient, pour un médecin, est toujours un échec, grand ou petit, inévitable ou choquant.

Soudain, elle eut une idée.

— Il s'agit peut-être d'un décès accidentel, camouflé par les proches du défunt ? Ils s'imaginent que vous avez deviné la vérité et que vous les soupçonnez d'avoir intentionnellement donné la mort ?

— Quelle vision mélodramatique de la mort, Mrs. Pitt ! En général, le processus est très simple : une forte fièvre qui refuse de baisser, une toux sèche qui déclenche une hémorragie ; le corps épuisé perd toutes ses défenses. Il peut s'agir d'un enfant rachitique, d'une femme harassée par le travail et les maternités, d'un homme atteint d'une maladie pulmonaire, pour avoir trop travaillé dans le froid et l'humidité. J'ai souvent constaté qu'au moment de mourir ils sont paisibles.

Dans son regard, elle lut la compassion qu'il éprouvait pour les proches du défunt devant leur colère et leur chagrin, son impuissance à leur venir en aide pour surmonter l'intolérable solitude qui les envahissait quand l'âme de l'être aimé quittait son enveloppe charnelle, quand l'écho de la vie s'en était allé.

— Pas toujours, remarqua-t-elle, regrettant de devoir insister. Certains malades se battent pour survivre et parfois les proches refusent la mort annoncée. Quelqu'un pense peut-être que vous n'avez pas fait tout votre possible pour sauver un malade, par négligence ou par ignorance.

Elle avait dit cela avec un petit sourire attristé et avec une telle gentillesse qu'il devait se douter qu'elle ne le pensait pas une seconde.

Il fronça les sourcils et la regarda d'un air amusé.

— Personne ne m'a jamais montré autre chose qu'une détresse bien naturelle. Lorsqu'une mort est subite, les gens éprouvent souvent une grande colère, parce que le destin les prive soudain de l'être aimé ; il faut bien qu'ils s'en prennent à quelqu'un ! Mais cela finit par passer. Sans vouloir me jeter des fleurs, on ne m'a jamais reproché de ne pas avoir fait correctement mon travail.

— Personne, en êtes-vous sûr ?

Même en l'observant avec attention, elle ne le vit ni ciller ni rougir.

— Pas même Celeste et Angeline Worlingham, à propos du décès de leur frère Theophilus ?

Shaw poussa un long soupir.

— Voyez-vous, elles font partie de ces gens qui considèrent qu'un individu apparemment bien portant ne peut pas mourir. Theophilus avait une forte personnalité : il donnait son avis sur tout et était toujours persuadé d'avoir raison.

— Et, bien sûr, ses sœurs étaient toujours d'accord avec lui.

Il se mit à rire.

— Évidemment ! Sauf si un conflit l'opposait à son père. Dans ces cas-là, l'évêque avait le pas sur lui.

— Se disputaient-ils souvent ?

— Non, très peu, et sur des sujets mineurs : valait-il

mieux collectionner les livres ou les tableaux, porter du marron ou du gris, servir un vin de Bordeaux ou de Bourgogne, du mouton ou du porc, du poisson ou du gibier, était-il de bon goût d'acheter des chinoiseries ? Rien de bien important. Sur le reste, ils s'accordaient parfaitement : le devoir moral, la place des femmes et leur vertu, la manière dont la société doit être gouvernée, et par qui...

— Je crois que Theophilus ne m'aurait guère été sympathique, décréta Charlotte, oubliant que Shaw était son gendre.

La description qu'il venait d'en faire lui rappelait celle de l'oncle Eustace March, dont elle gardait un fort mauvais souvenir [1].

Shaw lui adressa un grand sourire. Pendant un instant, il ne pensa plus à la mort mais au seul plaisir de se trouver en sa compagnie.

— Un bel euphémisme ! Vous l'auriez détesté, tout comme moi.

Elle aurait voulu rire, ne voir que le côté léger de sa remarque, mais elle pensait aux termes virulents et sans doute sincères qu'avaient employés Celeste et Angeline, en évoquant le décès brutal de leur frère.

— De quoi est-il mort ? Et pourquoi si soudainement ?

— Embolie cérébrale, répondit-il sans la moindre hésitation. Theophilus était sujet aux maux de tête, aux vertiges, aux crises de goutte. Il avait déjà eu deux attaques d'apoplexie. Sa tension était très élevée. Une semaine avant sa mort, il avait été frappé pendant quelques heures de cécité partielle. Cette perte de vision l'avait profondément affecté. À mon avis, c'était pour lui un présage de mort...

— Il ne se trompait pas.

Charlotte se mordit la lèvre, essayant de trouver des mots qui ne sonneraient pas comme une accusation.

1. Voir *Meurtres à Cardington Crescent*, 10/18, n° 3196.

— Saviez-vous qu'il pouvait mourir aussi rapidement ?

— C'était dans l'ordre des choses possibles. Mais je ne pensais pas que ce serait si rapide. Pourquoi ?

— N'auriez-vous pas pu intervenir ?

— Quel médecin peut prévenir une embolie ? Bien sûr, elle n'est pas toujours fatale. Souvent le patient perd l'usage d'un côté du corps, ou la parole, ou la vue, mais il peut vivre très vieux. Certaines personnes subissent ainsi plusieurs attaques, avant celle qui leur sera fatale. Certains demeurent paralysés, incapables d'articuler un son des années durant, mais tout à fait conscients de ce qui se passe autour d'eux.

— C'est terrible, murmura Charlotte en frissonnant, c'est comme être mort, sans avoir la paix de l'esprit. Cela aurait-il pu arriver à Theophilus ?

— Oui. Mais la première attaque l'a emporté En définitive, cela valait peut-être mieux.

— En avez-vous parlé à ses sœurs ?

Shaw haussa un sourcil surpris.

— Non. Il est un peu tard pour leur en parler, à présent, ajouta-t-il avec une petite grimace. Elles s'imagineraient que je leur fais des excuses.

— En effet. Elles vous tiennent pour responsable. mais jusqu'à quel point, je l'ignore.

Il la dévisagea, abasourdi.

— Je crois rêver ! Imaginez-vous Celeste et Angeline rampant dans la nuit vers ma maison pour y mettre le feu parce qu'elles pensent que j'aurais pu sauver leur frère ? C'est grotesque !

— Quelqu'un l'a fait, docteur Shaw.

Il redevint très grave.

— Je le sais. Mais pas à cause de Theophilus.

— Pouvez-vous affirmer de façon certaine que sa mort était naturelle ? Si tel n'est pas le cas, son meurtrier a peut-être craint que vous vous en aperceviez et que vous deviniez son identité. Souvenez-vous des circonstances peu banales qui ont entouré son décès.

Shaw resta bouche bée, les yeux écarquillés. Sa mimique avait quelque chose de comique. Puis, peu à peu, l'idée lui parut moins absurde. Il reprit son couteau et sa fourchette et se remit à manger.

— Je n'y avais jamais pensé, dit-il enfin. Si crime il y a eu, ce dont je doute, il était parfait. Je n'ai jamais eu le moindre soupçon. Qui aurait souhaité se débarrasser de lui ? C'était un odieux personnage, mais s'il fallait tous les éliminer... De plus, Prudence et Clemency n'avaient pas besoin de son argent.

— En êtes-vous sûr ?

Sa fourchette resta un instant suspendue en l'air, puis il lui sourit brusquement.

— Certain ! Clemency distribuait sa fortune à tous les vents, quant à Prudence, la vente de ses livres lui rapporte largement de quoi vivre.

— Ses livres ? Quels livres ?

Le sourire de Shaw s'élargit.

— *Le Secret de Lady Pamela*, pour ne citer que celui-là. Mais oui, ma belle-sœur écrit des romans d'amour — sous un nom d'emprunt, bien entendu ! Ils ont beaucoup de succès. Si Josiah l'apprenait, il ferait une crise d'apoplexie ! Celeste aussi, mais pas pour les mêmes raisons.

— En êtes-vous sûr ? répéta Charlotte, amusée et incrédule.

— Puisque je vous le dis ! Clemency servait d'intermédiaire avec les éditeurs, afin que Josiah ne s'aperçoive de rien. J'imagine que ce travail m'incombera, désormais.

Charlotte eut toutes les peines du monde à garder son sérieux.

— *Le Secret de Lady Pamela !* Qui l'eût cru ! Bon, si la mort de Theophilus n'est pas le mobile, quelle explication nous reste-t-il ?

— Je n'en ai pas la moindre idée. J'ai beau réfléchir, je ne vois pas qui pourrait me haïr ou me craindre au point de vouloir ma mort. Pensez au risque...

Il s'interrompit, puis reprit avec une pointe d'ironie :

— Au fond, il n'y avait pas grand risque. La police ne semble guère plus avancée qu'au premier jour de l'enquête.

D'instinct, Charlotte chercha à défendre Pitt.

— Ce n'est pas parce que la police ne vous dit rien qu'elle ne sait rien ! On ne m'a rien dit non plus... ajouta-t-elle aussitôt, regrettant son emportement.

— J'ai parlé trop vite. Il est évident que si ces messieurs savent quelque chose, ils ne me le diront pas. À leurs yeux, je suis le principal suspect — ce qui me semble absurde, mais je comprends leur logique.

À ce stade de la conversation, Charlotte se rendit compte qu'elle n'était toujours pas en mesure de répondre à la question de Vespasia : Shaw était-il incapable de deviner des émotions violentes que toute femme aurait intuitivement perçues ?

— Pardonnez-moi de vous avoir posé toutes ces questions, docteur Shaw, dit-elle en se levant de table. Certaines ont dû vous sembler bien impertinentes. Mais j'éprouve un tel respect pour l'œuvre entreprise par votre épouse que j'ai à cœur de voir son assassin démasqué, et aussi de poursuivre son combat. Mon beau-frère songe sérieusement à être candidat à la députation. Ma sœur et lui ont été tellement bouleversés par ce qu'ils ont vu dans l'East End qu'ils n'auront de cesse que la législation en matière de logement soit modifiée, dans le sens où le souhaitait Mrs. Shaw.

Le médecin se leva à son tour et vint galamment déplacer la chaise de Charlotte.

— Vous perdez votre temps, Mrs. Pitt, dit-il d'un ton las, comme s'il répétait une phrase déjà cent fois prononcée.

Clemency, comme Charlotte maintenant, avait-elle refusé de le croire ?

Ils sentaient tous deux sa présence tutélaire, qui considérait avec bienveillance leur amitié naissante. Shaw prit le bras de la jeune femme et la raccompagna jusqu'au perron, où ils se séparèrent avec une grande émotion. Il la suivit des yeux jusqu'à ce qu'elle fût remontée dans la voiture et demeura sur le pas de la porte, très droit, le regard brillant, longtemps après que l'attelage eut tourné le coin de la rue. Puis il referma la porte et regagna la salle à manger.

Charlotte demanda aussitôt au cocher de la conduire chez les sœurs Worlingham. Il lui paraissait improbable que Celeste et Angeline aient essayé de se débarrasser de leur neveu parce qu'il aurait négligé la santé de leur frère. Mais il n'en restait pas moins que Clemency et par conséquent Shaw avaient hérité d'une grosse fortune à la mort de Theophilus. L'argent était un mobile dont il fallait tenir compte. Plus elle réfléchissait, plus il lui semblait que c'était la seule solution de remplacement sensée à l'hypothèse d'un incendie commandité par les riches propriétaires de taudis craignant d'être démasqués. Quels noms Mrs. Shaw avait-elle découverts, avant ou après celui de son grand-père ? C'est à cette époque qu'elle avait décidé de tout mettre en œuvre pour faire évoluer la législation, ce qui lui avait certainement valu l'inimitié de bon nombre de personnes. Somerset Carlisle avait parlé d'aristocrates, de banquiers, de juges, de diplomates, d'hommes politiques qui ne pouvaient se permettre de voir leur nom cité dans les journaux. Et Mr. Boddy, ce notaire plein de suffisance, certain que ses clients étaient prêts à tout pour conserver leur anonymat, n'avait pas hésité à proférer des menaces voilées.

Mais lequel d'entre eux aurait osé sortir des allées du pouvoir pour commettre un meurtre ? Et comment l'identifier ? Charlotte se dit qu'il lui faudrait s'introduire dans le milieu de la pègre, afin de découvrir le sicaire et l'amener à avouer le nom de son commanditaire. Mais à moins d'un extraordinaire coup de chance, l'entreprise paraissait vouée à l'échec.

Clemency avait-elle eu l'audace et l'imprudence de l'affronter ? Certainement pas. À quoi cela aurait-il servi ? Une chose était certaine : elle n'avait pas dénoncé sa famille. Celle-ci n'aurait pas invité l'archevêque d'York pour la prochaine inauguration du vitrail à la mémoire de Monseigneur Worlingham, si le plus léger scandale entachait l'honneur de sa famille.

Theophilus était-il au courant des opérations financières de son père ? Clemency ne pouvait l'en avoir informé, puisqu'il était mort bien avant qu'elle n'ait commencé son enquête. S'était-il demandé d'où provenait la fortune paternelle ou s'était-il contenté d'accepter ses largesses sans s'occuper du reste ?

Que savaient Angeline et Celeste ?

L'attelage fit halte devant le magnifique portail des Worlingham. Dans quelques instants, le valet allait lui ouvrir la portière et l'aider à descendre du marchepied. Charlotte devait trouver un prétexte pour se présenter à cette heure-là, car dans la bonne société, on ne reçoit jamais en début d'après-midi. En outre, elle était loin d'être une intime de la famille, tout juste la petite-fille d'une vague connaissance surgie du passé, et sa visite leur rappellerait des événements fort désagréables.

Une soubrette, portant le petit plateau d'argent destiné à recevoir les cartes de visite, ouvrit la porte et dévisagea Charlotte avec une curiosité glacée. Celle-ci, n'ayant point de carte à présenter, lui adressa son plus beau sourire et annonça sans détour :

— Bonjour. Je poursuis l'œuvre entreprise par la défunte Mrs. Shaw et j'aimerais beaucoup faire part aux demoiselles Worlingham de mon admiration pour elle. Reçoivent-elles cet après-midi ?

La domestique avait bien trop d'expérience pour refuser l'entrée à quelqu'un susceptible d'apporter un peu de piment à la morne existence de la maisonnée. Les demoiselles Worlingham ne sortant jamais, sauf pour aller à l'église, les rares visites qu'on leur faisait étaient leur seul contact avec le monde extérieur.

Elle posa le plateau sur un guéridon et s'effaça pour laisser passer Charlotte.

— Si vous voulez bien patienter, madame, je vais m'assurer que ces demoiselles peuvent vous recevoir. Qui dois-je annoncer ?

— Mrs. Pitt. Ma grand-mère, Mrs. Ellison, est une de leurs anciennes amies. Nous sommes de grandes admiratrices de la famille.

Affirmation largement exagérée, la seule personne que Charlotte admirât étant Clemency.

En pénétrant dans l'immense vestibule au sol dallé de mosaïque, elle fut à nouveau frappée par le grand tableau accroché en pleine lumière, face à la porte, représentant l'évêque, le teint rose et le sourire satisfait. Son portrait écrasait les autres, perdus dans l'ombre, ceux d'acolytes servant à l'autel ou de fidèles assemblés, en tout cas, aucun personnage important. Charlotte fut déçue de ne pas voir un portrait du père de Prudence et Clemency, dont elle aurait aimé connaître le visage, afin de se faire une idée de sa personnalité. Theophilus devait être aussi différent de Shaw qu'il était possible.

La soubrette revint lui annoncer que ces demoiselles allaient la recevoir.

Celeste et Angeline se trouvaient dans le petit salon, à l'endroit même où elles l'avaient reçue en compagnie de sa mère et de sa grand-mère. Elles étaient vêtues, comme la fois précédente, de robes de deuil ornées de broderies perlées. Celle d'Angeline était discrètement agrémentée de plumes noires. Celeste portait des boucles d'oreilles et un sautoir en perles de jais qui dansait sur sa poitrine au rythme de sa respiration et dont les facettes accrochaient les reflets du soleil.

— Bonjour, Mrs. Pitt, dit-elle avec un léger hochement de tête. C'est très aimable à vous de venir nous faire part de votre admiration pour Clemency. Je crois me souvenir que vous vous étiez longuement étendue sur ce sujet lors de votre précédente visite. Vous prétendiez que notre nièce œuvrait pour les pauvres...

— C'était certainement une erreur, s'empressa d'intervenir Angeline. Mrs. Pitt ne voulait pas nous donner du souci, n'est-ce pas, Mrs. Pitt ? ajouta-t-elle en souriant.

— Je n'ai rien appris sur Mrs. Shaw dont vous pourriez avoir honte, bien au contraire, répondit Charlotte, guettant sur ses traits inexpressifs le moindre tressaillement révélateur.

— Appris ? releva Angeline, perplexe, mais nullement troublée.

Charlotte prit place sur le fauteuil que Celeste lui désignait de mauvaise grâce et s'installa confortablement contre les riches coussins de brocart. Elle n'avait pas l'intention de partir avant de leur avoir dit tout ce qu'elle avait à dire et d'observer leurs réactions. Cette somptueuse demeure avait été construite et meublée avec de l'argent honteusement gagné sur le dos des miséreux. Les deux sœurs, avec leur air innocent, étaient-elles au courant ? Clemency, bouleversée par ce qu'elle venait d'apprendre, leur avait-elle révélé la vérité ? Auquel cas, comment avaient-elles réagi ?

L'incendie de sa maison, en pleine nuit, pendant qu'elles dormaient tranquillement dans leur lit, était peut-être l'arme qu'elles avaient choisie pour se débarrasser de leur encombrante nièce. C'était une pensée horrible, angoissante, comme peut l'être la vue du visage d'un être aimé transfiguré par la haine.

Ces deux femmes, qui avaient gâché leur jeunesse pour se consacrer à leur père, s'étaient-elles transformées en criminelles pour faire taire le scandale et protéger leur position sociale face à une communauté dont elles étaient les piliers depuis presque un demi-siècle ? C'était fort possible.

— Plusieurs personnes m'ont dit le plus grand bien de Clemency, poursuivit Charlotte, d'une voix curieusement haut perchée.

Avait-elle eu tort de venir seule ? Non, elle ne risquait rien. On était au milieu de la journée ; le cocher et le valet de tante Vespasia l'attendaient dehors.

Les deux sœurs le savaient-elles ?

Évidemment. Elles n'allaient pas s'imaginer qu'elle était venue à pied.

Mais elle aurait pu prendre l'omnibus.

— Quelles personnes ? s'enquit Celeste en haussant les sourcils. Cette pauvre Clemency n'était guère connue en dehors de la paroisse.

— Oh, mais si !

Charlotte avala sa salive et tenta de retrouver une voix normale. Elle serra les poings pour contenir le tremblement de ses mains, s'enfonçant les ongles dans les paumes.

— Mr. Somerset Carlisle, un député fort connu, m'a parlé d'elle en termes très élogieux, et aussi Lady Cumming-Gould. Je lui ai dit ce matin même que j'allais vous rendre visite et elle a eu l'obligeance de me prêter son attelage. Elle est déterminée à tout faire pour que l'œuvre de Mrs. Shaw ne soit pas oubliée.

Le lourd visage de Celeste s'assombrit.

— Et bien d'autres encore l'appréciaient, enchaîna Charlotte. Mais Clemency était très discrète, et peut-être trop modeste pour vous faire part de ses activités.

— Elle ne nous en a rien dit, répondit Celeste, parce qu'il n'y avait rien à en dire. Elle s'occupait des pauvres, comme les femmes de notre famille l'ont toujours fait.

Elle releva légèrement le menton et sa voix se fit condescendante.

— Nous avons été élevées dans une famille très chrétienne, comme vous devez le savoir. Enfants, on nous a appris à nous montrer charitables envers les pauvres, qu'ils soient responsables ou non de leur triste situation. Il ne faut jamais juger, mais seulement servir, disait Père.

Charlotte eut du mal à tenir sa langue. Elle mourait d'envie de leur dire ce qu'elle pensait des conceptions charitables de l'évêque.

— L'humilité est une grande vertu, se força-t-elle à déclarer. Clemency ne vous a donc rien dit, par modestie, de ce qu'elle faisait pour changer la législation relative à la propriété des taudis.

Rien sur les traits des deux sœurs ne laissa supposer qu'elles saisissaient l'allusion et encore moins qu'elles avaient peur.

— Des taudis, dites-vous ? s'étonna Angeline.

— Relative à leur propriété, répéta Charlotte d'un ton sec. Il est actuellement impossible de connaître les noms des propriétaires.

— Mais pourquoi chercherait-on à les connaître ? s'enquit Angeline. Cela ne servirait à rien !

— Parce que les conditions de logement dans ces quartiers sont absolument épouvantables, répondit Charlotte en s'efforçant d'imprimer à sa voix la gentillesse avec laquelle on doit s'adresser à deux vieilles demoiselles qui ignorent tout du monde extérieur, hormis l'église et ses paroissiens.

Il eût été injuste de les blâmer de leur ignorance, et il était trop tard pour y remédier. Leur mode de vie, commandé par d'autres, n'avait jamais été bouleversé ni remis en question.

— Bien sûr, nous savons que les pauvres souffrent, dit Angeline en fronçant les sourcils. Mais cela a toujours été, et c'est inévitable. Le but de la charité est justement de soulager leurs souffrances, autant que nous le pouvons.

— On pourrait prévenir beaucoup de souffrances et de misères, si certaines personnes n'exerçaient pas leur cupidité aux dépens des plus démunis.

Charlotte choisit ses mots avec soin pour décrire ce qu'elle avait vu, mais leur visage reflétait toujours la plus totale incompréhension.

— Faute d'argent, les pauvres ne peuvent se soigner ; malades, ils ne peuvent plus travailler. Ils deviennent donc encore plus pauvres. Incapables de payer leur loyer, ils sont chassés de leur logement et se réfugient dans ces taudis.

Elle essayait de simplifier ses propos, sachant qu'elle

ne parviendrait pas à les émouvoir par de longues explications : au contraire, elles finiraient par se lasser de son exposé.

— Certaines personnes peu scrupuleuses, les sachant aux abois, leur proposent des réduits sans lumière, sans aération ni eau courante et sans installations sanitaires.

Angeline ouvrit de grands yeux.

— Mais alors, pourquoi les acceptent-ils ? Ils n'ont peut-être pas besoin d'autant de confort que nous.

— Ils en ont besoin comme tout le monde. Mais ils ne trouvent que des abris de fortune pour dormir, avec, s'ils ont de la chance, un fourneau sur lequel faire réchauffer les aliments.

— Ce n'est déjà pas si mal, remarqua Celeste, si c'est tout ce qu'ils peuvent se permettre.

Charlotte la fixa droit dans les yeux et lança alors son dernier argument, le seul qui pouvait toucher la fille d'un évêque.

— Hommes, femmes et enfants vivent tous dans la même pièce. Imaginez la promiscuité ! Sans autre lieu d'aisances qu'un seau dans un coin, aucun endroit intime pour changer de vêtements, se laver, ou dormir.

— Mon Dieu ! s'exclama Angeline, horrifiée. Mais ce sont des sauvages ! Ce n'est pas chrétien !

— En effet. Mais ils n'ont pas le choix. C'est cela ou la rue, ce qui est encore bien pire.

Celeste paraissait émue. Elle était suffisamment intelligente pour se représenter les conditions de vie de ces malheureux.

— Je ne vois pas en quoi le fait de divulguer le nom des propriétaires changerait la situation des mal-logés. Les propriétaires ne peuvent pousser les murs, remarqua-t-elle avec lenteur, ni résoudre les problèmes de pauvreté. Pourquoi voulez-vous à tout prix connaître leur identité ?

— Parce que ces gens-là réalisent d'énormes profits sur le dos de ces miséreux. Si leurs noms étaient portés à la connaissance du public, ils seraient contraints de réaliser des travaux d'assainissement, pour éviter le suintement de l'humidité sur les murs et le pourrissement des charpentes.

Comment deux personnes ayant toujours connu le confort douillet de leur somptueuse demeure, n'ayant jamais respiré l'odeur de moisi et la puanteur des cloaques, pouvaient-elles se représenter une telle misère ?

Charlotte reprit sa respiration, prête à essayer de décrire les sensations qu'elle avait éprouvées au cours de ses visites dans les taudis, mais elle en fut empêchée par l'arrivée de la servante, qui venait annoncer deux visiteuses, Prudence Hatch et Mrs. Clitheridge.

Ces dernières entrèrent ensemble dans le salon. Prudence paraissait nerveuse et tendue, incapable de tenir en place. Lally s'adressa aimablement à Celeste, sourit à Angeline, puis, reconnaissant Charlotte qui se levait de son fauteuil, se figea aussitôt.

— Bonjour, Mrs. Pitt, fit-elle avec une politesse glacée, le regard étincelant. Je suis surprise de vous revoir ici. Je ne pensais pas que vous étiez une amie intime de la famille.

Celeste les invita à s'asseoir, ce qu'elles firent en arrangeant leurs jupes. Angeline partit d'une petite toux sèche.

— Mrs. Pitt est venue nous faire part de son admiration pour Clemency. Selon elle, notre nièce aurait cherché à connaître le nom de gens qui réaliseraient de gros profits sur le dos de personnes dans le besoin... Nous ignorions tout de cela. Clemency était si réservée...

Lally haussa un sourcil sceptique.

— Tiens ? Vous connaissiez donc Clemency ? Et mieux que les membres de sa famille ?

Charlotte fut choquée par la manière dont ces mots avaient été prononcés. Lally la considérait comme une rivale qui aurait franchi les limites d'un domaine réservé.

— Je n'ai jamais rencontré Clemency Shaw, Mrs. Clitheridge. Mais certains de mes amis la connaissaient. J'ignore la raison pour laquelle elle n'avait pas fait part de ses activités à sa famille et à ses voisins ; j'imagine que les gens auxquels elle en parlait partageaient, eux, ses opinions et respectaient ses sentiments.

— Bonté divine !

La voix de Lally se fit aiguë et coléreuse.

— Votre impertinence n'a donc pas de bornes ! Vous suggérez qu'elle n'avait pas confiance en sa propre famille, mais seulement en certains amis, que vous avez bien pris soin de ne pas nommer.

— Lally, vous vous énervez inutilement, murmura Prudence, en croisant les mains sur ses genoux. Vous disputer avec Flora ne vous a donc pas suffi ?

Elle jeta un coup d'œil à Charlotte.

— Nous avons eu une entrevue assez orageuse avec Miss Lutterworth. Des mots plutôt vifs ont été prononcés. Le comportement de cette jeune fille vis-à-vis de Stephen est inacceptable. Elle paraît fascinée par lui et semble incapable de se conduire avec retenue...

Angeline soupira en secouant la tête.

— Oh, nous n'allons pas reparler de Flora. La pauvre enfant n'a reçu aucune éducation. Comment pourrait-il en être autrement ? Elle a à peine connu sa mère, personne ne lui a appris les bonnes manières. Son père est un vulgaire commerçant venu du Nord. On ne peut s'attendre à ce qu'il connaisse les règles du savoir-vivre.

— Tout l'argent du monde ne permet pas de rattraper un manque d'éducation, renchérit Celeste. Mais tout de même, certaines personnes essaient d'inculquer les bonnes manières à leurs enfants.

— Si je vous comprends bien, remarqua Charlotte d'un ton coupant, les gens bien élevés peuvent mentir, tricher, voler, imposer à leurs filles un riche mariage arrangé, mais ceux qui n'ont que de l'argent ne parviendront jamais à acquérir une bonne éducation, quels que soient les efforts qu'ils déploient ?

Un lourd silence, pareil à celui qui précède un orage, s'installa dans la pièce.

Charlotte observa ses quatre interlocutrices. Elle était à peu près certaine, bien qu'elle n'en eût pas la preuve, que Celeste et Angeline ignoraient tout de l'origine des revenus de leur père. Et elle ne croyait pas que des pro blèmes d'argent puissent expliquer la peur de Prudence. Si, à cette minute, celle-ci paraissait atterrée, ce n'était pas qu'elle craignît pour elle-même — ses mains reposaient paisiblement sur son giron —, mais plutôt qu'elle ne comprenait pas la violence déplacée des propos de Charlotte.

Lally Clitheridge, un instant confondue, s'exclama soudain d'une voix frémissante :

— Quelle extraordinaire insolence ! Je pensais que Stephen Shaw était la personne la plus mal élevée que j'aie jamais rencontrée, mais je vois qu'il a trouvé son maître.

— Merci, dit Charlotte sans ciller. La prochaine fois que je le verrai, je lui ferai part de vos propos : j'imagine que cela lui fera plaisir.

Voyant Lally se raidir comme si elle venait de recevoir une gifle, Charlotte comprit enfin la raison de tant de haine : Lally était folle de jalousie. Elle considérait peut-être Shaw comme un grossier personnage aux idées dangereuses, mais il l'éblouissait, elle qui menait une existence morne et pleine d'abnégation avec le pasteur Le médecin symbolisait à ses yeux ce dont elle était privée : une vie excitante aux côtés d'un homme fougueux et sûr de lui. Shaw était comme une oasis de verdure dans le désert de son quotidien.

La colère de Charlotte se mua en pitié. Lally menait un vain combat pour contraindre son époux à être ce qu'il n'était pas, le poussant à assumer ses devoirs de pasteur, alors qu'il n'en avait pas les capacités, l'épaulant sans cesse, lui soufflant ce qu'il devait dire ; et, en même temps, elle rêvait à Shaw, dont la virilité l'horrifiait et la fascinait tout à la fois. Elle haïssait Charlotte parce que le médecin était tombé sous son charme.

Tout cela était ridicule.

Charlotte ne pouvait revenir sur ses paroles. Lui présenter des excuses ne ferait qu'aggraver les choses, car tout le monde se rendrait alors compte que Lally la jalousait. La seule issue était de prendre congé.

— Merci, Miss Worlingham, dit-elle en se levant, de m'avoir permis d'exprimer devant vous mon admiration pour Clemency. Je vous assure qu'en dépit du danger et des menaces, je poursuivrai son œuvre dans la mesure de mes modestes moyens, afin que son souvenir soit toujours présent parmi nous. Au revoir, Miss Angeline.

Elle s'apprêtait à quitter la pièce quand Prudence Hatch se leva et vint à sa rencontre.

— Que voulez-vous dire, Mrs. Pitt ? Sous-entendez-vous que ma sœur a été tuée par quelqu'un qui se serait senti menacé du fait de ses activités ?

— C'est fort probable, Mrs. Hatch.

— Sornettes ! s'exclama Celeste d'un ton cassant. Supposez-vous qu'Amos Lindsay a été assassiné pour les mêmes raisons ?

— Je ne sais pas, répondit Charlotte, mais

Celeste lui coupa la parole.

— Évidemment ! dit-elle en se levant à son tour, oubliant, dans son énervement, de remettre en ordre les plis de sa robe. On l'a tué à cause de ses idées politiques radicales. Il écrivait des pamphlets odieux et soutenait l'action de ces gens qui prônent le socialisme, la révolution, l'anarchie ! Nous vivons dans un monde de complots et d'intrigues. Il se passe en ce moment à Londres des choses bien plus abominables que les incendies de Highgate, aussi horribles soient-ils. Même si nous ne lisons pas les journaux, nous entendons ce qui se dit autour de nous. Les gens parlent de ce malade mental qui rôde dans Whitechapel, égorgeant et éventrant des femmes de manière horrible. La police semble incapable de mettre la main sur lui, conclut-elle, pâle de colère.

Angeline se recroquevilla sur elle-même, comme si elle cherchait à se protéger de tous ces crimes dont elle entendait parler pour la première fois.

— Tu as raison, Celeste. Le monde change. Des idées nouvelles et dangereuses se propagent. J'ai l'impression que tout ce que nous possédons est menacé.

Elle hocha la tête et resserra son châle autour de ses épaules.

— Stephen paraît admirer ces gens qui parlent de renverser l'ordre établi pour instaurer ce socialisme cher aux Fabiens.

— Oh, je suis sûre que non ! la contredit Lally, le visage en feu, les yeux brillants. Il aimait beaucoup Mr. Lindsay, mais il n'approuvait certainement pas ses idées révolutionnaires. Mr. Lindsay était un lecteur assidu des essais et des pamphlets écrits par Mrs. Besant [1], cette virago qui a poussé les ouvrières des usines d'allumettes à se mettre en grève, en mai ou juin dernier, je crois. Où allons-nous si les gens refusent de travailler ?

Charlotte fut fortement tentée de plaider la cause de Mrs. Besant et d'évoquer le calvaire de ces femmes qui souffraient de nécrose des os de la face, à force d'inhaler des vapeurs de phosphore, mais c'eût été une perte de temps.

— Donc, selon vous, Mrs. Shaw aurait été tuée à cause de l'agitation qu'elle créait en voulant réformer la législation sur les logements ? dit-elle en s'adressant à Lally. Je crois que vous avez raison. C'est aussi mon avis.

Cette dernière ne put qu'acquiescer, bien que le fait d'abonder dans le sens de Charlotte la dérangeât beaucoup.

— Je ne l'aurais pas formulé en ces termes, répondit-elle d'un air agacé. Mais c'est ce que je crois, en effet. Après tout, c'est de loin l'explication la plus plausible.

1. Annie Besant (1847-1933), féministe et socialiste anglaise, proche des Fabiens. Elle publia, en collaboration avec Charles Bradlaugh, un traité prônant le contrôle des naissances. Ils furent traînés en justice et elle perdit la garde de sa fille. (*N.d.T.*)

Quelle autre raison aurait-on eue de vouloir la supprimer ?

— Il pourrait s'agir d'une autre forme de passion, avança Prudence, en fronçant les sourcils. Mr. Lutterworth pourrait être à l'origine de ce drame, à cause des relations qui unissent sa fille au Dr Shaw — si, bien sûr, c'était Stephen qui était visé et non Clemency.

— Dans ce cas, pourquoi aurait-il tué Mr. Lindsay ? demanda ingénument Angeline. Ce pauvre homme ne lui avait jamais fait de mal.

— Parce qu'il savait quelque chose, bien entendu, répondit Prudence d'un ton impatient. Il n'est pas besoin d'être grand clerc pour le deviner.

Les cinq femmes se trouvaient debout près de la porte du salon. Les rayons du soleil filtrant à travers les doubles rideaux jouaient sur les bandes de crêpe noir un peu poussiéreux.

— Je m'étonne que l'incendiaire n'ait pas encore été arrêté, ajouta Lally, en regardant Charlotte. Mais les policiers ne sont pas des gens particulièrement intelligents, sinon ils ne feraient pas ce métier. Ils s'occuperaient sans doute à autre chose, n'est-ce pas ?

Charlotte pouvait à la rigueur entendre certains propos injurieux la concernant directement sans regimber, mais à aucun prix elle ne laisserait insulter Pitt. Son sang ne fit qu'un tour.

— Rares sont les personnes qui acceptent, parfois au péril de leur vie, de fouiller celle des autres, pour y découvrir le vice, la tragédie et la violence, riposta-t-elle d'un ton cinglant. Tant de gens se prévalent d'une grande rectitude morale et se parent de toutes les vertus, alors que dans l'intimité leur vie est dominée par le mensonge et l'appât du gain.

Elle fut satisfaite de voir passer sur les visages de ses interlocutrices une ombre d'inquiétude. Prudence, en particulier, parut affolée. Aussitôt Charlotte eut honte de ses propos. Ce n'était pas cette dernière qu'elle avait eu l'intention de blesser. Mais, une fois encore, il était trop tard, elle ne pouvait que battre en retraite. Elle prit rapidement congé de ses hôtesses et sortit de la maison la tête haute, en faisant virevolter ses jupes sur les marches du perron.

Quelques instants plus tard, elle était installée dans l'attelage de Vespasia et demandait au cocher de la ramener chez Stephen Shaw. Elle avait maintenant un certain nombre de questions précises à lui poser. L'incendie des deux maisons était peut-être le fait d'opposants à ses opinions politiques radicales ainsi qu'à celles de Lindsay. Elle ne lui avait jamais demandé si son ami était au courant des activités de Clemency et s'il l'avait parfois emmenée à des réunions de la Société Fabienne.

Mrs. Turner, la logeuse, l'accueillit sans surprise. Elle lui dit que le Dr Shaw était en visite, mais qu'il n'allait pas tarder à rentrer, ajoutant que si Charlotte voulait patienter dans le salon, elle était la bienvenue.

Elle revint bientôt avec une théière, une tasse et un pot d'eau chaude, le tout posé sur un joli plateau laqué. Charlotte la remercia et se servit.

Quelqu'un était-il vraiment décidé à supprimer Shaw pour l'empêcher de révéler un secret médical ? Ce dernier prétendait que les décès qu'il avait constatés étaient bien dus à des morts naturelles, mais n'était-ce pas justement l'argument qu'il avancerait si, complice d'un meurtre, il avait fourni à l'assassin les moyens médicaux de le perpétrer, ou falsifié le certificat de décès ?

L'aurait-il fait ? Oui, s'il le jugeait légitime, il n'aurait pas hésité à exercer son pouvoir. Si quelqu'un avait le courage de ses convictions, c'était bien Stephen Shaw. S'arrogerait-il le droit d'éliminer une vie humaine ? Certainement pas. Mais s'il s'agissait d'un dangereux aliéné, ou d'un homme souffrant d'une maladie incurable ?

Charlotte ignorait s'il comptait ce genre de patients parmi sa clientèle. Pitt avait sûrement pensé à le vérifier.

Elle ressassait encore ces mêmes questions lorsque,

une demi-heure plus tard, Shaw fit irruption dans le salon. Il jeta sa sacoche dans un coin de la pièce, lança sa veste sur le dossier d'une chaise, puis, devinant une présence, fit volte-face. En reconnaissant Charlotte, son visage s'éclaira.

— Mrs. Pitt ! Quel bon vent vous ramène si vite ici ? Avez-vous découvert quelque chose ?

Une lueur amusée et vaguement inquiète dansait dans ses yeux, mais il ne faisait rien pour dissimuler le plaisir que lui procurait sa visite.

— Je viens d'aller voir les demoiselles Worlingham, expliqua-t-elle. Je n'ai pas été particulièrement la bienvenue, ajouta-t-elle en réponse à sa question non formulée. En fait, Mrs. Clitheridge, arrivée peu après moi, paraît nourrir à mon égard une forte animosité. Mais la conversation, très instructive, m'a permis de réfléchir à certaines questions..

— Ah oui ? Lesquelles ? Je vois que Mrs. Turner vous a servi du thé. En reste-t-il ? J'ai la gorge desséchée.

Il souleva le couvercle de la théière pour vérifier s'il restait encore du thé.

— Ah, parfait !

Il jeta le fond de la tasse de Charlotte dans le vide-tasses, la rinça à l'eau chaude et se servit.

— Je me demande ce qu'ont bien pu vous raconter Celeste et Angeline pour vous inspirer de nouvelles réflexions. Vous m'intriguez...

— Je commencerai par l'argent. Theophilus Worlingham possédait une immense fortune, dont Clemency et Prudence ont hérité à sa mort.

Shaw soutint son regard sans ciller.

— Vous pensez que j'ai assassiné ma femme pour m'approprier son argent ? Mais il ne reste plus un penny en banque ! Elle a tout dépensé.

Il se mit à arpenter la pièce, tapotant un coussin, remettant un livre ou un bibelot en place sur une étagère.

— Lorsque son testament sera homologué, vous

pourrez constater qu'au cours de ces derniers mois j'approvisionnais son compte, même pour ses dépenses vestimentaires. Je n'hériterai rien de la fortune des Worlingham, hormis quelques factures de couturières et une note de modiste. Que je serai heureux de régler.

Charlotte affecta la surprise.

— Tout dépensé, dites-vous ?

— Absolument tout. Par des dons à des sociétés s'occupant de l'aménagement des quartiers insalubres et à des associations de secours aux sans-logis. En outre, son combat pour la modification de la législation en matière de logement lui coûtait très cher. En moins d'un an, elle a dû dépenser trente mille livres, au bas mot. Elle a tout donné, jusqu'au dernier penny, conclut-il en martelant ses mots avec fierté.

— Vous a-t-elle expliqué ses raisons ? demanda impulsivement Charlotte, curieuse de savoir si Shaw était au courant.

Un rictus amer et ironique plissa les lèvres du médecin.

— Vous pensez à l'origine de la fortune de cette fripouille d'évêque ? Oh oui, elle me l'a dit. Cette découverte l'avait complètement anéantie.

Il cessa d'arpenter la pièce et s'adossa au manteau de la cheminée.

— Je me souviens de ce soir-là... Elle est rentrée à la maison, si pâle que j'ai cru qu'elle allait s'évanouir. En fait, elle était blême de fureur et de honte. Elle m'a tout raconté d'une traite, dans un état d'extrême agitation. Rien de ce que je pouvais lui dire ne l'apaisait : elle se sentait tellement coupable ! Elle est restée éveillée la moitié de la nuit.

Il se mordit la lèvre et baissa la tête.

— J'avoue que j'ai fini par m'endormir. J'avais passé la nuit précédente au chevet d'un patient. J'étais épuisé. Mais le lendemain, en me levant, j'ai vu qu'elle avait pleuré. Je lui ai dit que je la soutiendrais, quelle que soit la décision qu'elle prendrait. Elle a réfléchi pendant deux jours avant de choisir de ne rien dire à ses tantes.

Il releva brusquement la tête et donna un coup de pied dans le pare-étincelles de cuivre.

— À quoi cela aurait-il servi ? Elles n'étaient pas responsables. Ayant sacrifié leur existence à leur crapule de père, elles n'auraient pas supporté d'apprendre que leur géniteur vénéré n'était qu'un pharisien hypocrite.

— Mais elle l'a dit à sa sœur, remarqua Charlotte, se souvenant de l'expression affolée de Prudence.

Shaw réfléchit, sourcils froncés.

— Non. J'en suis certain. Prudence aurait été elle aussi accablée de honte, sans pouvoir rien y faire.

— Pourtant quelque chose la tourmente, insista Charlotte.

Elle s'imaginait les souffrances endurées par Prudence si elle avait choisi de ne jamais laisser échapper la moindre allusion au passé de son grand-père, auquel Josiah vouait un véritable culte.

— Il faut qu'elle soit très forte et très loyale pour parvenir à garder un tel secret, ajouta-t-elle. Ce doit être un lourd fardeau à porter.

— Mais elle ne sait rien, répéta Shaw. Clem ne lui en a pas parlé, justement parce que cela aurait été, comme vous le dites, insupportable. Josiah est persuadé que l'évêque était un saint. L'idée de ce maudit vitrail vient de lui.

— Je suis certaine qu'elle est au courant, s'entêta Charlotte en se penchant en avant. J'ai lu la peur dans ses yeux tout à l'heure. Elle est terrifiée à l'idée que le scandale éclate et, en même temps, elle a honte.

Ils se regardèrent longuement, chacun persuadé d'avoir raison, jusqu'à ce que soudain le visage de Shaw s'éclairât.

— Ça y est ! J'y suis ! Je sais de quoi elle a peur ! Dieu qu'elle peut être bête !

Charlotte fut choquée par l'expression, mais ne la releva pas.

— Que craint-elle, à votre avis ?

— Josiah, sa famille. Leur mépris, leur indignation...

— Mais pourquoi ?

Shaw eut un sourire plein de compassion.

— Ma belle-sœur a mis au monde six enfants. Chaque accouchement a été pour elle une terrible épreuve. Pour le premier, elle a souffert pendant vingt-trois heures avant la délivrance. Comme le bébé suivant s'annonçait de la même façon, je lui ai proposé un analgésique pour la calmer. Elle a accepté.

Charlotte se souvint alors de la théorie de Josiah Hatch, selon laquelle une femme devait enfanter dans la douleur. Comme beaucoup d'hommes, il considérait le soulagement de la souffrance en couches comme une dérobade devant la volonté divine. D'ailleurs, la plupart des médecins ne proposaient pas cette solution aux femmes en plein travail. Prudence n'en avait rien dit à son mari et, depuis lors, vivait dans la terreur que Shaw n'en informe Josiah.

Charlotte soupira.

— Je vois... C'est absurde.

Elle ne se souvenait que vaguement de ses souffrances au moment de ses propres accouchements, qui contrairement à ceux de certaines femmes n'avaient pas été trop pénibles. La nature, dans sa générosité, efface presque de la mémoire les douleurs de l'enfantement.

— Pauvre Prudence. Vous ne le diriez jamais à Hatch, n'est-ce pas ?

Sa question était ridicule. Elle lui fut même reconnaissante de ne pas lui en vouloir de l'avoir posée.

Shaw sourit et ne répondit pas.

— Pensez-vous que je peux assister aux obsèques d'Amos Lindsay, sans que cela paraisse incorrect ? reprit-elle, pour changer de sujet. Je l'aimais bien, même si je l'ai peu connu.

Une peine profonde se peignit sur le visage du médecin.

— Au contraire, répondit-il avec douceur, cela me ferait très plaisir. Je dois prononcer l'éloge funèbre. Si vous saviez comme je redoute cette cérémonie ! Heureusement, Oliphant sera là pour m'épauler. Clitheridge va s'emmêler dans son oraison, comme d'habitude, et Lally devra lui souffler son texte. Quant à ce cuistre de Josiah, je sens que je vais encore me disputer avec lui, c'est plus fort que moi. L'entendre encenser l'évêque me mettra en rage et me donnera envie de clamer devant tous que c'était un grand pécheur devant l'Éternel et que ses péchés n'étaient pas la gourmandise ou le libertinage, mais l'appât du gain et l'amour du pouvoir.

D'un geste instinctif, Charlotte posa sa main sur son bras.

— Je sais que vous ne le ferez pas.

Il ne bougea pas, de crainte qu'elle ne retire sa main, et sourit.

— J'essaierai de me comporter décemment, comme un homme qui pleure son meilleur ami, quoi qu'il m'en coûte. Josiah et moi nous sommes assez querellés. Mais il me pousse toujours à bout. Il vit dans un monde d'hypocrisie et de mensonge, Charlotte. Par ses dérobades et ses excuses écœurantes, il parvient à salir tout ce qui est beau et pur. Comme je hais les hypocrites ! poursuivit-il d'une voix tremblante. Ils semblent se multiplier au sein de l'Église, tels des abcès purulents qui se propagent en dévorant les hommes réellement vertueux, Matthew Oliphant, par exemple.

Charlotte était émue et un peu gênée devant tant d'émotion ; elle sentait toujours sous sa main la chaleur de son bras puissant. Elle s'écarta très légèrement, pour ne pas briser la magie de l'instant.

— Je vous verrai donc aux obsèques, demain. Nous nous comporterons tous deux correctement — aussi difficile que cela soit. Je ne me disputerai pas avec Mrs. Clitheridge, bien que j'en meure d'envie, et vous, vous ne direz pas à Josiah ce que vous pensez de l'évêque. Nous pleurerons simplement un ami mort beaucoup trop tôt.

Sans un regard en arrière, elle se dirigea vers la porte, droite et gracieuse, et quitta la maison.

11

Après deux jours d'angoisse, de doute, de bouffées d'espérance et de désespoir, Murdo finit par trouver un prétexte pour rendre visite à Flora Lutterworth. Il se rasa de près, repassa son uniforme dont il frotta ensuite rageusement les boutons — il détestait ces gros boutons de cuivre qui trahissaient son grade de simple agent de police.

Il avait d'abord songé à lui déclarer ouvertement sa flamme. Mais Flora se moquerait de sa présomption. Qu'un policier osât s'imaginer certaines choses et, pire, allât jusqu'à les lui dire, l'irriterait au plus haut point. Il rougit rien que d'y penser.

Non, la seule solution était de prétexter une visite professionnelle de routine et, dans le cours de la conversation, glisser quelques mots sur la profonde admiration qu'elle lui inspirait, puis prendre congé avec le plus de dignité possible.

À neuf heures et demie du matin, il frappa à la porte des Lutterworth et demanda à parler à Miss Flora, pour des raisons relatives à l'enquête. En entrant dans le vestibule, il buta sur la dernière marche du perron ; la soubrette devait rire sous cape derrière son dos. Murdo, écarlate, regrettait déjà d'être venu. Son entreprise était vouée à l'échec. Il allait se ridiculiser aux yeux de Flora, qui le mépriserait.

— Si vous voulez bien patienter dans le salon je vais

voir si Miss Flora peut vous recevoir, dit la soubrette en lissant son tablier blanc sur ses hanches.

Elle le trouvait tout à fait à son goût, ce gentil policier aux jolis yeux. Et puis, il avait un bel uniforme, pas comme son supérieur, toujours débraillé ! Au moment de son départ, elle s'arrangerait pour le raccompagner à la porte et lui laisser entendre qu'elle avait une demi-journée de congé hebdomadaire : s'il lui proposait une promenade au parc, elle ne lui dirait pas non !

Murdo, planté au beau milieu de l'élégant salon, se sentait tour à tour brûlant et glacé. Il tournait son casque entre ses mains, en se demandant s'il ne ferait pas mieux de partir tout de suite, mais ses pieds refusaient obstinément de lui obéir.

Flora apparut, les joues roses, les yeux brillants, resplendissante dans une robe fuchsia dont la couleur lui seyait à ravir. Murdo, le cœur battant, la bouche sèche, tremblait comme une feuille. Il était impossible qu'elle ne s'en aperçût pas !

— Bonjour, agent Murdo, dit-elle avec douceur.

— B... bonjour, madame, répondit-il d'une voix croassante et haut perchée.

Elle devait le prendre pour un imbécile ! Il inspira profondément, ouvrit la bouche, mais aucun son n'en sortit.

Flora s'installa dans une bergère en faisant bouffer ses jupes et s'enquit des raisons de sa visite en le fixant de manière tout à fait déconcertante :

— Que puis-je faire pour vous, agent Murdo ?

L'intéressé baissa la tête et, les yeux rivés au tapis, se lança dans l'explication qu'il avait préparée.

— Il se peut, madame, que l'un de vos admirateurs, ayant mal interprété vos fréquentes visites chez le Dr Shaw, en ait conçu une certaine jalousie...

Il n'osait pas la regarder. Avait-elle déjoué son stratagème, qui pourtant lui avait paru efficace quand il l'avait préparé dans sa chambre ? À présent, il lui semblait lamentable !

— Je ne crois pas, agent Murdo, répondit-elle après réflexion. Je ne connais aucun jeune homme qui éprouverait à mon égard des sentiments aussi extrêmes. Non, cela me paraît improbable.

— Oh si, madame ! dit-il en relevant la tête. Un gentleman qui vous aurait fréquentée dans les salons aurait pu... être enclin...

Il se sentit devenir cramoisi mais ne put détacher ses yeux des siens.

— Croyez-vous ? fit-elle en baissant les paupières avec modestie. Cela laisserait supposer que ce gentleman est fort épris de moi... Vous ne le pensez pas sérieusement ?

Murdo se jeta à l'eau. Même dans ses rêves les plus fous, une telle occasion n'aurait pu se présenter.

— Je ne sais pas, madame. Mais ce ne serait pas difficile à imaginer. Plus d'un gentleman donnerait certainement tout ce qu'il possède pour gagner votre affection. Je veux dire...

Elle le dévisageait avec un drôle de sourire, mi-intéressé, mi-curieux. Il s'était trahi et, bien qu'il eût envie de prendre ses jambes à son cou, ses semelles semblaient collées au tapis.

— C'est très gentil à vous, agent Murdo. À vous entendre, on croirait que je suis une vraie beauté ! On ne m'a jamais adressé compliment aussi joliment tourné !

Ne sachant que répondre, Murdo lui rendit son sourire. Il se sentait à la fois heureux et ridicule.

— Je ne vois pas qui, dans mes relations, aurait pu souhaiter la disparition du Dr Shaw à cause de mon attitude à son égard, reprit-elle en se redressant. Je n'ai encouragé personne. Mais le sujet est très grave. Je vous promets d'y réfléchir et de vous faire part de mes conclusions.

— Puis-je... revenir dans quelques jours, afin d'entendre ces conclusions ?

Il vit les commissures de ses lèvres se retrousser dans un imperceptible sourire.

— Si vous n'y voyez pas d'inconvénient, agent Murdo, je préférerais en parler dans un endroit où Papa ne nous entendra pas. Par moments, il a tendance à prendre tout ce que je fais de travers — oh, sans méchanceté, bien sûr. Cela vous ennuierait-il d'aller faire un tour dans Bromwich Walk ? Il fait encore beau. Nous pourrions nous retrouver derrière le presbytère, après-demain, et monter à Highgate boire une citronnade.

Murdo crut en perdre la voix. Son cœur chantait dans sa poitrine.

— C'est une idée...

Il faillit dire « merveilleuse », mais il jugea l'adjectif un peu déplacé.

— Une idée très plaisante, madame, balbutia-t-il, la gorge serrée.

Ah, si seulement il avait pu sourire moins niaisement !

— Vous m'en voyez ravie, dit-elle en se levant.

Elle passa si près de lui qu'il sentit son parfum fleuri et entendit le bruissement léger du satin de sa robe.

— Au revoir, agent Murdo.

Il déglutit avec difficulté.

— Au revoir, Miss Lutterworth.

— Modèle pour des peintres ?

Micah Drummond écarquilla les yeux, à la fois amusé et admiratif.

— Maude Dalgetty ? C'était donc elle la fameuse Maude ?

Ce fut au tour de Pitt d'être étonné.

— Vous la connaissiez ?

— Évidemment ! Qui ne la connaissait pas ?

Drummond se tenait debout près de la fenêtre de son bureau, illuminé par le soleil d'automne, dont les rayons jouaient sur les motifs colorés du tapis.

— Une des grandes beautés de son temps. Vous êtes un peu trop jeune pour l'avoir connue. Croyez-moi, tout habitué des music-halls connaissait le visage — et pas seulement le visage — de Maude Racine. Elle posait pour des cartes postales coquines. Elle était jolie, que dis-je, belle, vivante et chaleureuse. Je suis heureux d'apprendre qu'elle a épousé un homme qui l'aime. J'imagine qu'une chanteuse de cabaret aspire à une existence respectable, lorsque son heure de gloire est passée.

Pitt sourit à son tour. Il aimait bien cette femme, qui, au surplus, était une amie de Clemency.

— Vous l'avez rayée de la liste des suspects ? poursuivit Drummond. Il est vrai que je ne vois pas Maude commettre un meurtre pour préserver sa réputation. Elle n'avait rien d'une hypocrite. Et le mari, êtes-vous certain de son innocence ? Pas de dérobades, Pitt !

Celui-ci s'appuya contre la cheminée et regarda son supérieur.

— Certain. Dalgetty est un farouche défenseur de la liberté d'expression. Son stupide duel avec Pascoe avait pour origine une querelle sur la censure. Pour lui, les gens devraient avoir une complète liberté d'écriture et de parole. Ses relations ne l'excluraient pas de leur cercle, simplement parce que son épouse poussait autrefois la chansonnette et posait pour des peintres dans le plus simple appareil.

— Mais Maude a peut-être quelque regret, à présent. J'ai cru comprendre qu'elle œuvrait pour la paroisse et qu'elle allait à l'église tous les dimanches.

— En effet. Mais à ma connaissance, seuls Shaw et son épouse étaient au courant de son passé mouvementé. Clemency était la meilleure amie de Maude. Quant à Shaw, il ne l'aurait jamais dit à personne.

Il eut une brève hésitation.

— Sauf si cela lui a échappé sous le coup de la colère. Curieusement, Josiah Hatch éprouve une grande admiration pour Mrs. Dalgetty, alors qu'il professe des opinions très rétrogrades sur la femme, vertueuse gardienne du foyer, cet îlot de pureté protégeant la famille contre la laideur du monde extérieur. J'imagine très bien Shaw, qui déteste l'hypocrisie, prenant un malin plaisir à le contrarier. Mais ce ne serait pas une trahison volontaire.

— Je suis enclin à partager votre point de vue. Bon, voyons les autres. Nous n'avons aucune raison de soupçonner Pascoe. Vous avez éliminé Prudence Hatch de la liste des suspects, parce que Shaw ne révélerait jamais un secret médical. À propos, remerciez Charlotte pour son précieux concours.

Il quitta la fenêtre et retourna s'asseoir à son bureau.

— Le pasteur est un fieffé imbécile, mais nous n'avons connaissance d'aucune querelle grave entre lui et Shaw. Bien sûr, sa femme est amoureuse du beau docteur, mais un homme d'Église n'irait pas incendier deux maisons parce que son épouse est titillée par la virilité de son médecin. Mrs. Clitheridge ne se serait tout de même pas amourachée de Shaw au point de vouloir le supprimer parce qu'il a repoussé ses avances ?

Il guettait la réaction de Pitt. Celui-ci secoua la tête.

— Non ? Bon, d'accord. Elle n'aurait pas non plus tué Mrs. Shaw par jalousie ? Non, je ne crois pas. Et Lutterworth ?

— C'est un suspect possible, concéda Pitt.

L'expression rageuse de Lutterworth, chaque fois qu'il prononçait le nom du médecin, associé à celui de Flora, lui revint en mémoire. Il aimait profondément sa fille et possédait la passion et la force de caractère nécessaires pour perpétrer un tel acte, s'il le jugeait justifié.

— Oui, c'est un suspect possible, ou plutôt c'était, car il sait maintenant que les relations de Flora avec Shaw étaient d'ordre purement médical.

— Alors pourquoi passait-elle par la porte de service pour entrer chez lui, au lieu de se rendre directement à son cabinet de consultation ? insista Drummond.

— Flora tient à ce que personne ne soit au courant de la nature de son affection. Ce n'est pas difficile à comprendre.

Drummond, qui avait des filles, ne fit aucun commentaire

— Quels suspects cela nous laisse-t-il ?

— Josiah Hatch. Mais voilà des années qu'il se dispute avec Shaw à propos de tout. On ne décide pas soudain de tuer son beau-frère parce qu'il a un caractère et une conception de l'existence fondamentalement différents des vôtres. Restent les sœurs Worlingham, si elles croient Shaw responsable de la mort de Theophilus.

— Le croient-elles vraiment ? Permettez-moi d'en douter. À mon avis, elles l'auraient plutôt supprimé pour l'empêcher de révéler la provenance de la fortune des Worlingham.

— Shaw affirme que Clemency ne leur a rien dit, répondit Pitt. Mais elle l'a peut-être fait la veille de sa mort, sans qu'il soit au courant. Je dois découvrir l'événement qui a précipité la décision du criminel. Quelque chose, ce jour-là ou la veille, l'a plongé dans un état d'affolement ou de fureur qui l'a poussé à craquer l'allumette fatale.

— Et selon vous, qu'est-il arrivé ?

— Je l'ignore, confessa Pitt. J'ai harcelé Shaw de questions : il ne m'a apporté aucune réponse satisfaisante. Il se peut aussi qu'il ait mis le feu à sa maison avant de partir en visite. Ensuite, il aurait incendié celle de Lindsay parce que celui-ci avait compris qu'il était l'auteur du premier incendie. Lindsay n'aurait pas gardé le silence, s'il avait été certain de la culpabilité de son ami.

Hypothèse détestable, que par honnêteté il était bien obligé d'évoquer. Drummond comprit sa répugnance.

— Ce ne serait pas la première fois que vous éprouveriez de la sympathie pour un assassin, Pitt. La vie serait beaucoup plus simple, si nous pouvions aimer les bons, haïr les méchants et ne pas avoir autant de pitié pour les criminels que pour les victimes.

— Oui, il est difficile de faire la part des choses, acquiesça Pitt avec un sourire triste. J'ai connu des affaires où les assassins étaient autant à plaindre que leur victime. Si les coupables des incendies de Highgate se révèlent être Celeste et Angeline, je les plaindrai. L'évêque a gâché leur existence en leur préparant un avenir tout tracé qu'elles ont été obligées de suivre. J'imagine qu'il éconduisait leurs soupirants. Celeste lui servait de secrétaire et de dame de compagnie, Angeline de gouvernante et de maîtresse de maison, lorsqu'il recevait. À sa mort, elles étaient trop âgées pour se marier, et totalement dépendantes de sa façon de penser, de sa position sociale et de son argent. Si leur nièce, révoltée par sa découverte, menaçait de détruire tout ce qui justifiait leur existence, on peut comprendre qu'elles aient décidé de la faire disparaître. Si la vérité s'était sue, elles auraient vieilli dans la honte et le déshonneur. À leurs yeux, Clemency aurait été une traîtresse à la famille. Cette trahison pouvait légitimer son assassinat.

— En effet, acquiesça Drummond. À défaut, la dernière piste dont nous disposons est celle d'un incendie commandité par un propriétaire de taudis directement mis en cause par Mrs. Shaw. Je suppose que vous avez cherché de ce côté-là ? Worlingham n'était pas le seul profiteur de la misère de la capitale. Elle a pu découvrir d'autres noms. Lutterworth ne nourrit-il pas de grandes ambitions pour sa fille ? Ne veut-il pas faire oublier ses origines roturières et la marier à un jeune homme de bonne famille ? Cela dit, louer des taudis ne donne pas de soi une image très brillante. Cependant, la haute société n'y aurait peut-être pas vu d'inconvénient, ajouta-t-il avec une grimace. Nombre d'aristocrates ont bâti leur fortune de manière peu recommandable.

— Sans aucun doute. Mais ces gens-là savent se montrer discrets. Ils ferment les yeux sur le vice et acceptent parfois — à contrecœur — des roturiers dans leur cercle, à condition qu'ils aient de l'argent... En revanche, le manque de discrétion vous exclut à jamais de leur monde.

— Vous devenez bien cynique, mon cher, fit Drummond, narquois.

Pitt haussa les épaules.

— Lutterworth possédait des filatures dans le nord du pays. Il les a vendues pour s'installer à Londres. Il n'a pas investi ici dans l'immobilier.

— Et l'aspect politique ? insista Drummond, décidé à n abandonner aucune hypothèse. Mrs. Shaw et Lindsay auraient-ils été tués parce qu'ils étaient liés à Dalgetty et ses amis de la Société Fabienne ?

Pitt plissa le front.

— Je n'ai rien trouvé de ce côté-là. Clemency et Lindsay s'appréciaient, mais nous ignorons de quoi ils s'entretenaient. Seul Shaw pourrait nous le dire, s'il se décidait à parler. Les deux maisons étant entièrement détruites, nous n'avons aucune trace écrite de leur appartenance à un parti politique.

— Vous pourriez aller rendre visite à quelques membres de cette Société Fabienne.

— Je le ferai, s'il le faut. Mais aujourd'hui ont lieu les obsèques de Lindsay. Là, je pourrai peut-être découvrir ce qu'a fait Clemency au cours des deux journées ayant précédé sa mort, les gens qu'elle a rencontrés, et la nature des événements qui ont déclenché une telle hostilité à son égard.

— Venez aussitôt me faire un rapport, voulez-vous ? Je veux absolument savoir.

— Bien, monsieur. À présent je dois partir. Je ne veux pas être en retard. Je hais les enterrements, surtout quand j'observe les visages des personnes venues pleurer le défunt, en pensant que l'une d'entre elles est l'assassin.

Charlotte se préparait de son côté pour cette cérémonie. Elle venait de recevoir un message d'Emily lui signalant qu'elle allait à l'enterrement avec Jack et que tante Vespasia serait également présente. Elle précisait qu'ils passeraient la prendre à dix heures, sans lui donner d'autre explication. Comme il était déjà neuf heures passées, Charlotte ne pouvait décliner l'invitation.

« Dieu merci, Maman et Grand-Maman ne viennent pas », songea-t-elle en glissant machinalement le message dans sa boîte à couture.

Emily avait-elle du nouveau, de son côté ? Jack devait prendre contact avec des membres du parti libéral. Il avait l'intention de se présenter à la députation dès qu'un siège se trouverait vacant, si, bien entendu, ils l'acceptaient comme candidat. Si Jack était sincère en disant qu'il poursuivrait l'œuvre de Clemency, il avait peut-être déjà rencontré des membres de la Société Fabienne et du parti socialiste, qui n'avaient d'ailleurs aucune chance d'envoyer l'un des leurs au Parlement. Mais le débat d'idées n'en était pas moins nécessaire.

Charlotte apporta un soin particulier à sa toilette, essayant inconsciemment de se présenter à son avantage. Au bout d'une demi-heure de coiffure, toujours insatisfaite de son chignon, elle s'aperçut que ces efforts étaient destinés à plaire à Stephen Shaw et en conçut une honte qui la fit rougir jusqu'aux oreilles.

— Gracie !

La jeune fille apparut sur le palier, un chiffon à la main.

— Oui, madame ?

— Voudriez-vous m'accompagner aux obsèques de Mr. Lindsay ?

— Oh, oui, madame ! C'est à quelle heure ?

— Euh... dans un quart d'heure. Ou plutôt, nous partirons dans un quart d'heure. Ma sœur vient nous prendre en voiture.

La mine de Gracie s'allongea. Elle avala sa salive.

— Mais je n'ai pas fini mon travail ! Il me reste les escaliers et la chambre de Miss Jemima. Il y a de la poussière, même si elle n'est pas là. Et puis, je suis pas prête et ma robe noire est pas repassée.

— Celle-ci fera l'affaire, dit Charlotte après un bref

coup d'œil à la tenue de droguet gris foncé que portait Gracie pour travailler.

Dès que ses moyens le lui permettraient, elle lui offrirait une jolie robe bleue.

— Rangez votre chiffon. Les poussières attendront.

— Vous êtes sûre, madame ? demanda Gracie qui n'en croyait pas ses oreilles.

C'était bien la première fois qu'on lui disait de ranger son chiffon. Surtout pour aller jouer les détectives !

— Absolument sûre. Dépêchez-vous d'aller vous coiffer et prenez un manteau. Il ne faut pas être en retard.

— Oh oui, madame, j'y vais tout de suite !

Elle fila comme une flèche vers l'escalier qui menait au grenier où l'on avait aménagé sa chambre.

Emily arriva à l'heure dite, éblouissante, coiffée d'une capeline à voilette coquettement inclinée et vêtue d'une robe de mousseline de satin noir, brodée de petites perles de jais, au col de dentelle montant jusqu'au menton. À voir ses joues roses et ses yeux brillants, on devinait sans peine qu'elle était jeune mariée. Charlotte en fut ravie pour elle et n'osa faire de commentaire sur le tissu de la robe, si fin qu'il laissait entrevoir la chair laiteuse de sa gorge. Il eût mieux convenu à une soirée qu'à un enterrement !

Jack se tenait légèrement en retrait, encore plus élégant qu'à l'ordinaire. Il avait toujours pris grand soin de son apparence vestimentaire, mais on sentait que ses notes de tailleur lui causaient moins de souci. Toujours aussi charmant et désireux de plaire, il paraissait plus sûr de lui ; il émanait de sa personne une sorte de paix rayonnante. En l'écoutant parler, Charlotte comprit que ce bonheur n'était pas seulement dû à son mariage : Jack s'était fixé un but qui lui donnait une assurance nouvelle.

Il déposa un léger baiser sur sa joue.

— J'ai pris contact avec un groupe de parlementaires, et je crois qu'ils vont accepter ma candidature !

annonça-t-il avec un large sourire. Dès qu'une élection partielle aura lieu, je me présenterai à la députation.

Charlotte le gratifia d'un lumineux sourire.

— Félicitations ! Nous ferons tout ce qui est en notre pouvoir pour vous aider.

Elle regarda Emily, qui rayonnait de fierté, et ajouta :

— Absolument tout ! S'il le faut, j'arriverai même à tenir ma langue ! Bon, il est l'heure de partir à l'enterrement de ce pauvre Amos. Je suis convaincue que sa mort est liée à celle de Clemency.

— Moi aussi, renchérit Emily. À mon avis, c'est la même personne qui a incendié les deux maisons, et ce pour des raisons de basse politique. Clemency a dû déranger beaucoup de monde en se battant pour la levée de l'anonymat des propriétaires de taudis. Plus je m'intéresse à son action, plus je m'aperçois que sa détermination était grande. De nombreuses personnes pourraient être éclaboussées par le scandale. Es-tu certaine que les sœurs Worlingham ignoraient ses activités ?

— A priori, oui, mais sait-on jamais ? Celeste est meilleure actrice qu'Angeline. Celle-ci est si transparente, si naïve, si émotive... Je la crois incapable d'avoir conçu un plan destiné à incendier la maison de sa nièce.

— Mais Celeste aurait pu le faire. Elles avaient tout à perdre, non ? Encore plus que les autres.

— Sauf Shaw, souligna Jack. Clemency avait entièrement dépensé sa part d'héritage avant de mourir, et Shaw prétend avoir été au courant, mais peut-être n'approuvait-il pas sa démarche ; il aurait fait disparaître sa femme pour l'empêcher de dilapider toute leur fortune et ne se serait rendu compte qu'après coup que celle-ci s'était volatilisée.

Charlotte observa son beau-frère avec acuité. Cette explication ne lui était jamais venue à l'esprit, mais elle ne pouvait nier sa pertinence. Dans la famille, mis à part Shaw, personne ne connaissait les activités de Clemency. Il avait affirmé tout savoir depuis le début, mais peut-être avait-il menti. Venait-il juste de se rendre compte qu'il était ruiné non seulement financièrement mais aussi socialement, si son épouse avait décidé de rendre public son combat en faveur des indigents ? C'était un excellent mobile de meurtre.

— Je suis désolé, murmura Jack, devant le silence contrarié de Charlotte, mais c'est une hypothèse qu'on ne peut écarter.

Elle frissonna. Le visage honnête et franc du médecin lui apparut clairement. Elle fut étonnée de constater à quel point l'idée de le savoir coupable lui faisait mal. Elle détourna les yeux et regarda la porte.

— Il faut partir ! répéta-t-elle. Au fait, j'ai proposé à Gracie de nous accompagner. J'estime qu'elle le mérite, non ?

— Bien sûr ! approuva Emily. J'espère que nous pourrons apprendre quelque chose de concret aujourd'hui, mais j'ai l'impression qu'il nous faudra avant tout nous fier à notre intuition. En revanche, nous pourrions poser quelques questions au cours du déjeuner qui suivra l'enterrement. Es-tu invitée ?

— Je crois.

Charlotte se souvenait clairement que Shaw l'avait expressément invitée, parce qu'elle était une des rares personnes à être, comme lui, dénuées d'hypocrisie. Elle tenta à nouveau de le chasser de ses pensées.

— Allons, venez, nous allons être en retard !

Plus de deux cents personnes étaient rassemblées dans la petite église de Highgate pour assister au cérémonial pompeux présidé par le révérend Clitheridge. La musique de l'orgue s'élevait en vagues riches et sonores, accompagnant l'assistance momentanément unie par le chant. Les rayons du soleil, filtrés par les vitraux, tombaient sur les dalles en facettes colorées et jouaient sur les différentes nuances du noir des manteaux et des chapeaux.

Au moment de quitter l'église, Charlotte aperçut, assis au fond de la travée, un inconnu aux cheveux roux, de mince carrure, dont l'attitude attira son attention : le menton en l'air, il paraissait perdu dans la contemplation de la voûte, très loin de ce qui se passait autour de lui. Ses traits n'avaient rien d'extraordinaire, mais son expression reflétait une intelligence et un humour peu communs.

Elle l'observa avec curiosité. L'homme s'en aperçut et se tourna vers elle.

— Est-ce que quelque chose vous intrigue à mon sujet ? s'enquit-il avec un fort accent irlandais.

— Pas du tout, monsieur, répondit Charlotte avec aplomb. Un homme qui regarde le ciel aussi intensément doit être laissé à sa contemplation.

— Je ne regardais pas le ciel, madame, remarqua-t-il d'un ton indigné, mais le plafond de cette église.

Puis, comprenant l'ironie moqueuse de la réflexion de Charlotte, il se détendit et lui adressa un charmant sourire.

— Je me présente : George Bernard Shaw, madame. J'étais un ami d'Amos Lindsay. Et vous ?

— Oui, moi aussi, dit-elle, exagérant un peu la vérité. Je suis triste qu'il nous ait quittés.

Le visage de l'homme s'assombrit.

— Oui, quelle tristesse et quel gâchis !

Ils ne purent poursuivre cette conversation car la foule se pressait pour sortir de l'église. Charlotte lui adressa un petit signe de tête et s'éloigna, le laissant à sa contemplation.

La moitié de l'assistance suivit le cercueil jusqu'au cimetière. Autour du tombeau ouvert, la terre humide était jonchée de feuilles mortes.

Tante Vespasia, vêtue d'une tenue de deuil couleur lavande — elle refusait de porter du noir —, se tenait aux côtés de Charlotte, la tête haute, les épaules bien droites, appuyée sur sa canne. Elle détestait avoir à s'en servir, mais l'oraison de Clitheridge n'en finissait pas. D'une voix ronronnante, il pérorait sur le caractère inéluctable de la mort et la fragilité de la vie

— L'imbécile ! jura Vespasia entre ses dents. Pourquoi diable les pasteurs s'imaginent-ils que l'on ne peut pas parler à Dieu dans un langage simple ? Il n'a pas besoin qu'on lui explique les choses de trois manières différentes ! J'ai toujours pensé qu'on ne pouvait guère l'impressionner par des phrases interminables, ni le tromper par des arguments fallacieux. Pour l'amour du ciel, Il nous a créés ! Il sait que nous sommes des créatures tout à la fois fragiles, stupides, belles, laides et courageuses.

Elle enfonça rageusement la pointe de sa canne dans le sol.

— Il n'a certainement pas besoin d'entendre ces jérémiades ! Allons, qu'on en finisse ! Enterrez ce pauvre garçon et laissez-nous aller évoquer son souvenir dans un lieu plus confortable !

Charlotte priait intérieurement pour que personne n'ait entendu cette diatribe. Vespasia avait chuchoté, mais elle possédait une élocution distincte.

— Bien dit ! fit une voix derrière leur dos.

Charlotte tourna la tête et croisa le regard bleu-gris de Stephen Shaw, brillant de chagrin, qui démentait le sourire qui flottait sur ses lèvres.

Elle se retourna aussitôt vers la tombe et s'aperçut que Lally Clitheridge la fixait avec haine. Elle en ressentit plus de pitié que de colère, en songeant que si par malheur elle avait été mariée à Hector Clitheridge, elle aurait détesté celle qui réduisait ses rêveries à néant.

Le pasteur continuait à soliloquer, comme si le fait de repousser le moment où la terre ensevelirait le cercueil retenait le défunt parmi les vivants.

Matthew Oliphant bougeait d'un pied sur l'autre, l'air malheureux et agacé. De l'autre côté de la tombe se tenait Alfred Lutterworth, les cheveux ébouriffés par le vent. La main posée sur le bras de son père, les joues rosies, Flora avait l'air d'une petite fille. L'expression angoissée qui d'ordinaire ne la quittait pas avait disparu

Charlotte vit Lutterworth prendre sa main et la serrer dans la sienne.

L'agent Murdo, debout dans un coin du cimetière, se tenait très droit, presque au garde-à-vous. Les boutons de son uniforme étincelaient au soleil. Il était certainement là pour observer l'assistance, mais ne quittait pas la jeune fille des yeux. Pour lui, elle semblait la seule personne présente.

Charlotte entrevit la silhouette de Pitt qui passait devant la sacristie. Les pans de son écharpe voletaient dans le vent. Sans doute s'était-il douté qu'elle viendrait. Il tourna la tête vers elle et lui sourit. L'espace d'un instant, elle eut l'impression qu'ils étaient seuls tous les deux et qu'ils pouvaient se toucher. Puis Pitt poursuivit son chemin vers la haie ombragée des ifs qui bordaient le cimetière. Il était là pour guetter chaque expression, chaque geste, chaque regard échangé, pour écouter les bavardages et interpréter les silences.

Les yeux de Charlotte se posèrent sur le beau visage de Maude Dalgetty : les rides qui marquaient ses traits révélaient un cœur généreux, un caractère enjoué, et n'exprimaient aucune amertume, aucun regret.

À ses côtés, son mari, droit comme un cierge, évitait de regarder Pascoe. Ce dernier arborait l'attitude d'un soldat face à la tombe d'un ennemi tombé au champ d'honneur, montrant ainsi qu'il tenait à saluer un homme qu'il estimait, bien qu'ils se fussent souvent querellés. Dalgetty, lui, se recueillait devant la sépulture d'un camarade mort pour le même combat. Tout au long de la cérémonie, ils firent comme s'ils ne se voyaient pas.

Josiah Hatch, tête nue, comme tous les hommes, gardait les lèvres pincées. Prudence n'était pas à ses côtés, les demoiselles Worlingham non plus, perpétuant la tradition qui voulait qu'une femme n'assistât pas aux cérémonies funèbres.

Clitheridge termina enfin son oraison et les fossoyeurs commencèrent à jeter des pelletées de terre sur le cercueil.

— Dieu merci, c'est fini, souffla Shaw à l'oreille de Charlotte. Vous venez au déjeuner, n'est-ce pas ?

— Volontiers, accepta Charlotte.

Vespasia se retourna lentement et examina le médecin avec une certaine froideur.

Celui-ci s'inclina devant elle.

— Mes hommages, Lady Cumming-Gould. C'est très aimable à vous d'être venue, surtout par une journée d'automne aussi venteuse. Je suis sûr qu'Amos aurait apprécié votre geste.

Vespasia battit légèrement des paupières.

— Vraiment ?

Shaw comprit aussitôt le sous-entendu.

— Vous êtes venue pour Clemency, n'est-ce pas ? Ce n'est pas la pitié qui vous amène, mais la colère, et vous avez raison : nos sentiments n'atteignent pas les morts. Vous êtes déterminée à démasquer le criminel. Eh bien, moi aussi.

— Vous êtes très perspicace, docteur Shaw. C'est en effet la raison de ma présence ici. D'ailleurs, il est grand temps de nous rendre au banquet funèbre.

Il lui offrit son bras, qu'elle accepta gracieusement, et, le bord de sa grande capeline frôlant l'épaule de Shaw, la vieille dame se dirigea avec majesté vers son attelage.

Comme pour l'enterrement de Clemency, le repas de funérailles avait pour cadre la demeure des Worlingham. On ne pouvait, comme le voulait la tradition, l'organiser chez Lindsay, puisque sa maison n'était plus que ruines. Quant à la pension de Mrs. Turner, où vivait désormais le Dr Shaw, elle était trop exiguë pour accueillir une si nombreuse assemblée, et ses autres locataires n'avaient sans doute pas envie d'être dérangés.

Celeste et Angeline avaient donc proposé, par devoir chrétien, l'usage de leur salle à manger et les services de leur domesticité. Elles n'aimaient pas Amos Lindsay mais considéraient que, en leur qualité de filles de l'évêque décédé, elles restaient responsables du bon déroulement de la cérémonie. Elles firent clairement comprendre que, lorsque l'on honorait un défunt, les convenances primaient les sentiments personnels. Personne ne devait se méprendre : elles n'avaient jamais partagé les idées ni approuvé les paroles de Lindsay.

Les deux sœurs accueillirent les arrivants à l'entrée de l'immense salle à manger. Sur la grande table d'acajou étaient disposées toutes sortes de viandes rôties et d'entrées froides. Au milieu de la table trônait un énorme bouquet de lis au parfum écœurant ; Charlotte ne pouvait jamais respirer leur fragrance sans ressentir une certaine somnolence.

Les tentures étaient à demi tirées en signe de deuil, des bandes de crêpe noir entouraient les tableaux, les pilastres de l'escalier et des linteaux des portes.

L'ordonnancement du déjeuner avait été préparé avec soin, car il était impossible de faire asseoir tout le monde. De plus, Shaw ayant, de sa propre initiative, invité des gens comme l'inspecteur Pitt, à la grande indignation des deux sœurs, les domestiques ne pouvaient savoir à l'avance combien il y aurait de personnes présentes.

Les plats étaient donc disposés de façon que les hôtes soient servis par le majordome et les servantes, qui attendaient discrètement de l'autre côté de la porte ouverte à double battant. Les convives pourraient ensuite circuler dans la pièce en bavardant jusqu'au moment où le pasteur dirait à nouveau quelques mots. Shaw devait enfin faire l'éloge funèbre de son ami.

Du porto était prévu pour les messieurs et des vins doux pour les dames. Pour accompagner la viande, le sommelier avait choisi les meilleurs vins de Bordeaux de la cave.

— Comment faire pour apprendre quelque chose de nouveau ? chuchota Emily à l'oreille de sa sœur, tout en fronçant un sourcil désappointé. Regarde, chacun joue son rôle : Clitheridge est dépassé par les événements, son épouse lui souffle des réponses tout en te lançant des regards mauvais chaque fois que tu t'approches du Dr Shaw. Si ses yeux avaient le pouvoir de foudroyer, tes cheveux se dresseraient sur ta tête et ta robe tomberait en lambeaux !

— Tu ne peux pas la blâmer, répondit Charlotte sur le même ton. Le pasteur n'est pas tout à fait le genre d'homme dont la vue vous fouette le sang, reconnais-le.

— Pas de vulgarité, je te prie. Mais c'est vrai, quitte à choisir, je préférerais de loin le Dr Shaw, s'il n'a pas assassiné sa femme, bien entendu.

Charlotte, ne sachant que répondre, envoya un coup de coude dans les côtes de sa sœur. Emily laissa échapper un gargouillis d'indignation.

Flora Lutterworth se tenait au bras de son père. Elle avait relevé sa voilette. Charlotte était curieuse de connaître la raison du sourire mutin qui errait sur ses lèvres.

Pitt, à l'autre bout de la pièce, avait également vu ce sourire. Son petit doigt lui disait qu'il n'était pas sans relation avec la présence de Murdo. Finalement, son jeune collègue s'apercevrait peut-être que courtiser Flora était plus facile qu'il ne le croyait.

Pitt s'était habillé avec un soin particulier : chemise blanche à col cassé, cravate élégamment nouée. Il avait vidé le contenu de ses poches, pour ne garder qu'un mouchoir, un bout de crayon et un morceau de papier, destinés à prendre des notes. Détail superflu, car il n'en prenait jamais ! Mais, selon lui, un policier devait toujours avoir sur lui de quoi écrire.

Il comprit que Shaw l'avait invité par provocation. Une façon à lui de montrer à Celeste et Angeline que, bien que le repas se tînt chez elles, Lindsay était son ami, que c'était lui, Shaw, le maître de cérémonie, et qu'il avait donc le droit d'inviter les personnes de son choix.

Il présidait à un bout de la table, bien campé sur ses jambes, et se comportait comme si les domestiques servant la viande et le vin étaient les siens. Il ne regardait jamais les deux sœurs, qui, debout derrière lui, en robes de deuil emperlées de jais, l'air sévère, adressaient de petits sourires crispés aux invités dont elles approuvaient la présence, tels Josiah et Prudence Hatch, Quinton Pascoe et Lady Cumming-Gould. Elles hochaient la tête poliment devant ceux qu'elles toléraient, comme les Lutterworth, Emily et Jack. En revanche, elles ignoraient complètement ceux dont elles savaient que la présence était le fruit d'un affront calculé, tels cet inspecteur de police et cette Charlotte Pitt. Comme ils n'étaient pas arrivés ensemble et ne se parlaient pas, les deux sœurs n'avaient pas immédiatement réalisé le lien qui les unissait.

On servit à Pitt une tourte au pigeon, puis du civet de lièvre, accompagné de pain bis et d'un verre de vin rouge. L'assiette à la main, il se promena dans la pièce, cherchant à surprendre des conversations, épiant les visages, surtout ceux des invités esseulés, qui n'avaient pas conscience d'être observés.

Que s'était-il exactement passé au cours des deux jours précédant la mort de Clemency ? Quelques mois plus tôt, après la découverte de l'origine de la fortune des Worlingham, elle avait distribué la totalité de son héritage au profit des indigents. Mais quand en avait-elle fait part à son mari ? L'avait-il découvert par hasard ? S'étaient-ils disputés à ce sujet ? Ou bien Shaw, faisant preuve de subtilité, avait-il prétendu approuver son geste ? Non. S'il avait dissimulé son sentiment, c'est qu'il pensait que la somme d'argent restant valait la peine de tuer sa femme pour préserver ce qui restait.

Par-dessus la tête de deux invitées, Pitt aperçut le médecin, qui bavardait avec Maude Dalgetty. Il souriait et hochait la tête, mais paraissait tendu. Les muscles de ses épaules étaient contractés sous sa veste, comme s'il avait envie de donner libre cours à la rage qui l'habitait. Pitt avait peine à croire qu'il ait pu se dominer devant Clemency, lorsque celle-ci lui avait appris qu'il ne leur restait plus d'argent. Connaissant ses expressions et ses inflexions de voix, elle aurait immédiatement compris le sens de sa colère et deviné qu'elle était en danger.

Comment avait-elle réagi lorsque Josiah lui avait annoncé qu'il allait faire poser un vitrail à la mémoire de l'évêque représenté sous les traits d'un grand prophète ? Quelle intolérable ironie ! Et pourtant Clemency, faisant preuve d'un sang-froid admirable, s'était tue. Car si la petite-fille de l'évêque avait laissé entendre qu'elle connaissait quelque abominable secret concernant celui-ci, on l'aurait écoutée, à défaut de la croire tout à fait.

Était-il concevable que tout le monde se soit tu ? Y avait-il eu une véritable conspiration du silence ?

Pitt observa les principaux protagonistes : Clitheridge, nerveux et tourmenté ; Lally cherchant à arrondir les angles et s'affairant autour de Shaw ; Pascoe, bandé à l'épaule sous son habit de deuil, évitant Dalgetty, dont la joue était toujours écorchée ; Matthew Oliphant, à voix basse, adressait ici un mot de réconfort, là un geste rassurant ; Josiah Hatch était très pâle ; Prudence paraissait plus détendue qu'à l'ordinaire ; les Lutterworth étaient toujours considérés de haut par Angeline et Celeste, qui cachaient leur mécontentement sous des sourires figés.

Non, il ne pouvait y avoir eu conspiration entre des gens si différents. La plupart d'entre eux n'avaient aucun intérêt à protéger la réputation des Worlingham. Dalgetty aurait été ravi d'ébruiter l'affaire des taudis — une occasion de fustiger les défenseurs de l'ordre établi et aussi pour le plaisir de faire enrager Pascoe. Quant à Lindsay, lui dont les idées étaient proches de celles des Fabiens, il aurait certainement beaucoup ri en apprenant la nouvelle.

Assurément, rien n'avait été dévoilé lorsque Josiah Hatch avait lancé l'idée de la pose du vitrail. Les dons avaient été collectés, le verre acheté, les artistes et les vitriers embauchés, l'archevêque d'York invité pour l'inauguration. Tout ce que Highgate et le nord de Londres comptaient d'ecclésiastiques participerait à la cérémonie.

Pitt goûta son bordeaux : un vin excellent. L'évêque s'était constitué une très belle cave. Dix ans après sa mort, et deux ans après celle de Theophilus, la maison Worlingham pouvait encore se permettre d'offrir un somptueux déjeuner. Mais, pour Celeste et Angeline, ce n'était qu'un devoir en mémoire de leur père.

Le vitrail, qui avait dû coûter une somme considérable, était destiné, selon les dires de la famille, à prouver la reconnaissance des habitants de Highgate envers l'évêque. Il avait donc sans doute été financé par les deniers des paroissiens et des personnes qui gardaient de lui un souvenir vivace.

Josiah Hatch s'était impliqué dans cette affaire, car c'était là le rôle d'un homme. On ne pouvait pas laisser à deux vieilles dames le soin de collecter les fonds et d'embaucher des artisans. Et il valait mieux que ce ne fût pas un descendant direct de la famille. Deux hommes étaient donc concernés : Hatch et Shaw, les gendres de Theophilus.

Il était inconcevable que Shaw ait accepté de lever les fonds pour le vitrail : il avait toujours cordialement détesté l'évêque. En apprenant l'origine de sa fortune, lui dont le travail quotidien consistait précisément à soulager les miséreux, il avait dû le mépriser encore davantage. En revanche, Hatch éprouvait pour l'évêque une vénération qui dépassait celle de ses deux filles. On le considérait comme son fils spirituel.

Pitt se demanda ce que Shaw avait répondu à son beau-frère, quand ce dernier était venu lui demander sa contribution à la fabrication et à la pose du vitrail. L'entrevue avait dû être mémorable. Il s'imaginait la scène : Shaw, venant d'apprendre que Clemency avait dépensé toute sa part d'héritage pour tenter de réparer les torts causés par son grand-père, faisant face à Hatch qui, la main tendue, venait lui réclamer de l'argent.

Shaw avait-il gardé son sang-froid et tenu sa langue ?

Pitt observa, parmi l'assistance, le visage franc et honnête du médecin. La réponse était évidemment négative.

À ce moment précis, ce dernier leva son verre et, de l'autre main, frappa sur la table. Peu à peu, le brouhaha des conversations s'éteignit.

— Mesdames et messieurs, dit-il d'une voix claire, nous sommes réunis ici aujourd'hui, à l'invitation de Miss Celeste et de Miss Angeline Worlingham, pour honorer le souvenir de notre ami Amos Lindsay. Je rappellerai donc en quelques mots l'homme qu'il était vraiment.

Il y eut une légère confusion dans l'assistance : on entendit des froissements de taffetas, des bruits de chaussures, des raclements de gorge, des exclamations étouffées.

— Le révérend a parlé de lui en chaire, ou, plutôt, il a dressé une liste des vertus que l'on attribue en général aux défunts. Aucune voix n'ose jamais s'élever pour dire « Eh bien, non, cette description ne lui ressemble pas ».

Il leva son verre un peu plus haut.

— Moi, j'ose l'affirmer ! Je veux boire à la santé de l'homme, tout simplement, et non à son image déshumanisée, privée de ses faiblesses et de ses vraies qualités.

— Oh... vraiment ! bredouilla Clitheridge.

Très pâle, il se demandait s'il devait l'interrompre et prendre sa place en bout de table, ou se borner à lui adresser quelques reproches, en espérant que sa bonne éducation reprendrait le dessus.

— Je veux dire... Ne croyez-vous pas que...

— Non, je ne crois pas, l'interrompit Shaw d'un ton cassant. Je hais votre pitié pleurnicheuse ! Vous avez prétendu qu'il était l'un des piliers de la paroisse, un vrai croyant, aimé de tous. N'avez-vous donc aucune honnêteté ? Oseriez-vous, vous tous, affirmer que vous aimiez Amos Lindsay ? L'oseriez-vous ?

On entendit des exclamations choquées. Clitheridge se retourna, espérant trouver un soutien dans l'assistance.

— Quinton Pascoe, ici présent, avait peur de lui,

poursuivit Shaw. Ses écrits l'horrifiaient. Il les aurait fait censurer, s'il en avait eu la possibilité.

Il y eut des murmures, des bruissements de tissu. Chacun se tourna vers Pascoe, dont les joues s'étaient enflammées. Mais avant qu'il ait pu émettre la moindre protestation, Shaw enchaîna :

— Tante Celeste et tante Angeline haïssaient les valeurs qu'il incarnait. Elles sont convaincues que les idées progressistes sont impies et que, si on les laisse se répandre, elles amèneront la fin de la civilisation chrétienne, ou du moins des privilèges de la classe sociale à laquelle nous appartenons. C'est la seule chose qui compte à leurs yeux, car, en vérité, c'est tout ce que leur père les a autorisées à connaître.

— Vous êtes ivre ! s'exclama Celeste dans un murmure plein de fureur qui résonna jusqu'au fond de la pièce.

— Oh, mais non ! Je suis tout à fait sobre, répliqua Shaw en regardant le verre de vin qu'il tenait à la main. Je n'ai bu qu'une gorgée de cet excellent bordeaux. Quant au porto de Theophilus, je n'y ai pas encore goûté. Mon dernier devoir à l'égard de ce pauvre Amos, c'est d'avoir les idées claires pour parler de lui en ce moment. Dieu sait pourtant que j'aurais de bonnes raisons de noyer mon chagrin dans l'alcool. Mon épouse et mon meilleur ami ne sont plus de ce monde. Et la police, en dépit de son zèle, ne semble pas avoir la moindre idée de l'auteur des incendies.

— Stephen, vos propos manquent de dignité, fit Prudence à voix basse, mais la dizaine de personnes qui l'entouraient l'entendirent clairement.

— Docteur Shaw, vous parliez de Mr. Lindsay, lui rappela gentiment Oliphant.

Les traits du médecin s'assombrirent. Il posa son verre sur la table.

— Merci de me le rappeler, Mr. Oliphant. Vous avez raison, je ne dois pas m'apitoyer sur mon sort. Nous sommes ici pour évoquer ce qu'était Amos de son vivant. Nous lui rendrions un bien maigre hommage, si nous le peignions en couleurs pastel et si nous passions sous silence ses échecs et ses victoires.

Angeline s'éclaircit la gorge.

— Il ne faut pas dire du mal des morts, Stephen. Ce n'est pas chrétien, et cela ne sert à rien. Nous appréciions tous Mr. Lindsay et nous pensions beaucoup de bien de lui.

— Mensonges que tout cela ! Saviez-vous qu'il avait épousé une femme africaine, noire comme l'ébène et belle comme la nuit ? Elle lui a donné des enfants, qui sont restés là-bas, en Afrique.

Celeste s'avança vers lui et le prit par le bras.

— Vraiment, Stephen, vos propos sont irresponsables ! Le pauvre homme n'est pas là pour se défendre.

Shaw dégagea violemment son bras.

— Bon sang, pourquoi voulez-vous qu'il se défende ? Épouser une Africaine n'est pas un péché ! Oh, des défauts, il en avait, et de nombreux...

Il écarta les bras dans un geste expressif.

— Dans sa jeunesse, Amos était violent, buvait sec, il profitait des imbéciles, surtout les riches, et courtisait les femmes mariées. Mais, ajouta-t-il en baissant la voix, une existence difficile lui a appris la compassion. Il n'était ni menteur ni intolérant. Il n'a jamais répandu le moindre ragot sur quiconque et aurait gardé un secret jusqu'à la tombe. Il n'avait aucune prétention à s'élever socialement et savait reconnaître les hypocrites. Il méprisait la duplicité.

— Je crois vraiment... commença Clitheridge en agitant les mains pour détourner l'attention de tous, vraiment je crois...

— Vous pouvez faire de grandes phrases sur qui vous voulez, tonna Shaw, mais Amos était mon ami et je le décrirai comme tel ! J'en ai par-dessus la tête d'entendre vos platitudes et vos mensonges. Vous n'êtes même pas capable de parler avec sincérité de ma pauvre Clemency. À ses obsèques, vous avez prononcé des phrases creuses qui ne reflétaient rien de sa véritable personnalité. À vous entendre, c'était une petite femme paisible et ignorante qui passait sa vie à m'obéir à s'occuper de mon bien-être et à faire la charité aux pauvres de la paroisse. Vous l'avez décrite comme une terne créature, frileuse et un peu simple d'esprit.

La rage et le chagrin faisaient étinceler ses yeux clairs et enflammaient ses joues. Son corps tout entier tremblait. Même Celeste n'osait intervenir.

— Clem ne ressemblait en rien à cette fade description ! Elle avait plus de courage que vous tous réunis, et plus d'honnêteté !

Pitt s'obligea à détourner son regard de Shaw pour observer l'assistance. Sur l'un de ces visages, lirait-il de la peur à l'idée de ce que Shaw allait dire ensuite ? Angeline paraissait inquiète ; Celeste arborait une expression dégoûtée ; mais il ne lut pas sur leur visage la crainte d'entendre dévoiler l'origine de la fortune de leur père.

Il ne vit rien non plus sur celui de Prudence, qui se trouvait de profil par rapport à lui ; Hatch gardait une attitude raide et méprisante.

— Dieu seul sait pourquoi elle était née Worlingham, poursuivit Shaw, les poings serrés, le buste penché en avant. Son père était un hypocrite prétentieux, cupide et lâche...

— Comment osez-vous !

Cette fois, Celeste perdit le sens des convenances.

— Toute sa vie, mon frère a mené une vie droite et honnête. C'est vous qui êtes cupide et lâche ! Si vous l'aviez soigné correctement, comme il était de votre devoir de médecin et de gendre de le faire, il serait sans doute parmi nous aujourd'hui !

— C'est bien vrai, renchérit Angeline, frémissante. C'était un noble cœur qui a toujours fait son devoir.

— La mort l'a surpris alors qu'il rampait par terre au milieu de dizaines de milliers de livres sterling ! explosa

Shaw. S'il a été assassiné, ce fut probablement par un maître chanteur !

Un silence stupéfait et horrifié s'abattit sur la salle. Pendant quelques secondes, chacun retint sa respiration. Puis Angeline poussa un cri et Prudence étouffa un sanglot.

— Dieu tout-puissant ! s'exclama Lally.

— Mais qu'est-ce que vous nous racontez là, mon vieux ? demanda Lutterworth. C'est impensable ! Theophilus Worlingham était l'un des hommes les plus importants de la paroisse. Sur quoi vous fondez-vous pour dire une chose pareille ? Ce n'est pas vous qui l'avez trouvé par terre. Qui vous a dit qu'il y avait tout cet argent à côté de lui ? Peut-être allait-il faire un achat important.

— Un achat de sept mille quatre cent quatre-vingt-trois livres en espèces ? ironisa Shaw.

— Certaines personnes préfèrent garder leur argent à leur domicile, suggéra Oliphant d'un ton apaisant. Il pouvait être en train de le compter, quand il a eu cette attaque. Car il a bien succombé à une attaque, n'est-ce pas ?

— En effet, acquiesça Shaw, mais les billets étaient éparpillés un peu partout dans la pièce et il tenait des bons du Trésor dans son poing serré, le bras tendu en avant, comme s'il s'apprêtait à les donner à quelqu'un. Tout indique qu'il n'était pas seul dans son bureau.

Celeste recouvra enfin sa voix.

— Calomnies ! Mensonges ! Mon frère était seul, vous le savez très bien. C'est Clemency qui l'a trouvé et qui vous a prévenu.

— En effet, Clemency l'a trouvé et m'a prévenu. Theophilus était allongé par terre, et la porte-fenêtre donnant sur le jardin était ouverte. Qui peut dire si Clemency a été la première à entrer dans le bureau ? Le corps était déjà froid quand elle est arrivée.

— Pour l'amour du ciel ! Un peu de décence ! rugit

Hatch. Vous parlez de votre beau-père, du frère des demoiselles Worlingham !

Shaw se tourna vivement vers lui.

— Décence ! Il n'est pas indécent de parler de la mort. Theophilus était couché sur le tapis, le visage congestionné, les yeux exorbités. Il tenait dans sa main cinq bons du Trésor d'une valeur de cent livres chacun, ses doigts étaient si serrés que nous n'avons pu les déplier au moment de la toilctte mortuaire. Ce qui est indécent, Josiah, c'est la provenance de cet argent.

Un malaise s'installa dans la pièce. Chacun craignait de regarder son voisin, mais personne ne pouvait s'en empêcher. Quelqu'un toussa.

Une voix s'éleva enfin.

— Theophilus ? Victime d'un maître chanteur ? Impossible !

Une femme porta sa main gantée à sa bouche pour étouffer un gloussement nerveux. On entendit quelques chuchotements, très vite éteints.

Soudain, la voix claire de Lally brisa le silence.

— Hector ? Il serait temps de...

Clitheridge, tout rouge, semblait très malheureux. Une poussée irrésistible sembla le propulser jusqu'au bout de la table, près de Shaw. Celeste se tenait à la droite du médecin, un peu en retrait, les lèvres livides, tremblant de rage.

Clitheridge se racla la gorge, regarda autour de lui, cherchant de l'aide, et n'en trouva pas. Il regarda encore une fois Lally puis finit par se décider à parler.

— Je... euh... c'est moi qui me trouvais auprès de... Theophilus lorsqu'il est mort, je veux dire... un peu avant sa mort.

Il se racla à nouveau la gorge comme si elle était obstruée.

— Il... il m'avait fait parvenir un message me demandant de venir chez lui avec l'un des enfants de chœur...

Il jeta un regard implorant à Lally et ne lut dans ses

yeux qu'une résolution implacable. Il ouvrit la bouche pour respirer et poursuivit d'un ton misérable .

— Je me suis aussitôt rendu chez lui — l'affaire paraissait urgente. Je l'ai trouvé dans un grand état d'excitation. Je... je ne l'avais jamais vu ainsi.

Il ferma les yeux, revivant l'horreur de la scène, et poursuivit d'une voix aiguë :

— Il n'était plus lui-même : il postillonnait, s'étranglait et battait l'air de ses bras. Il y avait des piles de bons du Trésor sur son bureau. Je ne saurais dire quelle somme d'argent ils représentaient. Le voyant dans cet état, je l'ai supplié de me laisser appeler le médecin, mais il n'a pas voulu. Je ne suis pas sûr qu'il comprenait ce que je lui disais. Il ne cessait de répéter qu'il avait péché et qu'il voulait se confesser.

Clitheridge roulait des yeux affolés et évitait de regarder Celeste et Angeline. La sueur coulait sur son front et perlait sur sa lèvre supérieure ; il se tordait les mains.

— Il... il me suppliait de prendre... de prendre tout l'argent — pour l'église, pour les pauvres... Et il voulait que j'entende sa confession...

Le pasteur ne trouvait plus ses mots. Sa voix s'éteignit.

— Mensonges ! s'écria Celeste. Theophilus n'a jamais rien fait dont il pût avoir honte. Il a eu une attaque et tenait des propos incohérents. Vous l'avez mal compris ! Pourquoi n'avez-vous pas appelé le médecin, espèce d'idiot !

Clitheridge retrouva l'usage de la parole.

— Non, il n'a pas eu d'attaque devant moi, se défendit-il. Il essayait de m'attraper pour m'obliger à prendre l'argent, tout l'argent ! Il y avait des milliers de livres ! Et il voulait que j'entende sa confession. J'étais... j'étais très embarrassé. Je n'avais jamais rien vécu de pareil...

— Alors, qu'avez-vous fait ? demanda Lutterworth.

Clitheridge avala péniblement sa salive.

— Je... je me suis enfui par la porte-fenêtre. J'ai traversé le jardin en courant et je suis retourné au presbytère.

— Et vous avez tout raconté à Lally, qui vous a pris sous son aile, comme d'habitude, remarqua Shaw. Vous avez laissé Theophilus mourir seul. Une attitude qui n'est guère chrétienne... Toutefois, reconnut-il avec honnêteté, vous n'auriez rien pu faire pour le sauver...

Clitheridge baissa la tête, honteux. Lally lui tapota le bras, comme elle l'aurait fait pour apaiser un enfant.

— Mais... cet argent ? demanda Prudence, horrifiée. Papa ne gardait pas d'argent à la maison. Qu'est-il devenu ?

— Je l'ai remis à la banque, répondit Shaw.

— Mais à quoi était-il destiné ? reprit Angeline, au bord des larmes. Pourquoi Theophilus l'avait-il retiré de la banque ? Voulait-il vraiment tout donner à l'église ? Quel noble cœur ! Ah, cela lui ressemble bien ! Et à Papa aussi ! Stephen, vous n'auriez pas dû le remettre à la banque. Bien sûr, je comprends... Vous avez pensé à l'héritage de Prudence et de Clemency. Mais tout de même, vous auriez dû respecter ses dernières volontés.

— Dieu tout-puissant ! s'exclama Shaw. Quelle cervelle d'oiseau ! Vous n'avez donc pas compris que Theophilus voulait donner cet argent pour acheter son salut ? Cet argent était impur ! Chaque penny de votre héritage a été extorqué aux miséreux ! Il provient aussi de maisons de passe, de distilleries de contrebande, d'ateliers de confection clandestins, de fumeries d'opium ! Voilà d'où vient l'argent des Worlingham. Les habitants des taudis de l'East End ont permis à l'évêque de se faire bâtir la demeure dans laquelle vous vivez dans le luxe et l'oisiveté !

L'univers des deux sœurs venait de s'effondrer. Angeline porta ses mains à sa bouche. Des larmes coulaient sur ses joues. Celeste ne lui accorda pas un regard. Elle demeura impassible, le visage fermé, les yeux perdus au loin, sentant sourdre en elle une haine et une colère incommensurables.

— Theophilus savait tout cela, poursuivit Shaw. Et quand il s'est senti mourir, il a pris peur et a voulu rendre cet argent, mais il était trop tard. À l'époque, je n'étais pas au courant. J'ignorais que Clitheridge s'était trouvé avec lui dans le bureau. Je ne savais pas quelle devait être la destination de ces billets. Je les ai remis à la banque parce qu'ils lui appartenaient et qu'il ne fallait pas les laisser traîner. C'est Clemency qui a découvert la vérité et qui m'a tout raconté. Elle a ensuite distribué l'argent aux pauvres pour tenter de réparer le mal causé par son grand-père.

— Menteur ! Satan parle par votre bouche !

Josiah Hatch, le visage congestionné, se jeta sur Shaw et le jeta à terre, mains serrées autour de son cou, prêt à lui faire ravaler à jamais ces mots terribles.

— Blasphémateur ! Vous méritez la mort ! hurla-t-il. J'ignore pourquoi le Seigneur vous a épargné alors qu'Il m'avait désigné pour accomplir Son œuvre.

Pitt plongea dans l'assistance, écartant sur son passage hommes et femmes médusés, et saisit Hatch par les épaules en le sommant de lâcher prise. Mais, les forces décuplées par la haine et le désespoir, prêt à tout, celui-ci demeura sourd à ses exhortations.

— Monstre ! Suppôt de Satan ! grinça-t-il entre ses dents. Si je vous laisse vivre, vous souillerez tout ce qui est pur et beau. Vous vomirez vos idées répugnantes sur notre sainte Église, vous sèmerez les graines du doute là où il n'y avait que foi et certitude. Vous irez répandre vos mensonges obscènes sur l'évêque Worlingham, ceux qui le révéraient se riront de lui.

Il sanglotait, les cheveux pendant sur le front, le visage violacé, cherchant à étrangler son ennemi.

— S'il faut qu'un homme meure pour empêcher qu'un peuple tout entier sombre dans l'incroyance, vous mourrez ! Vous devez être éliminé, pollueur d'esprit, destructeur de foi, et jeté à la mer avec une pierre autour du cou. Que soit maudit le jour de votre naissance ! Vous entraînez le monde en enfer !

Pitt le frappa de toutes ses forces à la tempe. Josiah fut secoué d'une convulsion, sa bouche s'ouvrit sans qu'il en sortît un son, ses bras battirent l'air, puis il s'effondra sur le sol, inconscient, les poings serrés.

Jack Radley joua des coudes au milieu de l'assistance pour venir aider Pitt. Il se pencha sur Hatch et le soutint.

Celeste défaillit. Matthew Oliphant, debout à ses côtés, la recueillit dans ses bras et l'allongea sur le tapis.

Angeline sanglotait comme une petite fille perdue.

Prudence demeurait pétrifiée.

— Qu'on aille chercher l'agent Murdo ! ordonna Pitt.

Personne ne bougea. Il réitéra son ordre et vit, du coin de l'œil, Emily se précipiter vers la porte d'entrée pour aller prévenir Murdo, en faction à l'extérieur de la maison.

Enfin, l'assemblée parut reprendre vie. Il y eut des bruissements de satin, des soupirs, des chuchotements. Les dames se rapprochèrent insensiblement des messieurs.

Shaw se releva, très pâle. Tout le monde se détourna de lui, excepté Charlotte. Il tremblait. Il ne chercha pas à remettre de l'ordre dans ses vêtements ni dans ses cheveux. Sa cravate était de travers, son col de chemise déchiré, une manche de sa veste lacérée. Son visage était couvert d'égratignures.

— Josiah... murmura-t-il d'une voix rauque. Josiah a tué Clem et Amos, mais c'est ma mort qu'il souhaitait.

— Oui, acquiesça-t-elle avec douceur. Vous avez échappé à la mort parce que vous ne vous trouviez pas chez vous, ni chez votre ami, les soirs d'incendie. Il croyait que Clemency était sortie ; quant à Amos, il ne s'est pas préoccupé de savoir s'il était là ou non

Shaw paraissait bouleversé, comme un enfant qui vient de recevoir une gifle sans en comprendre la raison.

— Mais pourquoi ? Pourquoi ? Nous nous disputions sans cesse, mais ce n'était pas grave à ce point...

— Pour vous peut-être...

Charlotte se trouva à court de mots. Elle savait qu'elle allait le blesser, mais elle devait parler.

— Vous vous moquiez de lui...

— Bon sang, Charlotte, il le méritait ! C'était un hypocrite ! Ses valeurs étaient absurdes. Il vénérait cette canaille d'évêque, ce rapace corrompu qui se faisait passer pour un saint alors qu'il volait tout le monde, et surtout les plus démunis ! Toute sa vie, Josiah a chanté ses louanges et prêché des contre-vérités.

— Mais à ses yeux, elles étaient précieuses, remarqua-t-elle.

— Des illusions, Charlotte ! Ce n'était que des illusions !

— Je le sais.

Elle soutint son regard et y lut de la détresse, de l'incompréhension et une profonde tendresse. Elle savait qu'elle s'apprêtait à lui porter un coup terrible et pourtant il fallait qu'il comprenne, afin que ceci ne se reproduise plus.

— Nous avons tous besoin de héros, bons ou mauvais. Avant de détruire les rêves sur lesquels certains ont bâti leur existence, il faut les remplacer par d'autres. Avant, docteur Shaw. Pas après.

Elle le vit vaciller.

— Après, il est trop tard. Être iconoclaste, détruire de fausses idoles — celles que vous pensez être fausses — peut être réjouissant et vous donner un merveilleux sentiment de supériorité. Mais il y a un prix à payer pour avoir dit la vérité. Vous êtes libre de dire ce qu'il vous plaît — sans doute est-ce même nécessaire, si vous voulez voir se développer des idées nouvelles — mais vous êtes responsable de ce qui se produira ensuite.

— Charlotte...

— Vous parliez sans songer aux conséquences, en pensant que la vérité suffisait. C'est faux. Josiah ne pouvait vivre sans ses illusions : vous auriez dû y penser, vous qui étiez son beau-frère depuis vingt ans.

Shaw ne put dissimuler une douloureuse stupéfaction : l'opinion de Charlotte avait une grande importance pour lui. Il lisait la critique sur son visage, alors qu'il cherchait son approbation, même la plus légère. Lui qui aimait la vérité pour elle-même découvrait enfin ce qui pouvait résulter de sa révélation : avec le pouvoir vient la responsabilité.

— Vous aviez la connaissance pour vous, dit-elle, en s'écartant de lui. Vous aviez les mots, la vision, vous étiez plus fort que lui. Vous avez détruit ses idoles, sans penser à ce qu'il deviendrait sans elles.

Shaw ouvrit la bouche pour protester, mais il n'en sortit qu'un cri amer, signe d'un début d'acceptation. Charlotte se détourna et regarda Josiah, qui revenait lentement à lui. Pitt et Jack l'aidaient à se remettre sur ses pieds. Emily revint, accompagnée de l'agent Murdo, qui tenait une paire de menottes.

Shaw tendit les mains vers Prudence.

— Je suis désolé, chuchota-t-il. Vraiment désolé.

Elle demeura immobile, hésitante. Puis, lentement, elle tendit les bras vers lui, lui prit les mains et les serra très fort.

Charlotte alla retrouver Vespasia, qui s'appuya sur son bras.

— Un jeu dangereux, celui de la ruine de nos rêves, soupira-t-elle. Trop souvent nous pensons que, parce qu'ils sont invisibles, ils n'ont pas le pouvoir de détruire. Or nous bâtissons nos vies sur ces rêves. Pauvre Hatch — une créature trompée par de fausses idoles. Et pourtant nous ne pouvons les briser impunément. Shaw porte une lourde responsabilité dans cette affaire.

— Il le sait, murmura Charlotte, encore bouleversée par ses propres paroles. Je le lui ai dit.

Vespasia accentua la pression de sa main. Elles n'avaient pas besoin de mots pour se comprendre.

Cet ouvrage a été réalisé par

FIRMIN DIDOT

GROUPE CPI

Mesnil-sur-l'Estrée

pour le compte des Éditions 10/18
en février 2002

Imprimé en France
Dépôt légal : janvier 2002
N° d'édition : 3321 - N° d'impression : 58816
Nouveau tirage : février 2002